S.S.F. PUBLIC LIBRARY

MAIN   MAR 1 4

S0-BZE-885

A E
& I

La mujer que llora

Autores Españoles e Iberoamericanos

Esta novela obtuvo el Premio Azorín 2013,
concedido por el siguiente jurado:
Lola Beccaria, Manuel Cifo González, Juan Eslava Galán,
José Ferrándiz Lozano, Nativel Preciado,
Juan Bautista Roselló Tent, que actuó como presidente
del jurado, Marcela Serras Güell y María José Argudo
Poyatos, que actuó como secretaria sin voto.

La Diputación Provincial de Alicante y Editorial Planeta
convocan y organizan el Premio Azorín de Novela.
Editorial Planeta edita y comercializa la obra ganadora.

Zoé Valdés

La mujer que llora

Premio Azorín de la Diputación
Provincial de Alicante 2013

 Planeta

No se permite la reproducción total o parcial de este libro, ni su incorporación
a un sistema informático, ni su transmisión en cualquier forma o por
cualquier medio, sea éste electrónico, mecánico, por fotocopia, por
grabación u otros métodos, sin el permiso previo y por escrito del editor.
La infracción de los derechos mencionados puede ser constitutiva de delito
contra la propiedad intelectual (Art. 270 y siguientes del Código Penal)
Diríjase a CEDRO (Centro Español de Derechos Reprográficos) si necesita
fotocopiar o escanear algún fragmento de esta obra. Puede contactar
con CEDRO a través de la web www.conlicencia.com o por teléfono en
el 91 702 19 70 / 93 272 04 47

El editor hace constar que se han realizado todos los esfuerzos para localizar
y recabar la autorización del propietario del copyright de la imagen que
ilustra esta obra, manifiesta la reserva de derechos de la misma y expresa su
disposición a rectificar cualquier error u omisión en futuras ediciones

© Zoé Valdés, 2013
© Editorial Planeta, S. A., 2013
   Diagonal, 662-664, 08034 Barcelona (España)
   www.editorial.planeta.es
   www.planetadelibros.com

Primera edición: abril de 2013
Depósito legal: B. 6.045-2013
ISBN 978-84-08-01391-4
Composición: Foinsa Edifilm, S. L.
Impresión y encuadernación: Cayfosa (Impresia Ibérica)
Printed in Spain - Impreso en España

El papel utilizado para la impresión de este libro es cien por cien libre de cloro
   y está calificado como **papel ecológico**

A Dora Maar, James Lord y Ramón Unzueta, in memóriam.
A Bernard Minoret y Ana D'Atri.
A Marcela Rossiter.

Camino sola por un vasto paisaje.
Hace buen tiempo. Pero no hace sol.
No hay hora.
Desde hace mucho tiempo, ningún amigo,
ningún transeúnte.
Camino sola. Hablo sola.

*Je n'ai pas été la «maitresse» de Picasso, il fut
mon «maître».*[1]

DORA MAAR

Dora quería pasar a la historia sin necesidad
de palabras.

JAMES LORD

1. «Yo no fui la "querida" de Picasso, fue él mi "maestro".»

PARTE I

—

LOS ARDIENTES PENSAMIENTOS

Bernard. París, 2007

Observaba desde la terraza el tránsito de los automóviles, mi mirada descendió hacia el banco del bulevar Bourdon, donde una pareja de jóvenes se besaba; probablemente el mismo banco en el que Bouvard y Pécuchet conversaron, bajo un calor de treinta y siete grados, en la novela de Gustave Flaubert. No hay nada más placentero y hechizante que deleitarse observando los besos que se dan los jóvenes en París: besos de tornillo, de pura lengua; Robert Doisneau supo retratar el beso parisino como nadie.

Me retiré de la ventana y atravesé el salón en dirección a la otra ala de la estancia. La vida de una mujer es una eterna letanía; cuando esa letanía cesa, se detiene el deseo y se inicia la temporada de los ardientes pensamientos. Entonces comienza la época en que el cuerpo se enfría, y la fiebre se apodera salvajemente de la psiquis. Esto no quiere decir que se haya terminado la vida, sólo se detiene, para volver a echar a andar violenta y estrepitosamente hacia esa nueva infancia que, adormilada, nos espera con la muerte.

Había parado de llover hacía dos horas, y una vez que salió el sol, abrí los pulmones, respiré hondo y le di la bienvenida a la primavera a través del gran ventanal que encuadra en un rectángulo cinematográfico el jardín del patio.

Bernard me estaba esperando en su casa de la calle Beaune, en Saint-Germain-des-Prés. Estrené un vestido ligero, quizá demasiado ligero. *«En avril, ne te découvre pas d'un fil»*, dice el refrán, «en abril no te quites ni un hilo», lo que significa que en este mes no hay que desabrigarse, el frío podría ser traicionero, podría regresar de golpe, y tendríamos asegurado el riesgo de caer enfermos. Pero no me apetecía ponerme un abrigo, ni tampoco un impermeable, ni siquiera una chaqueta. ¡Ay!, cuánto añoraba el verano, y debido a esa pueril añoranza opté por vestirme como si ya estuviésemos en verano y gozáramos del calor soporífero y seco de París.

La primavera, ¡por fin había llegado la primavera, tras un largo y tortuoso invierno! Atrás quedaba la nieve amontonada en las aceras, las calles enfangadas. De todos modos, cubrí mi cuerpo con un impermeable de cuero negro, un cuero fino de cordero, por si acaso.

No deseaba hacer esperar demasiado a Bernard, ésa iba a ser la segunda vez que lo vería.

Nos conocimos en diciembre, antes de las Navidades; fuimos presentados en un cine, cuando la película hacía ya algunos minutos que había empezado. Sólo pudimos intercambiar algunas frases amables en medio de la penumbra, pues no queríamos molestar al vecino de butaca. Era el estreno del film de un amigo suyo, con esa actriz que me gustaba tanto... Tengo un lapsus, no recuerdo el título de la película... Pero sí, claro que sí, ahora sí que me viene el nombre de la actriz, Nathalie Baye. La película estaba muy bien, se trataba del primer largometraje de un nuevo realizador que había trabajado antes como guionista. Bernard también ha sido guionista, y lo sigue siendo, de grandes producciones francesas y se codea con la flor y nata parisina, conoce a *le tout Paris*, como quien dice. Fue amigo de Marie-Laure De Noailles, Leonor Fini, Dora Maar... Bernard es escritor y coautor de *Les Salons*. Es un buen escritor, pero él no lo ve así o no ha querido verlo nunca. Yo sabía que había sido amigo íntimo de James Lord, y lo conocí por medio de unos amigos cubanos, que me hablaron de él de manera breve, pero intensa. Ha sido un guionista de éxito y sigue siendo un caballero elegante, de mucha clase, educado, aunque con un ligero toque de timidez que lo engrandece aún más pero que perturba su capacidad para la comunicación, no la hace fácil para los demás.

Aquella misma noche, después del estreno, fuimos a cenar a un restaurante «de artistas y escritores», dijo, y me presentó al nieto de una gran dama parisina, una tipa de esas de alcurnia, con un nombre bien puesto, acompañado de una retahíla de apellidos, y mientras más apellidos más montañas de dinero, supongo que todo muy bien guardado en bancos suizos. También tenía cantidad de joyas y alhajas antiguas, abrigos de pieles, visones, retratos realizados por pintores de prestigio y fotos aseguradas en la página social de *Paris Match* cada semana. Toda una mecenas de intelectuales y artistas revolucionarios atribulados. En resumen, a mí nada de eso me interesaba, siempre he tenido que trabajar muy duro para ganarme los frijoles, pero actué como si me atrajera el tema de la gran dama e hice lisonjas obsoletas a su fortuna, para no desalentar al joven, que se sintió sumamente agradecido de que yo me ocupara fingidamente de los asuntos de su abuela. El muchacho tenía los ojos azules más hermosos que yo haya visto jamás, de un azul Caribe aguado.

Aquella noche, en la que Bernard y yo hablamos por primera vez, y pudimos juzgarnos por medio de las palabras —algo muy francés—, me preguntó con insistencia qué era lo que más me gustaba de Francia y de los franceses. No recuerdo lo que respondí, una tontería, seguro, algo así como «el amor por el arte, el erotismo sagaz, la sensualidad o la pasión vertiginosa que emana la ciudad». Pero él concluyó:

—Lo que yo más valoro es la conversación. Los franceses sabemos conversar.

—Cierto —aprobé—, durante una época, los cubanos también supieron conversar. En la actualidad, todo es un soliloquio escandaloso, aburrido, una gritería escabrosa e inaguantable.

—Mi pobre dama —pronunció *«ma pauvre dame»* con una certera y aparatosa lástima—, un día todo eso acabará, se lo aseguro.

—De todos modos, también aquí, en París, la conversación es un don que se va perdiendo. En ciertos salones se sabrá conversar, no lo dudo, pero en otros escenarios los interlocutores suelen ser bastante hoscos.

Respondí con un remilgo a la francesa, es decir, con un acentuado deseo de restarle importancia a la susodicha cualidad, exquisita —por ser gala—, tan trajinada, de saber conversar. Los franceses son expertos en ningunearte los dones, y eso mismo hice yo en aquel instante tan extrañamente incómodo clavándole mis pupilas como para desestabilizarlo.

Con ellos también he aprendido a responder empleando sus respuestas, a pagar con la misma moneda y en el mismo tono.

Fingió no haberme oído, que es otra manera sutil de responder a la francesa:

—Deberíamos ser más abiertos, me agrada la gente sociable. Los cubanos son sociables.

—Demasiado, *un peu beaucoup trop* —apunté.

Rió con una carcajada que contuvo con la servilleta que se llevó a los labios.

—Todo aquello cambiará, las secuelas de la «enfermedad» —dibujó unas comillas en el aire— durarán poco, ya lo verá, serán breves.

Quise creerlo, pero preferí cambiar de tema.

—Monsieur Minoret... —lo llamé por su apellido.

—Puede usted llamarme «Bernard».

—Bernard, deseaba conocerlo porque quiero escribir una novela sobre una persona que usted frecuentó hace mucho tiempo.

—¿Podemos tutearnos? —preguntó mientras se llevaba a la boca la copa de champán Dom Pérignon, todo burbujas doradas, todo deleite: «un gran momento literario», piropeé el champán y eso lo divirtió—. Antes pidamos la cena. ¿Te gustan las ostras?

—Desde luego. Me encantan. Probé por primera vez las ostras, el caviar y el champán cuando aún no me había exiliado definitivamente. No, no fue para nada en La Habana, los degusté en París, durante mi primera estancia, en el restaurante Jules Verne, situado, como sabe, en el primer piso de la torre Eiffel. Por supuesto que alguien me había invitado, yo, en aquella época, no tenía dinero ni para comprar merluza, no digo ya ostras. Y cuando saboreé aquella delicia gelatinosa, viva, me dije: «Qué va, ¿qué hago yo comiendo chícharos viejos con gorgojos en Cuba?» Tenía apenas veintitrés años.

—¿*Chicharros?* —Ante la premura del camarero que esperaba la *«commande»*, hice un gesto de que no se preocupara si no me entendía, pues había confundido «chícharos» con «chicharros»— ... Como entrantes, por favor, *les fines Clarettes numéro 6...*

Mientras Bernard se dirigía al camarero escruté atentamente su rostro.

Bernard cumplió hace rato una edad respetable, sin embargo en su cara se puede apreciar la tersura de una piel infantil. Ojos pequeños y vivos, del color de la miel, boca rosada, mejillas traslúcidas y bien cuidadas con cremas y demás cosméticos. Extiende los labios con un rictus muy parisino y pronunciaba *«oui, oui»* alargando la pronunciación en un suspiro.

Es alto, esbelto y su voz no resultaba para nada gangosa. Mientras cenábamos pronuncié el nombre de la mujer que me interesaba:

—Dora Maar, la gran artista; me gustaría saber más de esa mujer, intento escribir sobre ella, aunque sé que ella detestaba la idea de que los escritores revolvieran en su vida, no confiaba en ellos. Dijo en más de una ocasión que no quería que se escribiera nada sobre ella, ya que «sólo sería basura sensacionalista». Y añadió que «los escritores son unos traidores, porque escriben de lo que saben». Muy bueno, porque con eso quiso decir que los escritores deberían ser más imaginativos. He leído mucho, he visto obras suyas, la exposición que le ha dedicado el museo Picasso y, desde luego, la novela que se escribió sobre su vida, o más bien sobre su vida con Picasso, formidable... Entre otros libros en los que es presentada como una mujer difícil...

—Ah, Dora, Dora, pequeña Dora... —Sonrió suavemente—. ¿Has leído el libro de James Lord?

—*Dora y Picasso*, claro, leyéndolo me enteré de que usted la conocía y que habían sido amigos. Hay una foto en la que aparecen resplandecientes, jóvenes, bajo el sol italiano, Dora, James Lord y usted. Dora menos joven, claro. Es una foto bastante expuesta... al sol... Luminosa, radiante.

—¿Podemos tutearnos? Creo que ya te lo he preguntado —insistió.

—Claro, perdone. Yo quería saber más acerca de ese viaje a Venecia, si comprendí bien fueron cinco días solamente, ustedes tres solos...

Interrumpió, cortante:

—Nos veremos en otra ocasión para hablar de Dora, tú y yo... También a solas... Fueron en realidad ocho días, contando el trayecto de regreso.

Entendí que prefería mantenerse discreto con respecto a sus sentimientos o sencillamente ocultarlos delante de los demás, en ese caso el joven de ojos añil.

—Me marcho de viaje pronto, pero volveré en el mes de marzo —advertí.

—Entonces, citémonos en este instante para el 2 de abril. —Volvió a llevarse la copa de Dom Pérignon a los labios, sin distraer la mirada. Sus pupilas ahora quedaban fijas en las mías.

—Muy bien, muy bien. —Saqué mi agenda, anoté—. No lo olvidaré, es el cumpleaños de mi hija.

—¿Temes olvidar la cita? —recalcó medio enfurruñado al observar que yo escribía apresuradamente en la agenda.

—No, no, le aseguro que son manías, padezco esa obsesión de anotarlo constantemente todo... —respondí, perturbada.

Tres meses y medio más tarde me dirigía en un taxi hacia la casa de Bernard, habíamos acordado que de allí iríamos a almorzar a un restaurante situado al doblar su calle.

Apreté el botón del timbre, que no sonó como un timbre clásico, se oyó el *tilín* de una campanilla; llamé dos veces, desde arriba una voz robusta me preguntó que quién andaba ahí. Anuncié mi nombre con ligera timidez, y la puerta se abrió. Subí en el antiguo ascensor. Iba pensando en un sinfín de cosas, sin ninguna relación unas con otras; recordé una canción de un trovador cubano que me hacía mucha gracia, hablaba de una niña, de un gato, de un candado echado en la reja, de ahí salté, o saltó mi recuerdo, a la noche en que fui a un restaurante con mi marido y con una tipa que yo creía entonces que era mi amiga.

Nos conocimos por medio de uno de esos mariquitas envidiosos que deshonran a los homosexuales con sus actos mezquinos. Uno que quería devenir escritor a la fuerza, pero cuya incultura daba pavor. La mujer en seguida pretendió destacarse, trataba de hacer planes con mi marido, de trabajo, por supuesto, y, de pronto, todo lo que él y yo habíamos construido juntos no valía para nada a los ojos de Renata, así se llamaba. Según decía, ella sí que sabía qué soluciones adoptar y, sin duda alguna, tomaría cartas en el asunto y sería ella quien resolvería la carrera de mi esposo, borraría todos *esos problemas menores* para trabajar en el cine y demás. Le haría ganar bastante dinero, afirmó convencida. «Sin dinero —dijo—, no se puede hacer cine», y eso, aunque es una verdad como un templo, no sólo me molestó, me hirió hondo. A partir de ahí, todo se volvió de pronto dinero y más dinero y proyectos filmados a su manera. En fin, nada interesante, una basura más de este mundo tan hipócrita y estúpido que sólo le hace perder tiempo a uno...

Yo, claro, me sentí culpable, queriendo, como siempre, construir una amistad donde no puede haberla. Es una mala maña irremediable en mí.

La mujer acababa de cumplir cincuenta y nueve años, no los aparentaba, además de ser todavía muy hermosa, se conservaba bien, pero «son cincuenta y nueve años, y vive arduamente los temores íntimos que eso conlleva», me dije.

Ni corto ni perezoso, quien ella cree que es su mejor amigo, o sea, su peor enemigo, me contó acerca de esos temores de la mujer que empieza a ver los años como peldaños cada vez más llanos y fáciles de bajar en ese inevitable descenso hacia el fin, que es la vejez.

Renata es una mujer que vive para el dinero, con un marido que gana sumas extraordinarias e impronunciables, sin embargo ella va muy a su aire, comprando aquí y allá, gastando, como todas las mujeres que no saben qué hacer con el dinero de los maridos. Se la pasa alardeando de riqueza, colocando a las demás mujeres, casadas o divorciadas, con o sin profesión, siempre por debajo de ella, sólo porque habíamos priorizado el trabajo en lugar de dedicarnos a cazar fortunas.

En aquella conversación, la noche de la cena fatal, confesó que había pasado por todas las religiones habidas y por haber, y que, finalmente, se había decidido por la musulmana, muy a la moda: el Islam. Su marido es un jeque árabe. Allá ella.

De súbito, sin ton ni son, me preguntó si me gustaban las mujeres, porque a ella «para nada», añadió. ¿Sería porque la estaba observando con demasiada intensidad? En realidad, estudiaba su maquillaje, bastante caro, bien esparcido en un rostro como de mármol...

Sin embargo, pese a la buena posición del esposo, Renata trabajaba, o al menos eso decía, o creí entender que había trabajado, aunque ya no tanto ni tan seguido, o sea, trabajaba aún, pero poco, *periódicamente*, por temporadas; mientras, *su mejor amigo* se dedicaba a contarle a todo el mundo que su marido, jeque saudí estaba podrido en plata, más bien en oro y en petróleo, que era tan rico que daba asco y que ella no necesitaba doblar el lomo para nada. Pese a lo que se comentaba, ella aseguraba que trabajaba o, al menos, hacía el paripé. Al hablar de trabajo, su lengua trastabillaba repitiéndose vacilante. No sabía especificar muy bien en qué trabajaba, lo que ella sí afirmaba es que era de las pocas que dedicándose al diseño de interiores ganaba millones; se había vuelto millonaria trabajando sólo como decoradora. Algo que corroboraba su mejor amigo, que por lo que chismeaba, y chismea, de ella es su peor enemigo. Pero ella todavía no se ha dado cuenta; demos tiempo al tiempo.

«Los hombres son de una bobería espantosa, me aburren infinitamente», declaré sin pensarlo. Ella confesó que odiaba a las mujeres. Y, de pronto, se puso a lloriquear sobre su suerte. No soporto a la gente que no ha sufrido lo suficiente y se echa a llorar por absurdas banalidades. Rectifico, soy injusta, depende de cómo entienda cada uno el sufrimiento. Ahora soy yo quien no soporta a ese tipo de mujeres, majaderas y quisquillosas por cualquier tontería, excesivamente desprovistas de dignidad.

Resulta totalmente cierto aquello que escribió Doris Lessing de que los hombres llegaron al mundo después que las mujeres, que son seres inferiores y que algunas de nosotras, de idiotas, somos capaces de envidiarles tal suerte e incluso intentamos imitarlos.

El ascensor se detuvo en el piso al que yo iba. En el instante de salir de él, pensé también en banalidades tales como que no había sacado el cubo de la basura al patio, que no había cosido el dobladillo de un vestido de la niña... Sí, eso me suele ocurrir, mezclo las ideas más o menos buenas con las tonterías cotidianas. «No es nada de lo que deba sentirme culpable», justifiqué.

Peores son las mujeres que enfatizan tanto su condición de género que hacen de su vagina su carnet de identidad y terminan convirtiéndola en su caja de caudales.

Un hombre de unos cuarenta años me abrió la puerta pintada de verde; aparentaba más joven, pero en la cara se le notaba que no lo era, que era cuarentón o mayor de cuarenta, y que había sufrido, no dejaba de ser un buen mozo trigueño, con un cuerpo bien formado, a base de ejercicio. No se presentó, no dio su nombre. Tampoco extendió la mano de manera afable, más bien se comportó despojado de afecto, y aunque ocurrió todo de modo muy breve, tuvo suficiente tiempo para fingir ser muy seco y protocolar. «Un sirviente», supuse en seguida.

Sólo me pidió cortésmente que pasara al salón y me anunció que debía esperar al señor Minoret (lo nombró por el apellido). Era, sin duda, un criado de buen ver, atractivo, discreto y educado.

Yo asentí con un gesto, me deslicé al salón, el tacón se me trabó en una deteriorada alfombra que abarcaba todo en el piso por los cuatro costados, tan antiquísima como el ascensor, o más. El sofá también era de color verde, del mismo tono que el de la puerta. Las paredes iluminadas por lámparas en forma de claveles reverberaban en un dorado de un anaranjado veneciano.

Estudié el mobiliario, fino, elegante, limpio, cada utensilio mostraba la fidelidad del dueño a un recuerdo, a una época, a una persona: un dibujo de Picasso, que es un retrato de Bernard. Otro dibujo puntillista de perfil, un hombre joven desde el papel observa en dirección a una habitación sombría, de la que se propaga un fulgor verdoso pompeyano. De esa misma habitación surgió Bernard, avanzó hacia mí con pasos seguros. Altivo, refinado; hacia mí o hacia su retrato, justo a mi lado, con grandes zancadas, señaló la amarillenta cartulina enmarcada:

—Ése es mi dibujo preferido, un retrato que hizo Dora Maar, de mí —subrayó, orgulloso—. Me lo cambió por encajes, chales, sábanas, fundas, visillos, todo un paquetón de ropa blanca; a ella le encantaba ese tipo de sofisticación, la lencería blanca. Pero no perdamos tiempo y entremos de lleno en el tema. En realidad, no conocí a Dora demasiado, quizá no tan profundamente, pero mantuve una cierta amistad, brevemente cercana, gracias a Lord. Mi verdadera amiga era Leonor Fini, entre otras mujeres inteligentísimas, bellas, y sumamente extraordinarias de la época. Pero lo poco que conocí de Dora me impactó. Sin duda alguna, era de las mujeres más brillantes que he frecuentado.

Le recordé que sólo me interesaban aquellos cinco días en Venecia («ocho contando el viaje de regreso», recalcó nuevamente), en los que ellos seguramente hablaron de innumerables temas personales, y muy íntimos. ¿Estuvo Dora verdaderamente enamorada de James Lord? ¿Y él de ella? ¿Cómo se sintió él entre ellos dos?

—Me sentía muy bien con ella. Dora fue encantadora conmigo. No pasó nada extraño entre nosotros, como no fuese un intenso halo de simpatía. En verdad, fue un viaje en el que no sucedió nada en particular. Sólo queríamos caminar, revivir James y yo la ciudad, visitar los museos, las iglesias. Dora viajaba por primera vez. Ella tenía ese sueño de visitar Venecia, y se lo cumplimos. James quiso brindarle un capricho que la acosaba de toda la vida. Bueno, «acosar» es un decir... Nosotros por aquella época viajábamos en automóvil, también en tren, y ningún esfuerzo nos cansaba porque andábamos plenos de deseos, gozábamos de excelente salud, poseíamos una estupenda vitalidad. A Venecia, Dora llegó después que nosotros... Nos hospedamos en el hotel Europa y allí la esperamos. En aquellos años, James y yo ya habíamos culminado una relación más que amistosa, o sea que la relación sexual la habíamos situado en un plano menor, era casi inexistente. James me descubría de otra manera, se trastornaba con mis manías, adulaba y colmaba mis pequeñas añoranzas o anhelos. Yo redescubría a Dora y me encantaba verla como una niña, pre-

25

surosa por llegar a un muelle, pero en lugar de un muelle, tantos como hay, arribábamos a un museo dispuestos a adorar una escultura o a postrarnos ante un cuadro fabuloso, como ante la virgen en una ermita. Nos divertimos intensamente en aquel viaje, y nos cultivamos todavía más. Quiero decir que nosotros, James y yo, nos cultivamos, porque ella ya lo era, sin duda ya era una mujer de una gran cultura. También nosotros, pero por la edad, menos.

Volví a preguntar, mientras bebía un poco de agua del grifo que me había servido en un fino vaso de Baccarat, acerca de si Dora se mostraba habladora, si exteriorizaba fácilmente sus emociones.

—No, no demasiado. Necesitaba que la quisieran, eso sí. Era una mujer de edad mediana, madura ya, y sin embargo se comportaba como una muchacha de quince años, igual a esas jóvenes tímidas y a la vez rebeldes e intrépidas que reclaman constantemente la atención de su entorno. Yo me ocupé mucho de ella, me agradaba conversar acerca de las pequeñas cosas rutinarias de la vida; no entablábamos necesariamente conversaciones transcendentales, nada de eso. Sólo abordábamos temas simples. O ella nos contaba una y otra vez su vida con Picasso.

—¿Y James Lord?

—James fue un caballero, un *chévalier servant*, un amante platónico. James es un hombre sumamente ocupado, deberías conocerlo, haré todo lo posible para que os conozcáis... ¿Nos vamos al restaurante? Me da un poco de miedo, ya sabes, que se llene al tope, y ya va siendo hora de almorzar... En París cierran las cocinas temprano.

Enfundó los brazos en un impermeable color beige.

—¿No vas algo desabrigada? —inquirió entrecerrando los ojos, dándose un aire felino.

Negué con la cabeza, silenciosa, eché una ojeada, una última panorámica en derredor.

De pronto, Bernard dio media vuelta y corrió a la habitación que a mí se me ocurrió pompeyana, revolvió en una gaveta. Mi mirada no podía abarcarlo desde donde me encontraba, pero conseguía oír sus manos trasteando entre papeles.

—¡Encontré lo que quería darte! ¡Casi lo olvido! Las páginas de mi agenda de aquel viaje, te haré fotocopias...

Escuché el chirriar del rodar de la fotocopiadora, en una secuencia continua.

—No dicen mucho, nada que valga demasiado, son pocas anotaciones, y ni me acuerdo siquiera del origen de ellas, de lo que escribí y por qué.

Guardé las fotocopias en mi cartera, no sin antes echarles un vistazo.

—Las leeré con calma en mi casa, si no le molesta.

Negó enfático, haciendo un gesto además con la cabeza, señal de que no le molestaba para nada, se enrolló la bufanda al cuello, y partimos apresurados hacia el restaurante.

La marquesina del lugar también era verde, *art nouveau*, la cortina de la entrada, de pesado terciopelo esmeralda, decididamente...

—Decididamente todo es verde hoy... —musité.

—Me gusta el verde, en mi vida hay mucho verde, es mi color preferido —añadió, persuasivo y entusiasmado.

Empecé a rebuscar en mi cabeza cuál era mi color predilecto, por si acaso me lo preguntaba; pero no lo hizo. ¿El rojo, el azul, el amarillo, el ocre? ¿El dorado? Había pintado bastante con oro, en una época en que mi vida se redujo a pasar horas frente a lienzos que terminaban rebosantes de dorado y cobre... No pinté nada grandioso, todo lo contrario, pero por nada muero envenenada, eso sí.

No, no me preguntó ni siquiera cuál era mi color predilecto. Empezó a leer el menú, aunque ya se lo sabía de memoria.

Nos acomodaron en una estrecha mesita junto a la entrada, y pedimos *confit de canard,* champán, agua, una tarta de manzana con nata fresca y al final, café.

—Igual te defraudo, pero no tengo mucho que contar sobre ella, sólo conservo impresiones personales, apuntes que la memoria fija como pinceladas sueltas, y atesoro, eso sí, varias obras suyas —susurró.

—¿Fotos o pintura? —Yo me interesaba mucho más por su obra fotográfica, pues, a decir verdad, desconocía buena parte de su obra pictórica.

—Pintura. Aunque no era buena pintora. Y, claro, conservo los dibujos que me hizo a mí y un delicadísimo paisaje al óleo.

—Era la mejor fotógrafa de su tiempo. Se metió en la pintura para complacer a Picasso. Nadie ignora que fue la primera que realizó un reportaje gráfico sobre la obra de un pintor, y ese pintor fue Picasso, y el cuadro, nada más y nada menos que el *Guernica* —solté en carretilla.

—Tampoco era tan mala pintora —se limitó a rectificar—. Ésa fue su cruz, se cavó su propia tumba al fotografiar el *Guernica*. Picasso jamás se lo perdonó.

—Lo sé. Se ha escrito incluso que fue la que le propuso que cambiara el sol por una bombilla, y para colmo le recalcó: «Tú no sabes pintar soles» o «no te quedan bien los soles»... Por otro lado, desde el punto de vista político, digamos la verdad... Picasso no había hecho nada, o muy poco, en contra o a favor de sus compatriotas, eso Dora no podía soportarlo, ella se lo exigió, le pidió que fuese solidario, que la historia le pasaría factura si no lo hacía... ¿Es cierto que Picasso tuvo relación con los nazis, que los recibía en su *atelier* y que les vendió obras? Sabe, según se comenta en algunos libros, Hitler lo consideró un enemigo, pero los nazis lo visitaban para mantenerlo controlado, y, quién sabe si... ¿para más?... Paul Éluard decía que...

Bernard rió a carcajadas. El sitio era pequeño, la gente nos miró. Bajé la vista y observé mis manos, entrelazadas, encima de la mesa. A veces me observo las manos como si no fueran mías, me abstraigo de ellas.

—¿Qué clase de libros lees? Te ruego que no te metas en camisa de once varas. No se acusa a Picasso de esto o de lo otro, no se habla mal de Picasso, cuidado, caquita. Picasso jamás haría una cosa semejante. Picasso, señora mía, es un dios. Los nazis censuraron la obra de Picasso, la sacaron de las galerías, pero él se vio en el compromiso de recibirlos cada vez que lo visitaron. No fue el único, como supondrás. Éluard podía decir cualquier tontería, él sí podía decirlas, de hecho las dijo...

Me mordí el labio inferior, preocupada por mi desliz; presentí el mordisco de la víbora.

Enfrente, en una mesa diminuta, una mujer solitaria

fumaba, había terminado de almorzar y echaba las cenizas en los restos que quedaron en el plato. Su boca era pulposa, la nariz recta, la frente discretamente abombada. Los ojos amarillos, los ojos extrañamente llorosos y ¡de un raro color amarillo verdoso!

—Detrás de usted, Bernard, hay una mujer con las pupilas amarillas —susurré.

—Ah, ¡ojos amarillos! Iguales a los de Jacques Dutronc, el cantante y actor, el que hizo de Van Gogh en el cine, que tiene los ojos como del color de la miel dorada —pronunció Bernard sin virarse—. ¿Nos tutearemos o no? Bueno, creo que ya lo hicimos antes... —Volvió a interrogarme con la mirada.

Respondí, sin dejar de observar a la mujer de mentón redondeado, semejante al de Dora Maar, que prefería que nos tratásemos de usted. Jamás podría tutearlo, me resultaba incómodo.

Asintió encogiéndose de hombros, haciéndose el enojado.

—Di la verdad: ¿por qué te interesa tanto Dora Maar? —preguntó mientras rebuscaba algo en los bolsillos de su americana.

—Porque fue una gran artista, porque era una mujer enigmática, porque se enamoró perdidamente de Picasso, sufrió calladamente a consecuencia de su ruptura con él. Al parecer, dejó de tener relaciones sexuales a los treinta y ocho años... De tantos amigos que tuvo, se quedó absolutamente sola. Pero después de todo lo que leí sobre ese mundo que la circundaba, también me interesé mucho en usted. Por supuesto en su relación con Picasso, en usted como mundano y escritor, y en Lord como el amante platónico. ¿No es cierto que todos querían ganarse a Picasso por medio de ella? Yo a Dora la conocí brevemente, de pasada... —No quise agregar nada más.

Parpadeó con esa última frase pero percibió mi temblor, eludió referirse a ella y enganchó con la que más lo atrajo:

—Dora renunció a su vida sexual a los treinta y seis años. Pero porque ella quiso. En cuanto a que todos buscáramos la amistad de Picasso... ¿Qué esperabas? Normal, era Picasso. Aunque yo ya gozaba de su amistad gracias a otras personas.

—Ella era ya Dora Maar, cuando se conocieron ella y Picasso ella ya era una gran artista, consagrada y reconocida por los surrealistas.

—Claro, claro, pero apenas nadie se percató de ese detalle.

—¿Detalle el que Dora compartiera su vida? Picasso no habría pintado el *Guernica* sin ella.

—Picasso no habría hecho muchas cosas sin ella. Pero él era Picasso.

La mujer que quedaba frente a mí observó su reloj de pulsera, extrajo el móvil del bolso, marcó unos números. Hizo el intento nuevamente, por sus rasgos ahora suavizados parecía que por fin alguien se dignaba responderle del otro lado, habló escondiendo sus labios en el hueco de la mano que le quedaba libre mientras bajaba la cabeza y rehuía la mirada del resto de los comensales. Al rato, guardó el móvil, encendió otro cigarrillo, levantó levemente los párpados, entornándolos. Ahora sus ojos brillaban aguados, chispeados de tonalidades grises. Lloraba.

—En casi todas las referencias picassianas se subraya que Dora Maar lloraba a raudales, que hacía muecas, que gritaba y se desfiguraba, que se ponía horrible.

—Nunca la vi llorar salvo en los retratos que le hizo Picasso. —Bernard quedó absorto en la luz y la sombra que hacían juegos de encaje en la acera, a través del cristal que nos separaba de la calle.

—No, Dora no era una llorona, por nada del mundo. Y no todos los libros se refieren a ella con esos vanos extremismos, yo diría falsedades, que no sólo pretenden degradarla a ella, sino que además insultan a los que fuimos testigos de aquellos años —sentenció.

Estuve tentada de contarle un poco más de mí, de mi vida en Cuba y de la más reciente, aquí en el exilio. Estuve a punto de asegurarle que yo ya no lloraba, que se me habían secado los lagrimales. Pero a veces sentía una rabia muy interior, que me quemaba por dentro, aunque hacía un gran esfuerzo de concentración espiritual y en seguida me calmaba. La ira ciega desaparecía igual que había llegado. Y que sobre todo me sentía muy sola, profundamente frágil, sin apoyo ninguno de nadie. No lo hice, me callé, como suelo hacer cada vez con mayor frecuencia, callarme, guardarlo todo en el fondo de mí. Luego escribo y me alivio, y parece que consigo olvidar todo lo que me hizo enfurecer. Mis lágrimas las he convertido en palabras escritas. Todo lo que quise llorar lo he vertido en el papel. Todo lo que quise llorar lo he escrito. Abrí la boca, volví a cerrarla, arrepentida.

—¿Ibas a decirme algo? —me tuteó.

—No, Bernard, no es nada importante, sólo es que..., es que, sí, bueno, sí, desde mi perspectiva, tengo enfrente a esa mujer, solitaria. Y ha empezado a llorar, y ahora sus pupilas son grises.

32

—Ojos del color del tiempo. Dora tenía unos ojos muy hermosos, con ellos apresaba lo inusual, ella veía lo que nadie podía ver. No te preocupes por esa mujer que llora. Ella no es como un retrato de Picasso. Y nada que no sea un retrato de Picasso merece la atención de gente como nosotros.

—Pudo haberlo sido, es muy bella... —titubeé—. No me interesé en Dora Maar porque fue amante de Picasso. Me importó ella aparte de Picasso, porque de ella me llamó la atención su vida y su arte, y, por encima de todo lo demás, su obra como fotógrafa. La aprecié desde que vi una foto hecha por ella, *Retrato de Ubú*, su hondo contenido e inmenso poder surrealista. Un animalito enigmático, con un hocico pelado y pezuñas estrambóticas. Aunque también admiro enormemente los retratos que hizo cuando no se había desligado del todo de Bataille: los exóticos de Assia, Leonor Fini, otra gran surrealista, de origen argentino también (por eso Dora y ella tenían puntos en común), los retratos que imprimió del propio Picasso. Me enamoré de su obra, luego vino la historia de su vida. Y en seguida me intrigaron esos cinco u ocho días en Venecia, ocho contando la trayectoria de regreso, claro. Viaje tan extraño, que nadie conoce los detalles, salvo ustedes dos. En aquella época ella, y eso usted lo sabe mejor que nadie, vivía pendiente de James Lord, por razones más bien amorosas que maternales, diría yo, él vivía más pendiente de Picasso que de ella y tal vez también de usted. ¿Usted de quién dependía sentimentalmente?

—De ambos, viví pendiente de ellos. Más bien viví pendiente de pertenecer al siglo XX. De devenir un símbolo. Para entonces, en aquel viaje, Dora ya se había amansado, se había vuelto más dócil.

—A partir de ahí, del viaje, Dora decidió romper con todo, se encerró en su casa de la rue de Savoie y apenas salía de allí, exclusivamente para asistir a misa. Vio a James escasas veces más, evitaba las visitas inoportunas —carraspeé—. ¿Sabe? Me conmueven mucho las mujeres que se aíslan.

—No es nada nuevo para ti esto que te recordaré si has leído bastante sobre ella, Dora siempre decía: «Después de Picasso, Dios.» —Pidió otro café *bien serré*.

—Lo sé, lo sé, casi lógico. El surrealismo la liberó, y por el contrario, su amor por Picasso la transformó en fugitiva y al mismo tiempo la encarceló en su propia historia, víctima de su pasión ciega, amordazada por su propio vértigo.

Nos levantamos con la intención de irnos.

Allí, a corta distancia, reservada, la mujer se había enjugado las lágrimas con un pañuelito de puntas de encaje cuyas iniciales bordadas en grande eran la *E* y la *M*. Ni siquiera reparó en que nos estábamos despidiendo del dueño del restaurante ni en que, acto seguido, le hicimos un gesto con la cabeza. No dejó de mirar al frente, a propósito, para no comprometer su mirada con la nuestra, enfocada hacia ningún objetivo, quizá como hacia el perdón, nombrándolo sin querer: pesaroso olvido.

En la calle, Bernard me detuvo, aprisionándome suavemente el codo.

—Dora no era tan apasionada, no lo creas. Dora era una artista de una gran inteligencia. El amor la confundió, la ridiculizó... No lloraba exteriormente, lloraba por dentro, vertía sus lágrimas hacia dentro, se empantanaba de ellas.

Bernard avanzó espigado, con pasos apresuradamente juveniles, delante de mí, sólo un breve espacio nos separaba. Lo seguí, estudiando sus gestos, intentaba captar y memorizar cada detalle de su silueta.

—Subamos a casa, quiero mostrarte el cuadro pintado por Dora, el famoso paisaje abrupto.

El cuadro estaba colgado en una de las paredes de la cocina. No pude definir si se trataba de un paisaje o de una fabulosa abstracción surrealista. Los colores, entre verdes, azules, marrones, negros, formaron una mancha repulsiva en mi mente, como una estructura en una quinta dimensión difícil de apresar. Era un cuadro oscuro, sombrío, y su sobriedad al mismo tiempo que la repelía me embriagaba. La luz que entraba a través de la ventana apaciguaba la tristeza que dominaba la escena, en aquella cocina para un hombre solitario.

—¿Por qué has dicho que yo te interesaba? ¿Lo has dicho antes, no? —subrayó Bernard.

—Porque usted pudo haber escrito esta historia y no lo hizo —contesté, veloz y volviendo a tratarlo de usted; se me dificultaba tutearlo.

—Ah, sí, siempre quise ser escritor y no creo que lo sea.

—¿No? ¿Con todo lo que ha escrito no es escritor? Al menos, en el cine...

—No soy un gran escritor, no hice una gran obra, es lo que quiero decir. Me refiero a que mi dispersión habitual, bah, no vale la pena, no lo sé... Tampoco soy taaaan disperso, ni tan traidor de mis propias ideas. Son todas justificaciones a mi vagancia habitual. —Se deslizó hacia el salón contiguo atravesando el pasillo.

El discreto sirviente me brindó café o un licor cualquiera, tal vez un coñac, no recuerdo bien qué clase de bebida fue, pero sí lo que respondí a su gentileza. «No puedo, gracias», musité; «debo correr a casa a enviar una crónica al periódico», me dije. «Debo correr a casa a realizar las labores propias de mi sexo», bromeé en voz alta. Bernard sonrió, entendía esas complicaciones, me miró irónico.

—Las mujeres ya no son lo que eran, todo es demasiado evidente.

—Bueno, ya me dirá usted de los hombres.

—Los hombres somos siempre lo mismo, nada ha variado en nosotros, no existen las sorpresas. Somos solamente eso, no más que hombres.

¿Por qué no hay sorpresas? Pues porque todos se han concentrado en cortejar el poder. La mujer pasó a ser para ellos un objetivo secundario en la seducción. Antes que nada, o sea, lo primero que se debe, o se intenta afanosamente, seducir es el poder. No hay que preguntar por qué. La respuesta es sencilla: las mujeres han empezado también a ambicionarlo. Y a obtenerlo.

Dora. Venecia, 1958

Llegó a Venecia un primero de mayo. Aún no se había instalado del todo en el hotel y ya lo anotó en la agenda: «Llegué el 1 de mayo, día de los trabajadores.» Eran las doce y diez. Parecía que la mayoría de la gente dormía, pues un raro y espeso silencio envolvía la ciudad. Pero no, no dormían, reposaban, tal vez se escondían de ella, supuso que evitaban encontrarse con ella. Sonrió para sí, ¿por qué todo tenía que girar en torno a ella? Al menos eso creía. Sonreía para sí siempre que volvía a sentirse importante para alguien. Se humedeció los labios con la punta de la lengua. Desde hacía varios años conservaba ese gesto para repetirlo en la intimidad y no olvidar que por él Maya Walter-Widmaier, la primera hija de Picasso, la llamaba la *Dama Babosa*.

Abrió la ventana de la habitación, el sol bañó sus mejillas, cerró los ojos. «Toda historia honesta transcurre siempre a través de una ventana y con los ojos cerrados», se dijo. En noviembre cumpliría cincuenta y un años, recordó de súbito, y desde su cuello la invadió una vaharada de calor.

El rostro rebosó tranquilidad, delineado por la luz, la piel translúcida, los labios levemente apretados, los costados de la nariz aletearon como cuando entró por primera vez en aquel sótano en el que el filósofo y escritor de soberbias novelas eróticas Georges Bataille la recibió rodeado de revistas pornográficas y la invitó a sentarse en el borde de la cama. En ese primer encuentro y en cómo ella supo sentarse en el filo del colchón estaba inspirado el personaje de Xénie, inmortalizado en la novela erótica *El azul del cielo*.

Le agradó el aroma de la callejuela por la que caminaba, exhalaba un olor perturbador, a muros húmedos, a madreselvas y lirios, a jazmines quemados. Abrió bien los ojos, le habría encantado retratar aquella grieta musgosa. «No, no —se dijo—, olvídalo.» Probablemente, si ninguna otra visión posterior borraba y superaba la de ese instante, a su regreso a París montaría una tela en el caballete y pintaría esa hendidura cubierta por una fina y resbaladiza capa verdosa. Empezó a regodearse en la idea de volver a trabajar en el arte. «Arte.» Qué palabra tan dura, tan escabrosa. En seguida le abandonaron las ganas de fotografiar o pintar.

—El arte, al fin y al cabo, sólo embellece la verdad. No es la verdad en sí misma. —Suspiró.

Entrecerró las hojas de madera de las ventanas, permitiendo así que un cono reverberante jugueteara encima de la moqueta. Anheló la oscuridad de su apartamento, añoró el sonido del silencio parisino; aquí, en la ciudad de agua, podía escuchar el bramido apagado del mar al ralentí, lo que le daba la sensación de que el agua subiría hasta su garganta y la ahogaría. Mencionó otra vez el nombre prohibido: «Picasso.» Su voz seguía poseyendo el tono del canto de un pájaro, como afirmaban Bernard y James. Su voz continuaba siendo hermosa, como la de Xénie.

—*C et B.* —Así llamaban ella y James al malagueño—. *Cher et Beau,* nuestro «Querido y bello», siempre estuvo celoso de Georges Bataille, su primer amor, el amante iniciático.

Ella jamás nombró por su nombre de pila a Bataille, tampoco a Picasso. Nunca «Pablo», siempre «Picasso». «Los hombres que han ilustrado su apellido no necesitan más de su nombre», subrayó con un destello de su pensamiento.

James y Bernard la recibieron en Venecia, el primero empalagoso, el segundo seductor. Empezaba a repugnarla toda esa convivencia inútil, el hecho de aceptar situaciones intrigantes que no le interesaban lo más mínimo la aburría sobremanera. Pero, al mismo tiempo, no deseaba quedarse sin compañía, sola, no, no era el momento, todavía no.

Catorce años y catorce días atrás, había ingresado en el hospital Sainte-Anne, escoltada (y no acompañada precisamente) por Paul Éluard, Picasso y Jacques Lacan, el eminente psiquiatra y psicoanalista. Quien la registró en los archivos fue Lacan, con un nombre cuya invención hoy la obliga a esbozar una media sonrisa irónica: Lucienne Tecta, *Luz Escondida.* ¿Querría decir que ella podía llamarse Luz Escondida? ¿Ella, hasta ese momento permanentemente sobrexpuesta como amante de Picasso a todos los ojos, a todos los focos?

Catorce años y catorce días después, más el chorro de electrochoques administrados por el propio Lacan más tarde, Dora Maar aún presentía aquel último vestigio de deseo, o de celo. No había cambiado tanto desde entonces, desde Lucienne Tecta, a quien el único hombre que ella amó y dos de sus mejores amigos internaron en el psiquiátrico Sainte-Anne. De Lacan desconfió al principio, hasta que poco a poco fue ganándosela. No fue así con Éluard. En Paul vio a un hermano. Y Picasso... Pablo Picasso era más grande que Dios. ¿Cómo podía ella no ofrendarle toda su fe? Le dio su vida. Y él hizo con su vida lo único que sabía hacer, la desangró y con su sangre la pintó. Le ofrendó su mente. La mujer que llora, que llora, que llora... Con letanía... la palabra «llora» retumbó en el techo morisco calado y repujado en rojo y dorado.

Después de aquello, creía haber renunciado al deseo. Aunque no del todo, pues en ese instante una leve reminiscencia de placer vibró en sus poros y la erizó de pies a cabeza.

Estudió los objetos a su alrededor, muebles públicos, ordinarios, con pretensiones, copias de antigüedades. Descolgó los cuadros de la pared, los ocultó debajo de la cama. Allí quedaría muy bien un cuadro de Picasso, aquel lienzo en el que ella... Se frotó agresivamente los ojos, sintió sopor... En el que ella aparecía como un animal de acero, como si sus dedos se movieran al ritmo de las hojas afiladas de una tijera, cortando la blusa... El retrato en el que ella llora, llora, llora incesantemente. En todas las pinturas llora, gime para la eternidad.

—No te amo, no siento ninguna atracción hacia ti. —Evocó la frase en la boca del pintor, los labios tirantes y secos, la que le declaró el malagueño desabrido con las pupilas fijas en un óleo. Jubiloso de humillarla.

No había podido borrar aquella frase, expresada con

un cansancio brutal. ¿Fue pronunciada con hastío o, por el contrario, en tono febril, como todo lo que surgía de Picasso? Daba igual, había pasado demasiado tiempo... O quizá no lo suficiente. No tanto, no lo bastante. «Quizá no me ha olvidado del todo», vaciló acongojada.

Recordó una de las escenas más dolorosas de su vida. Picasso estaba sentado a una mesa en el restaurante Le Catalan, en la rue Saint-André des Arts, acompañado del fotógrafo de origen húngaro Brassaï y de Gilberta Brassaï, del poeta Paul Éluard y de su amada, Nusch, una mujer tan delicada que parecía que iba a romperse en mil fragmentos, de una belleza rutilante, una hermosura frágil aunque indeleble, semejante a la de una trapecista que deja una estela duradera tras cada uno de sus mortales movimientos en la cuerda floja.

Contó a otras personas, nueve en total, y divisó una silla que la aguardaba. Picasso sonreía, contaba historias extrañamente malditas, hablaba alto, masticaba un trozo de *baguette*, acababa de pedir un *chateaubriand*. Él era el centro, no había una sola persona que no lo contemplase como un dios. Él era lo más importante de este mundo y de todos los mundos posibles.

Ella lo había reconocido a lo lejos. Entró lentamente en el restaurante. Habría deseado sonreír, ser amable con los demás, natural, en una palabra, pero no lo consiguió. Sabía que lucía demasiado seria, que estaba a punto de llorar, sabía que Picasso no apreciaría la rigidez de su cara, su pesada presencia, rayana en la tosquedad.

El tiempo vuelve al presente, como en cualquier historia forzosamente surrealista.

Pero ahora se encuentra en el pasado, aquel en el

que ella se llamó Lucienne Tecta, en el que está encerrada en un cuarto oscuro, amarrada, los dientes apretados. El cerebro inundado de luces y espumarajos. El dedo del hombre al que amaba hundiéndose en su silla turca. Se sentía muy cansada entonces, dejó de comer, adelgazó. Tenía las nalgas infestadas de agujeros debido a las inyecciones, y los brazos arañados y amoratados. Tuvieron que cortarle las uñas al rente para que no se destrozara los brazos en sus ataques revulsivos contra sí misma. Entonces empezó a arrancarse mechones de pelo y a masticarlos, para luego tragárselos. Vomitaba bolas de pelo, igual que los gatos.

Y si hubiera dispuesto de una llave, una esquirla de cristal, una punta afilada de cualquier objeto cortante, la hubiera enterrado en su cuello, en la vena aorta.

Pero volvamos a aquella mesa, en Le Catalan. Intuía que algo se había roto para siempre. Estaba harta de presentir cómo él se divertía a costa de su ausencia, no soportaba verlo amable con los demás, y mucho menos lo aguantaba cuando se mostraba hosco y pesaroso con ella. Picasso era ese otro personaje embelesado con sus propios devaneos cuando ella no estaba presente: resultaba amable, se comportaba casi tierno. Finalmente, Dora llegó a la mesa, se sentó, después de saludar discretamente, él —Dios— la miró un segundo y continuó hablando, gesticulaba como un loco, exigió airado su *chateaubriand*. De buenas a primeras, la tocó con la punta del cuchillo en el antebrazo, como diciéndole: «¡Eh, tú, atiéndeme!»

Todavía no sabe por qué, pero, de pronto, Dora soltó aquello de que no lo soportaba más, que no podía quedarse ni un minuto más junto a él, que se largaba, que no lo quería volver a ver... Se dirigió con una energía feroz hacia la calle. Sospechaba que él la perseguiría, pero no demasiado, a lo sumo dos metros, un breve trayecto, mínimo. Se equivocó, él corrió detrás de ella, bastante más distancia de la que había imaginado. La atrapó por los hombros encajándole las pezuñas de minotauro.

Él se extrañó de que ahora aquellos ojos verdosos, los ojos del color del tiempo de Dora, estuviesen secos y rabiosos, que le sostuviera la mirada con dignidad, con una agudeza que le resultaba incómoda, que se debatiera frágilmente por liberarse de aquellas toscas manos aferradas a sus brazos, que luchara, aunque sin aspavientos desmesurados, de manera fría y analizada.

—¡Llora, Dora, llora! —La sacudió violentamente.

Una lágrima brilló cual diamante, al borde del lagrimal.

Él estudió el recorrido de aquella gota, como si un chorro de pintura atravesara la tela de uno de sus cuadros, ¡admirado, arrobado! Su sexo se irguió debajo de la tela de la portañuela del pantalón, erecto y baboso en la punta. Eyaculó al tiempo que la lágrima caía de la barbilla a la pechera de la blusa de la mujer.

Por fin, ella consiguió zafarse de sus potentes púas de puercoespín... Él volvió a atraparla, ella empezó a gimotear, cada vez más contenida, se ahogaba en sus propios gemidos.

No recordaba nada más. En realidad, no deseaba recordar ni un milímetro más de esa lamentable secuencia de ridiculeces que tanto la avergonzaba.

Picasso pidió ayuda, como si fuera ella la que clavaba las uñas y no él.

En efecto, aparecieron Lacan y Éluard, para ayudar a su amigo Picasso. No para asistirla a ella, no. Ella era un estorbo que debían quitar del medio, por el momento, para que el Gran Genio se sintiera liberado. ¡Liberado de ella! Al menos, ésa era la idea que Dora se hizo de lo que le estaban causando, de lo que la obligaron a padecer. ¿Cómo pudo ser tan ingenua? ¿Cómo pudo deprimirse hasta el punto de parecer loca, de enfermar incluso de verdad?

En aquel instante nació *La mujer que llora*, una secuencia interminable en la obra de Pablo Picasso. Recién sucumbía Dora Maar, la artista, la mujer amada, la amante.

Afuera llovía, como suele llover en Venecia, con una sublime impertinencia que solamente puede parecer creíble en las novelas. Toda el agua de golpe calando hasta los huesos, y los charcos como espejos con el azogue amoscado, salpicado y gastado.

En una ventana, allí arriba, una mujer de agua cerró los postigos.

Con idéntico gesto, años atrás ella había cerrado los postigos de una habitación de hospital. La oscuridad la había sanado, ella, que había sido un ser luminoso, que amaba y prefería la luz, y a la que le agradaba echarse bajo el sol, en los jardines, para fotografiar las nubes, ahora volvía de la oscuridad a la vida, lentamente, regresaba a la razón, por las emanaciones de las sombras.

Todo a su alrededor, bajo esa lluvia, desentonaba con las sombras imaginarias que tanto la habían acorralado y que ahora le tendían la mano, en signo amistoso.

Dora cerró la ventana, pero los conos juguetones de luz continuaron entrando a través de las persianas. Entonces, bajó las pestañas de madera de la ventana con las puntas de los dedos, sin hacer ruido.

—Me había vuelto demasiado nerviosa —susurró. Sus manos temblaron ligeramente.

Estudió las paredes vacías en la media penumbra.

Temió por los cuadros de Picasso que había dejado colgados en su casa de París; sintió desesperadas ganas de regresar, de volver a sentarse en la piel brillante del raído butacón, delante de ellos, se exasperó por contemplarlos y cuidarlos aunque fuera con la mirada perdida dentro de ellos u oculta en cada trazo magistral.

Bajaría en silencio la escalera, sin la maleta, abandonaría todo lo que trajo, escaparía sin ningún utensilio pesado e inútil, sólo le bastaría con llevar el monedero, cogería el *vaporetto* y retornaría a París. ¡Dios mío, pero cómo pudo dejar esos cuadros abandonados, sin ningún tipo de vigilancia! Había pasado momentos de gran dificultad económica, pero jamás quiso vender la obra importante de Picasso, no se deshizo de uno solo de sus magistrales cuadros. Aunque sí vendió, por precios que hoy darían risa, dibujos y, posteriormente, hasta le daría por vender el famoso *Bodegón*, que todavía estaba colgado en la sala de su casa. Sí, quizá se decidiera a venderlo en algún momento, pero tendría que ser a algún amigo o conocido, a alguien de verdadera confianza.

Por otro lado, un día moriría y nadie habría para cuidar esa obra, la que Picasso le había dedicado a ella. Su única riqueza era esa obra. ¡Nada, no poseía nada, sólo la obra de Picasso, y ya era bastante! ¡Una tremenda carga! ¿Por qué padecía de necesidades económicas y, por el contrario, se resistía a vender un solo cuadro valioso del artista? Un allegado le preguntó un día, de ese modo tan vulgar, propio de los que creen que la amistad permite cualquier salida de tono, que por qué no mataba el hambre vendiendo los cuadros de su ex amante; desde ese instante no deseó volver a ver a aquel sujeto, nunca más. No podía ser su amigo alguien que no comprendiera que, más importante que su propia vida, eran aquellas telas exuberantes: sus retratos, los retratos que le dedicara Picasso.

Sola, se sabía cada vez más sola, cada vez encontraba a menos gente; al fin y al cabo, toda aquella soledad era culpa suya, su responsabilidad. La gente, en apariencia tan ocupada, empezó a olvidarla, o no la olvidaron, pero la vida siempre va más de prisa que la memoria. Dora conversaba entonces, demencialmente, con los retratos de cada uno de ellos, de sus antiguos amigos, pintados por Picasso, y también en un *ritornello*, o en una especie de eterno soliloquio, con los que el pintor había realizado de ella.

Indecisa, abandonó su pequeña maleta, colocó en el centro del cuarto la canasta que llevaba a todas partes a modo de bolso, abrió la puerta, se quedó unos instantes con la mano apretada en el picaporte, con la mente vacía.

Volvió a entrar. Iban a ser sólo cinco días de ausencia, sólo pedía cinco días, a lo sumo ocho o nueve, más el viaje de regreso, no sabía si de regreso se quedarían en el castillo de Balthus. Tal vez ocho o nueve días, como máximo. Nadie en París repararía en su fugaz huida, salvo la conserje del inmueble, siempre metida en lo que no le importa. Le asentaría ausentarse, todo sea por el bien del arte, de la memoria del arte, de su huella en aquella ciudad creada por los iconos de agua: Venecia.

Todavía quería a James y sentía curiosidad por Bernard, ansiaba conocerlo un poco más. Cinco u ocho días de conversación con ambos serían saludables para ella, transformarían los recuerdos de sus vacaciones con James en Ménerbes, en la casa que le había regalado Picasso, las nuevas experiencias desplazarían esas antiguas vivencias. Asumiría ese viaje a Venecia como una forma de escape, de huida, de terapia evasiva. ¿James seguiría sintiendo la misma amistad por ella? ¿Sería verdad que estaba dispuesto todavía a pedirla en matrimonio? Pero ¡qué ilusiones se hacía! James Lord jamás le había prometido casamiento; sí, se lo había insinuado, lo que era bien distinto, una insinuación era muy diferente de una proposición hecha al vuelo, insertada de manera efímera en medio de una banal conversación. De cualquier modo, ella no aceptaría jamás casarse con nadie. Ella se había entregado a él, sólo a Él, así con mayúscula, a Picasso, a Dios. Su Dios.

Regresó al centro de la habitación, deshizo el equipaje, colgó sus vestidos en el armario, destendió la cama, se tiró en el colchón y miró al techo largo tiempo; al rato, cerró los ojos.

Abrir, cerrar los párpados, presente, pasado. Con un gesto imperceptible de los párpados podía pasar de la realidad a los recuerdos, en eso consistía su vida, a eso se reducía: caminar y recordar. Los recorridos de sus caminatas se hacían cada vez más cortos en comparación con la trayectoria incansable de su memoria. Ahora todo no era más que caminar imaginariamente sobre una cuerda floja, debajo de sus pies estaban los arcos de la calle d'Astorg, deformados, que espejeaban líquidos, semejantes a sus fotos surrealistas.

Se quedó medio adormilada y soñó que una niña de cabellos rubios y encrespados reía junto a ella, pero al mismo tiempo empezó a escuchar un llanto que procedía de la puerta de la entrada. Se deslizó levemente por un corredor hacia la puerta. Estaba abierta, y una sombra se escabullía desde adentro, en dirección a la escalera. Ella merodeaba desnuda, los muslos blancos como la leche, los senos bamboleantes, el pelo suelto. Cerró la puerta pesadamente. Volvió a la cama, la niña ya no estaba. Abrió un bote de pastillas y se tragó un puñado entero, se le resecó la boca.

—Dora, Dora...

Llamaban a la puerta.

—Ya voy. —Un calambre le tensó los dedos de los pies, se sentó en la cama con dificultad.

Por fin, acudió apurada al cuarto de baño, decorado con azulejos y losas color flamenco, vomitó. Se aseó. En el espejo, alguien antes que ella había pintado con lápiz de labios: «*Just I love you... I killed you...*»

De eso se trataba, eso era la vida, justo amar a otra persona, hacer un elogio del otro, para después asesinarlo. Ella se había equivocado, confundió el amor con

48

el erotismo en la época en que conoció y fue amante de Georges Bataille, el que la consagró como amante precipitada en el ardor; luego le tocó el turno a otro tipo de amor, el artístico, el amor con el surrealismo; después llegó el amor definitivo, el gran amor, el amor con Pablo Picasso, y para rematar, el amor con el comunismo. Después de todos esos excesos, sólo podía esperarla al final la desilusión.

El amor no era nada más que simplemente el amor, sin tantos aderezos, y al final, la muerte. Y la vida no debía ser más que eso, amar al otro, ni siquiera esperar nada de su parte. Ni siquiera esperar que lo amen a uno. Su vida era ahora amar a Dios.

Salió de su cuarto refrescada, las manos oliéndole a crema florida, el cuello a colonia añejada. James y Bernard la esperaban en el zaguán. Vestían deportivamente, con colores claros, ambos se veían radiantes. Eran jóvenes, ahí radicaba todo el secreto de aquel extraño fulgor.

Ella, por el contrario, ya iniciaba un camino sin retorno, empezaba a envejecer justo en el momento en que más joven se sentía. Se arrepintió de haberse puesto ese vestido de florecillas diminutas, de fondo azul marino, cuello redondo, creía que la hacía parecer en exceso provinciana. Sonrió, siguió bajando la escalera a saltitos, ellos la dejaron pasar delante.

Emergió a la estrecha calle, y un fresco vientecillo proveniente del canal le cubrió las mejillas, presintió que sus amigos, detrás de ella, la observaban no sin cierta piedad.

—Dora, ¿adónde quieres que vayamos?

—A donde ustedes quieran, o a donde nos lleven nuestras antiguas y nostálgicas huellas.

—Deambulemos, el que no se pierde en Venecia no conocerá bien esta ciudad —comentó Bernard.

—Perdámonos pues... —murmuró Dora.

—Más tarde podríamos ir a cenar a aquel pequeño restaurante pegado al canal, aquel en el que preparan los camarones deliciosamente, con esa salsa rosada veneciana... —propuso James.

Los otros dos asintieron.

Silenciosos, recorrieron las callejuelas extrañamente vacías para aquella época del año.

—Me gustaría conocer el café Florian.

—Ya ves, Bernard —James protestó—, jamás podremos darle una sorpresa. Teníamos previsto desayunar allí mañana, Dora, pero pensamos que era mejor darte la mayor de las sorpresas y llevarte con los ojos vendados...

Dora lo miró con un brillo divertido, pero aún autoritario, en la mirada:

—No se atreva usted nunca a vendarme los ojos. Jamás, jamás... —Durante todos esos años de amistad a veces lo tuteaba y otras se dirigía a él imponiéndole excesivo respeto—. No seré nunca una mujer con la mirada escondida, jamás llevaré la mirada vendada.

Bernard quedó rezagado, James lo esperó, Dora siguió caminando adelantada a ellos.

—Ya lo sé, Bernard, a mí también me asustan esas respuestas intempestivas que últimamente tiene, pero creo que es la edad, está envejeciendo... —susurró James, a quien le fascinaba un punto de envejecer más de la cuenta a la mujer.

Dora caminaba ahora apoyándose en los muros de la callejuela, apresurada. De súbito, se detuvo delante de una vitrina donde el vendedor había colocado diferentes tipos de telescopios, antiguos, modernos, de varios tamaños... Y el rostro de su padre atenazó sus recuerdos convirtiéndolos en desmesuradas visiones.

Mi padre, Joseph Markovitch, había nacido en Sisak, Croacia. Fue arquitecto diplomado en Viena y Zagreb. Llegó a Francia en 1896, cuatro años más tarde fue nombrado comisario del pabellón austro-húngaro de la Exposición Universal de París. Allí encontró a mi madre, Louise Julie Voisin, una pequeña provinciana nacida en Cognac, el 28 de febrero de 1877. Henriette Theodora Markovitch vino al mundo un 22 de noviembre de 1907, en la rue d'Assas.

Es lo que había anotado cuando había querido empezar a escribir sus memorias. Posteriormente rechazó el proyecto porque le pareció inútil y presumido. En ese mismo año de su nacimiento, Picasso pintaba *Les Demoiselles d'Avignon*.

A los tres años, la pequeña viajó con sus padres a Buenos Aires, sólo recordaba aquella angustiosa sensación de que la tierra se elevaba y que a ella la habían introducido nuevamente en un vientre, de hierro en esa ocasión. Su padre hizo fortuna construyendo monumentos. «¿Quién no recuerda —se preguntó Dora— el notable edificio de siete pisos en la esquina de las calles Alem y Cangallo?» Su padre subía con ella cargada al mirador ubicado en el óvalo dorado y redondo del edificio, la invitaba a contemplar el cielo a través de raros instrumentos ópticos que él había instalado en el pináculo.

—Dora, *mirá* las estrellas, Dora, *mirá* qué hermosas.
—Su padre había empezado a llamarla por el diminutivo Dora.

Luego el telescopio descendía, y entonces el más mínimo detalle podía apreciarse a través del lente reproducido en dimensiones enormes: los barcos que entraban y salían, que iban a Europa o regresaban, las olas amarillentas, de un anaranjado fluorescente del río de la Plata.

Hasta los trece años vivió en Argentina con sus padres, luego regresaron a París. Durante esos trece años hizo lo que hacen todas las niñas: estudiar, jugar, conocer la vida a través de la existencia de los adultos más cercanos, inventarse historias, soñar cómo sería ella de grande, de quién se enamoraría, qué le depararía el destino. Los adultos más cercanos eran sus progenitores. Como hija única, Joseph y Julie la mimaron, intentaron vestirla con decencia, educarla correctamente y darle una buena educación. Podían permitírselo, tenían recursos económicos, y además lucharon arduamente para ofrecerle una vida plena y serena.

Cada anochecer subía al mirador, acompañada o no de su padre. Se había vuelto una experta en los instrumentos, los ajustaba, iba de uno a otro midiendo las distancias, y contemplaba desde allí las estrellas. A cada uno de los luceros le había puesto un nombre; ahora mismo hubiera deseado recordarlos todos, pero no lo conseguía... Sólo oía lejana la voz de su padre Joseph:

—Dora, no te tapes los ojos ante la enormidad del universo, *mirá, mirá...*, Dora —se lo repitió tanto que terminó por creer que el mirador, en realidad, se llamaba «miradora».

Un hombre detrás de la vitrina —el dueño de la *boutique* veneciana— le hizo señas para que se decidiera a entrar, por fin despertó de su ensoñación. James y Bernard paseaban lentamente, a considerable distancia. Se dio cuenta de que los exasperaba con su demora y que debía alcanzarlos.

Pasó por delante de una sombrerería. Su madre también había confeccionado sombreros de lujo en Buenos Aires, pero los sombreros más bien le traían el recuerdo de Picasso. Los sombreros y los pájaros que aleteaban pinchados con un alfiler en los tocados que Dora llevaba en el cabello alborotado, o por el contrario a veces bien peinados, dependiendo de las circunstancias, mientras las lágrimas manchaban las pecheras de sus blusas, en los retratos en los que la inmortalizó.

Sus amigos esperaron impacientes:

—¿Qué nos dices? ¿Te gusta o no Venecia?

Ella asintió.

—Sabía que esta ciudad te hechizaría —acentuó James.

Ella no dijo nada alentador. Él esperó a que ella respondiera, no lo hizo y entonces le reprochó:

—Ya sé, ya sé, tú lo sabías antes que yo lo supiera —reparó el hombre.

—No he dicho nada, me he quedado en silencio para no desilusionarte con una frase cursi o tonta —protestó la mujer mientras se alisaba el pelo color azabache, entre el que empezaban a clarear algunas canas, apenas perceptibles, a ambos lados de la raya que lo dividía.

Siguieron el rumbo impreciso, a veces se detenían en un pequeño puente a contemplar las góndolas, algunas conducían parejas enamoradas, otras iban abarrotadas de familias con niños.

Dora se detuvo ante un vendedor de zapatillas para gondoleros confeccionadas con fieltro, terciopelo y suela cosida, de todos los colores, colores radiantes. Las revisó, las tocó, siguió de largo. Bernard se aproximó, amable, a ella:

—¿Te harían ilusión unas zapatillas como éstas? ¿Qué talla de pie calzas?

—No, Bernard, no las necesito.

Ella nunca necesitaba nada, pero, como a toda mujer, le privaban los regalos, adoraba las sorpresas. Si le decía que sí a Bernard, si confesaba que le habían gustado las zapatillas, para ella el gesto de la ofrenda ya no valdría como presente, sólo sería un ofrecimiento innecesario nacido de un capricho, no sería un gesto dador.

—Únicamente quería saber cómo las confeccionan, cómo las cosen... —respondió, aturdida.

—Pero, Dora, te lo ruego, quiero hacerte un regalo —insistió Bernard.

—No, no, ya te he dicho que no, Bernard, por favor. Te lo agradezco, pero no insistas.

Le molestaba el evidente esfuerzo que hacía el hombre para agasajarla con tal de ganarse un espacio más confiable y holgado entre James y ella. Al menos, de ese modo interpretaba la mujer los constantes impulsos del joven para conseguir que advirtiera su amabilidad.

Su cabeza, su mente, abierta y libre, volvían a volar.

En otros tiempos, quizá ocurrió de otra manera. En otros tiempos, tal vez tuvo mejor carácter, sin duda fue dulce, generosa, atenta, incluso divertida. Pero era consciente de que desde hacía años se había agriado; con frecuencia se percataba de que su rudeza alejaba a los demás. No podía darse el lujo de recordar detalladamente cómo había sido ella antes, así que debía esforzarse para comparar su comportamiento anterior con el actual.

En una época no tan lejana, cuando Picasso era todavía el centro de su vida, no ponía el más mínimo interés en estudiarse a sí misma, incluso había olvidado que la manera en que los otros la trataban dependía de cómo la trataba el pintor, borró incluso cómo habían sido —a veces efímeras y superficiales— sus relaciones amistosas, cada uno de los subterfugios y vericuetos que construyen el laberinto de una amistad. Antes sólo veía a través de los ojos de Picasso, estaba entregada absolutamente a él, a su talento, a sus reclamos. Y Picasso, a causa de su excesiva posesión, consiguió separarla de todo el mundo, le exigía que trabajara única y exclusivamente junto a él, mano a mano, frente a frente, unidos, cosidos.

Aun cuando se reunían con los demás, ella se sentía aferrada psíquicamente a él, aunque no lo estuviera físicamente del brazo del pintor. Aun cuando escuchaba a los demás, aun cuando trataban otros temas de conversación ajenos a ambos, ella ya no dependía de nada ni de nadie más que de él. Y ningún asunto conseguía seducirla y apartarla de su objetivo principal, de su núcleo esencial: Picasso.

Cuando éste empezó a volverse agresivo, siempre fue impulsivo, pero no agresivo de palabra, malhumorado hasta llegar a perder incontrolablemente los estribos, ella también se fue transformando, vaciándose en él como el barro derretido en un molde, y adquirió los rasgos de la personalidad de su amante. Entonces él fue variando a su vez y, por momentos, se daba un aire a Dora. Ella no podía comprender cómo había conseguido robarle la personalidad y apoderarse de todos sus atributos, los buenos, los agradables, los justos... La mujer, por el contrario, había heredado lo peor de su carácter, su pesadez, su mal genio y un sentido efímero de la dulzura y la ausencia de sentimientos sinceros.

—¿En qué piensas? —interrumpió Bernard.

—En nada, es bonito el Gran Canal al atardecer. —Bajó los ojos.

Se encontraban frente al vasto Gran Canal, también sorprendentemente vacío, lo que seguía siendo extraño en un día primaveral tan hermoso.

—Dora nunca confiesa que está pensando en algo —se burló James—. Pero siempre da la impresión de que reflexiona y de que, de súbito, nos asaltará con una andanada de preguntas.

—¿Cuál es la razón de la deserción de la gente? No veo a muchos visitantes. Yo pensaba, imaginaba, que Venecia era muy frecuentada y que estaría abarrotada de curiosos. —Dora retornó la mirada hacia el lado contrario a donde estaba James.

Bernard preguntó en perfecto italiano a un gondolero, y éste le respondió:

—Señor, es el día del trabajo, primero de mayo... *e questo*... —El joven prosiguió con una extensa explicación hasta que la góndola se perdió por una esquina.

—*Grazie mille! A rivederci!* —voceó Bernard.

—Estoy agotada. Sentémonos en un café. —Su rostro palideció, y finas gotas de sudor le empaparon la frente y el labio superior.

Terminaron, como no podía ser de otra manera, en el suntuoso café Florian. Allí permanecieron un largo rato. Dora observaba, fascinada, cada rincón de aquel mítico sitio que ella definía como «de novela» y que le evocaba los cuadros de Balthus, sin saber muy bien por qué. Bebió dos chocolates con nata y tomó un dulce que parecía una torre de merengue. Allí se quedaron embebidos con el ambiente hasta que el café empezó a repletarse de visitantes extranjeros como ellos, aunque repetían visita, y de verdaderos asiduos, residentes reales. Entonces, empezaron a sentirse como apartados, fuera de sitio, ajenos a la historia y al ritual de la ciudad, por lo que decidieron dar otro paseo. Después de deambular un buen rato, decidieron ocupar una mesa en un gracioso cafecillo próximo al hotel.

Acomodados en un ángulo del pequeño café, en una esquina, se dedicaron a contemplar a otros nuevos visitantes. Dora quedó recostada en la pared, con el cristal de la vitrina junto a ella, podía estudiar a los escasos paseantes, el sol bañaba su rostro. Pidieron *café crème*. Bernard y James empezaron a hacer planes turísticos para ir de museos y complacer a la artista en su ansia de conocer los Bellini, Tiziano, Carpaccio, Tintoretto, los mosaicos de San Marcos y Torcello. Dora echó la cabeza hacia el respaldar, cerró los ojos y cayó en un pasajero embeleso.

Distinguió, entonces, a su madre tras una neblina. Ella estaba acostada, dormía en su cama, en París, y su madre se plantó en la puerta. Bajo el dintel, su rostro era duro, e iba desnuda. Tendría unos sesenta años, pero su cuerpo no presentaba ninguna arruga, el sexo afeitado. Dora fue a preguntarle algo, pero perdió el hilo del sueño, se removió en el asiento. Sin embargo, volvió a adormilarse. La segunda vez soñó que su madre y su abuela estaban muertas, y que las habían sacado de la tumba. Dentro del féretro, ambas se veían corrompidas, la carne verdosa, llagada, y, sin embargo, entreabrieron los párpados. La llamaron en un susurro, reclamaban a Dorita, su pobre Dora, «*vení acá,* mi niña». «Niña buena», murmuraba su abuela.

—Perdón, me he quedado medio atontada, estoy tan cansada. —Dora restregó sus párpados con un pañuelo blanco que sacó de la cartera. Una verdadera antigualla de bolso, ultrapasado de moda, regalo de Picasso.

—No te preocupes, han transcurrido sólo cinco minutos —comentó James.

—Me parecieron horas, siglos. —La mujer consultó el reloj de pulsera, de una delgada manilla de plata—. Cuando quieran, nos podemos poner en marcha de nuevo.

—Si tú lo dices, pues nos vamos ya, ¿no? —Bernard recuperó el periódico, lo dobló, y los dos hombres se levantaron con la intención de marcharse.

Terminó de un trago el sorbo de agua y se colgó el bolso al hombro. Ya no le quedaba más remedio, ahora tendría que ver Venecia. Visitarla de cabo a rabo. Hasta hacía pocos días solamente tenía que haberla imaginado, ahora debería enfrentarse con los cinco sentidos bien abiertos a la aventura que iba a significar estar de manera real en Venecia.

James. París, 2006

Levanté el teléfono, marqué el número bastante nerviosa. No me agrada quedar mal con alguien con quien me he citado, soy demasiado puntual, pero no tuve otra opción, no pude evitarlo, llegaría tarde o no iría.

—*Bonjour,* Bernard... —tartamudeé—, no podré ir hoy con usted a visitar a James Lord.

Saludó cortés, aunque molesto por mi anuncio intempestivo.

—Mire, lo encuentro de muy mal gusto... —Ya no me tuteaba, seguramente porque estaba malhumorado—. Usted quedó conmigo para conocer a James Lord, él es una persona difícil y muy ocupada; aparte de que mañana se irá a esquiar e, inmediatamente después, viajará a Estados Unidos. No lo podrá ver en meses, así que le advierto que no será fácil conseguir otra cita...

—Bernard, disculpe, tengo a la niña con fiebre.

Creyó que me lo estaba inventando. Al verlo tan enfadado, cambié de opinión:

—No se preocupe, cogeré un taxi de inmediato y estaré con usted en veinte minutos.

—Está bien, de acuerdo, la espero, pero le aviso que ya llegaremos media hora tarde. A James no le agradará nada esta tardanza suya, él es excesivamente riguroso con el tiempo.

Dejé a mi hija al cuidado de la *fille au pair* —una niñera italiana—; todavía con un poco de fiebre, más bien destemplanza.

A duras penas conseguí un taxi que quisiera llegar hasta la Bastilla, cerrada por causa de una manifestación. Llamé a Bernard justo en el momento en que estaba llegando a su puerta, él iba bajando bastante inquieto, yo esperé dentro del taxi; cuando apareció, salí con la intención de darle dos besos y en seguida lo invité a que entrara en el vehículo.

—No hacía falta que me recogiera en coche, estamos a muy pocos pasos, iremos caminando. —Se negó a subirse mientras respondía, gruñón.

Despedí al taxista. Nos dirigimos a toda prisa a un inmueble relativamente cercano. Noté a Bernard muy nervioso y, además, seguía tratándome de usted, marcando con evidente distancia su disgusto.

—Le advierto que James Lord no anda de buen humor estos días... —comentó cuando llamó al timbre. Seguidamente, recalcó—: Y para colmo, como ya sabe, no llegamos a la hora convenida.

La puerta se abrió, tirada por un cordón desde el piso superior. Subimos peldaños rojos de madera carcomida y excesivamente empinados. En uno de los zaguanes, nos dieron la bienvenida unos ilustres retratos del anfitrión realizados por Picasso, dibujos perfectamente reconocibles, reproducidos en numerosos catálogos.

—Éstos son los originales. ¡Está loco al dejarlos ahí,

no sé cómo no se los han robado! —Bernard por fin esbozó una media sonrisa mientras su amigo nos abría la puerta del apartamento.

James Lord vestía cazadora de color marrón, pantalón claro, en un tono más desleído que el carmelita. Tuve delante de mí a un hombre sumamente altivo, atractivo, y vigilante de sus estudiados gestos, atento a su propia elegancia, muy parecido a Bernard en el estilo. El estilo de toda una época. Con mal disimulada arrogancia estrechó mi mano, hizo gala de minuciosa brevedad, evitó mi mirada, su rostro denotaba seriedad y hasta creí advertir una cierta tensión; quedaba claro que estaba enfadado debido a mi demora.

Me disculpé mil veces, pero se empeñó en hacerme comprender que a él sólo le interesaba el hecho de que había perdido cuarenta y cinco minutos de su vida esperando a una desconocida que iba —nada más y nada menos— a meter las narices en su historia personal con Dora Maar.

El ansiado (por mí) y ansioso James Lord se arrellanó en uno de los sofás laterales.

Esperé hasta que tomó el tiempo de acomodarse, aunque lo hizo de manera muy estirada y sobria, y entonces me senté en un sofá impecablemente blanco. A mi espalda, en la pared, reinaba un retrato del anfitrión realizado por Giacometti. Posteriormente a esa visita, he visto documentales en los que James Lord aparece hablando de su relación con Picasso y Dora Maar, en televisión y en YouTube, por internet, y siempre aparece sentado ahí, justo donde yo puse, tan campante, mi trasero. Él y el retrato detrás, amparándolo, glorificándolo. Sentarme cómodamente, sin preguntar antes, sin pedir permiso, en el sitio que con notable y visible claridad era suyo, fue un error que cometí sin querer, más bien sin saber. Bernard se quedó de pie y daba paseítos de un lado a otro, fingiendo que apreciaba muy de cerca las obras de arte, pinturas que seguro que habría contemplado en más de una ocasión y que se sabría de memoria.

Expliqué la razón por la que me encontraba allí. Estaba interesada en ese viaje a Venecia, de sólo ocho días, que ellos tres habían realizado juntos. Quería contarlo... «Preferiblemente en —titubeé—, en una novela... —volví a tartamudear.» No se inmutó, tampoco me miraba de manera directa, observaba atentamente el vacío, en un punto impreciso frente a él.

—¿Cómo era Dora? —inquirí.

No me explicó nada especial.

—Dora fue una gran artista. Todo está en mi libro —se limitó a señalar.

Extraje el libro de mi bolso, se lo extendí.

—¿Podría dedicármelo, por favor?

Ni siquiera revisó mis subrayados. Garabateó unas frases. Ahora, leídas en la distancia, me doy cuenta de que con su escritura fue más amable que con su manera de comportarse, o de aparentar ser, aquella tarde conmigo:

Pour Zoé, avec ma pensée cordiale, en attendant de voir moi-même vu par vous!

JAMES LORD
Paris, le 3 janvier 2007[2]

2. «Para Zoé, un cordial saludo a la espera de verme a mí mismo con sus ojos. James Lord. París, 3 de enero de 2007.»

Al rato, Bernard se inventó una excusa y pidió permiso para marcharse, llevaba prisa, dijo que alguien lo esperaba, argumentó con toda intención de subrayar una falsa vaguedad, con fingida vacilación. Sospecho que más bien se sentía incómodo entre Lord y yo.

Antes de partir, insistió en alabarme, añadió opiniones suyas muy lisonjeras acerca de mí, puntualizó con elogios exagerados citas que otros hacían de mí con énfasis amables, y, acto seguido, se dirigió como una flecha hacia la puerta, por la que desapareció definitivamente aquella tarde.

Nos quedamos James y yo solos. Él, callado, siempre con la vista fija en el vacío, y yo, que no me atrevía a volver a preguntar nada más, temía romper el poco encanto que se había instalado. Sí, algo de encanto había, quizá el hechizo de la inconsistencia. De esa manera, silenciosos, reposamos cerca de veinte minutos.

—Ya hubo en una ocasión una dama que vino a investigar sobre nosotros. —Suspiró levemente.

—También leí ese libro. —Se refería a la biografía de la periodista y escritora argentina Alicia Dujovne Ortiz, *Dora Maar, prisonnière du regard*, editado por Grasset—. Es una excelente biografía que he consultado y que citaré gustosa y cuidadosamente. Fue justo su lectura la que me puso en la pista del viaje a Venecia.

Esa última frase apenas fue audible. Él se encogió de hombros.

Por fin me atreví:

—James, ¿usted amó a Dora?

Se intercaló otro silencio aún más denso que el anterior. Toda mi atención pendía del rostro del hombre que se ubicaba de forma oblicua en mi ángulo izquierdo.

Sus ojos, enrojecidos, se humedecieron, empezó a llorar discretamente.

—Dora fue lo más bello que tuve en la vida. La quise mucho —por fin respondió.

No sé por qué, pero dudé de sus palabras. Dudé frente a la teatralidad de sus lágrimas, me sentí molesta con la situación tan excesivamente dramática en la que su llanto me colocaba. En su libro había leído su retrato, escrito por él mismo, cómo se veía él a sí mismo, y no se había pintando precisamente como un ángel amoroso, más bien se describía con cierta perfidia, descarnado. Entre Dora Maar y James Lord existió una relación excesivamente picassiana. A ambos los unió su enorme adoración por Picasso, mayor en ella que en él, desde luego. No por mero placer, el libro de James Lord se titula *Dora y Picasso*.

—¿Cómo consiguió mi libro? Está agotado, ¿lo sabía?

—Quedaba uno, editado por Séguier. Lo compré en la exposición que el museo Picasso dedicaba a ambos, a Dora y a Picasso.

—Por favor, ¿cómo no voy a reconocer la edición? No ignoro de lo que me habla —retomó su acento autoritario.

Y volvió a reinar un silencio que hubiéramos podido cortar con una tijera de podar jardines.

Al cabo de un rato se dirigió a mí en inglés, lo interrumpí.

—Perdone, señor Lord. —Lo hice a propósito, lo de llamarle «señor» y «Lord» al mismo tiempo—. Entiendo bien el inglés, pero no puedo expresarme con fluidez. Preferiría que continuáramos en francés.

Su acento americano cuando hablaba francés era bastante fuerte, mucho más que el mío, y supuse que cuando se enfadaba, empeoraba. Justo entonces fue lo que ocurrió: masticó y remachó el idioma.

—Dora era una gran mujer, una inmensa artista. ¿Por qué le interesa contar esos cinco días de estancia y tres de trayecto del viaje que hicimos con ella, que ella hizo con nosotros, junto a Bernard y junto a mí, a Venecia? Sí, en verdad fueron ocho si contamos el viaje de regreso y la noche que nos quedamos en la casa del pintor Balthus.

Me di cuenta de que la excluía de su relación con Bernard y de que había subrayado lo de «pintor Balthus», como si yo ignorara quién era Balthus.

—Sé muy bien quién es Balthus. Por otra parte, me interesa ese viaje, ese momento especial, porque fue el último instante de ilusión que ella vivió. Y siempre me he sentido atraída por los momentos extremos en la vida de los artistas, de los surrealistas, y de los seres puros como ella. Dora, sin duda alguna, era un componente hermoso en esa preciosa alquimia del surrealismo.

No le dije la verdad.

La verdad era que yo me encontraba tan vacía como ella, al límite de mi reserva de ilusiones, que ni siquiera me quedaba la ilusión de Dios, y mucho menos la de la libertad. O que mi dios era la poesía, y que apenas me consolaba con ella. Y que estaba muy lejos de creer que Dora y yo habíamos sido puras.

—¿Se siente usted triste? —preguntó desolado, y sin esperar mi respuesta continuó la frase—: yo también, muy triste.

—Yo nací triste. Y este exilio es demasiado largo. Tengo la impresión de que pocos nos entienden. Además, algunos imbéciles han querido aplastarme; me siento sola, muy sola.

—Todos estamos solos. Deje que pase el tiempo. —Hizo una pausa—. Te acostumbrarás. Dora supo hacerlo. Perdona que a veces te tutee y que otras te trate de usted. El tiempo es el mejor bálsamo.

Me encogí de hombros, sin embargo, no niego que me sentía incómoda si me tuteaba, porque me obligaba a tratarlo de igual modo a él, pero no iba a impedírselo.

—¿Ésa es la única solución posible: que pase el tiempo? —Indagué en su rostro—. El tiempo transcurre, y luego, ahí está la muerte, de pronto, nos llega el fin.

—La única solución es el fluir del tiempo, la aceptación de la soledad, la consolidación del olvido, lo demás es eso: últimas ilusiones, las ilusiones perdidas... La muerte es natural, es también la vida. —Sonrió, hacía alusión a la célebre novela de Honoré de Balzac, una de las más extensas obras de *La comedia humana*, pero no quiso evocarla directamente.

Al percibir que no hice comentario alguno y que no tenía intención de hacerlo, se vio en la obligación de preguntarme:

—¿Ha leído usted a Balzac?

—Claro, por supuesto que he leído *Illusions Perdues*. Haber vivido bajo un régimen totalitario no lo obliga a uno a ser ignorante, lo impone, desde luego, pero, por el contrario, uno se sobrepone y consigue cultivarse por debajo del tapete. Mi cultura es vasta, aunque caótica. Ése es el fallo, que bajo un sistema totalitario nunca se consigue ser culto de manera cósmica y natural...

—Bueno, si ha leído *Las ilusiones perdidas* comprenderá de lo que le hablo. Eso es la vida: un largo viaje solitario, y un cúmulo de nubes cargadas de pesar alrededor...

Pasó un brevísimo tiempo en silencio.

—Le ruego que me disculpe. Mañana parto temprano, muy temprano, a esquiar a Suiza y tengo que preparar mi equipaje. Son las siete de la noche. Debemos despedirnos.

Yo había llegado a las 17.45. Se irguió del sofá, vino hacia mí, levantó mi barbilla con su mano:

—Se preguntará por qué un viejo de ochenta años se atreve a ir a esquiar y se expone al peligro de manera irresponsable... Ah, me gusta su mirada —reparó haciendo una pausa—. Tienes unos ojos sumamente cándidos, hermosos y dulzones, y al mismo tiempo, hay detrás de esas pupilas como una chispita felina, de tigresa.

Sonreí.

—No, señor Lord, no me pregunto nada de eso acerca de usted. El ejercicio es bueno para las personas mayores...

Dije esa tontería mientras me liberaba con un gesto delicado de sus manos y me enfundaba el abrigo.

—Mi cuerpo lo necesita: esquiar, lanzarme a esa montaña blanca, gélida. Hundirme en ella, perderme en el espesor en apariencia algodonoso de la nieve. Añoro también respirar aire de montaña. Sí, tiene razón, bueno, es lo que soy: «una persona mayor».

Comprendí que no teníamos nada más que decirnos, pero que él intentaba ser correcto, educado hasta el final. James Lord ya había escrito en su libro todo lo que deseaba contar, y se le notaba la pereza a la hora de remover aquellos años vividos con Dora.

Repasé los cuadros con la mirada, las paredes encaladas, los muebles forrados de blanco, la moqueta de color hueso o marfil. Todo en aquel apartamento destilaba una nauseabunda sensación de perfección inmaculada.

El estricto orden, la blancura y una extrema limpieza perfumada al cloro me provocaron un ligero mareo; de cualquier modo, contuve la respiración unos segundos, más emocionada que impresionada, luego, en seguida me recompuse.

James Lord estrechó mi mano, le busqué los ojos mientras retenía mis dedos entre los suyos. Sus ojos me parecieron melancólicos. Sonreímos, nos despedimos. Nunca más volví a verlo.

Llegué a casa como si regresara de un viaje en la máquina del tiempo, pero desde el futuro. Mi hija ya no tenía fiebre, despedí a la *nounou*. Mi marido se había marchado a trabajar. Yo me acosté con la niña en su cama, nos quedamos rendidas.

Hacia la madrugada me despertó la vibración de mi móvil, respondí a la llamada en seguida, una vez me encontraba fuera del cuarto de la pequeña.

—Hola, soy Yendi, acabo de llegar a París. ¡Por primera vez en París! ¿Te das cuenta? ¡Espero que te acuerdes de mí! ¡Yo siempre te he admirado tanto! Soy la esposa de Renán.

No me agradó nada que me llamaran tan tarde, y aún menos que lo hiciera la tal Yendi, a quien conocía fugazmente de Cuba. También conocía a Renán, pero al menos él era un gran músico, compositor, pianista de jazz fabuloso, y había sido novio de una gran amiga mía allí en la isla.

—Gracias, Yendi. —Opté por ser correcta—. ¿Cómo está Renán? Mira, aquí es muy tarde, ya te habrás dado cuenta de que es casi de madrugada. Llámame mañana, por favor.

—¿Renán? Muy bien, él está muy bien, pero ahora andamos medio separados... Sí, sí, entiendo que es tarde. Mañana te llamaré y te contaré.

Me duché, me quedé intrigada con esa llamada, no podía imaginar qué carajo hacía esa mujer aquí, en París. Y ¿por qué nos llamaba tan tarde? ¿A santo de qué?

Me metí en la cama, torpemente desnuda, perfumada. Mi marido llegó al rato. Dejó los bultos, la cámara y el trípode, en el salón, se aseó y se acostó a mi lado, me acarició la espalda. «Su mano es un bálsamo», me dije.

—¿Qué tal te ha ido hoy? —preguntó en un susurro.

—Bien, pero poco he podido sacar de la conversación con James Lord, creo que no le he interesado para nada, o, al menos, no demasiado. Por eso no ha soltado prenda, no he conseguido ninguna información relevante. Pero me queda la experiencia de tenerlo delante, me ha dedicado su libro, lo he observado en profundidad, sigue siendo un hombre atractivo.

—¿Un hombre de ochenta años atractivo? —Cesó de acariciarme la espalda.

—Lo es, porque es culto, persuasivo, seductor, y eso le da un aire de gran señor. Eso sí, es un poco pretencioso, normal. Además, es muy norteamericano, aunque pretenda que no lo es. Los norteamericanos acomplejados de ser norteamericanos son así.

—¿Y qué más?

—Sigue acariciándome, anda, por favor, chico.

Las yemas de sus dedos tamborilearon en mis omóplatos.

—¿Y qué más? —insistió.

—Nada más, nada... Ah, sí, hace un rato llamó Yendi, la mujer de Renán. Ha viajado sola, sin él.

—¿Yendi, sola, sin Renán, en París?

—A mí también me ha extrañado. Llamó hará unas dos horas, era bien tarde, por cierto. Dijo que nos telefonearía mañana.

—¿No le preguntaste qué hace aquí, ni por los motivos de su llamada?

—No, no me dijo nada más y no supe reaccionar, ¿sabes? Me pilló por sorpresa. No supe reaccionar como es debido.

—No importa, ya veremos mañana qué cuento se trae ésta.

Nos abrazamos durante un rato, hasta que mi respiración empezó a hacerse pesada, y la suya también. Él se dio la vuelta. Yo lo imité.

Me desperté a eso de las diez de la mañana. Mi marido había llevado a la niña a la escuela. Me dolía la cabeza, tomé un Nurofen flash, y en ese instante sonó el teléfono.

—*Bonjour,* no pude irme a la nieve temprano, como esperaba, pero me voy dentro de un rato. Conseguí otro billete más razonable en cuanto a horario. Bernard me dio su teléfono porque a usted se le olvidó dármelo. —Era James Lord.

—Oh, señor Lord, discúlpeme, ha sido un descuido imperdonable. —Intenté ser lo más educada y ceremoniosa posible—. Menos mal que el señor Bernard Minoret reparó mi falta.

70

—Lo único que quería decirle es que no vaya a olvidar nunca que amé a Dora, tal vez más que a Picasso. Pero a Picasso lo quise mucho también y lo querré siempre. En ocasiones me quedaba dormido delante de un lienzo vacío, me despertaba y él ya había comenzado el cuadro. Entonces, yo pasaba días enteros delante del óleo, viéndolo trabajar, en total estado de devoción. Sólo salíamos para comer algo, y regresábamos al lienzo. Él regresaba al lienzo, claro. A la vuelta, yo me echaba como un perro encima de unos cojines a admirar la obra del artista, me volvía a rendir, soñaba que todos esos personajes emergían de la tela y me hablaban, y me enamoraban... Y nos cortejábamos...

—No se preocupe, James, no haré nada fuera de lugar. No suelo escribir más de lo que me inspira la verdad, aunque sea mentira. La literatura, ya lo sabrá, es una mentira que cuenta la verdad.

—Muy buena frase, la citaré... —Carraspeó—. ¿Ha mejorado su niña?

—Sí, mucho, hoy ya ha ido a la escuela. Gracias, señor Lord. —No le aclaré que la frase que él había encontrado buena no era mía, sino del escritor mexicano Juan Rulfo.

Nos dijimos «adiós» con cierto cariño; después de desearle nuevamente unas magníficas vacaciones invernales colgué el teléfono.

El móvil volvió a vibrar. Era Yendi, con su voz nasal, pitorrona. Aseguró que pasaría por casa en un cuarto de hora. No me quedó más remedio que aceptarlo; me volvió a coger por sorpresa y volví a comportarme como una idiota.

Me vestí rápidamente, sólo tuve tiempo de beber un café y cambiar de bolso. En el ascensor me dio un vahído, señal de un mal presentimiento; no sé, un escozor me recorrió la espalda, como un escalofrío interno, que duró más de lo previsto. Llegué temblando a la puerta.

Yendi ya estaba hundiendo el dedo en el timbre. Noté la decepción en su rostro:

—Ah, has bajado... Pensé que podría subir y ver tu casa.

—Mejor te invito a un café, tengo a obreros pintando y no está en condiciones de recibir a nadie en estos momentos... —mentí mal.

Nos sentamos en un café de la rue Francs Bourgeois, en el Marais. Durante el trayecto, Yendi me contó que había viajado a París porque había ganado una beca, pregunté cuál y no supo recordarlo, o no quiso decírmelo. Luego me contó que estaba escribiendo una novela sobre Anaïs Nin, que la tenía muy avanzada, me enseñó un cartapacio de papeles, que abrió, pero dentro no había nada escrito: sólo hojas en blanco y un acta de nacimiento, que ella aseguró que se trataba del acta de la escritora, supuestamente nacida en Cuba. Sin embargo, yo recordaba que Anaïs Nin declaró en múltiples ocasiones, siempre que se lo preguntaban, que había nacido en París. Esto se puede leer en sus libros e incluso ver en una entrevista colgada en YouTube.

—Esta novela te la debo a ti. ¡Te admiro tanto! No lo recordarás, pero hace mucho tiempo me hablaste de los *Diarios* de Anaïs Nin. ¡Y hasta me los prestaste!

No lo recordaba, pero era cierto que he leído esos libros montones de veces y que los he recomendado a diestro y siniestro, y también he escrito y publicado sobre ellos.

No tenía conocimiento de que Yendi escribiera prosa; había sido actriz, bastante mediocre, por cierto, realizadora de un documental, igual de mediocre, acerca de una pintora a la que imitaba sin éxito, y me había enseñado un librito de poesía que no valía nada, pero que yo había tenido que elogiar por *politesse* ante su vehemente insistencia. Y ahora salía con la noticia de que escribía novelas y de que tenía un libro en camino y otro en preparación. Dudé de lo que me contaba, dudé a sabiendas de lo manipuladora que podía ser y de lo estimulante que resulta la envidia en personas mitómanas como ella.

Había oído hablar de ella ya en La Habana. Y varias personas, incluido un antiguo novio suyo, me habían avanzado sus numerosos problemas de personalidad y sus constantes arranques mitómanos. Sin embargo, hice de tripas corazón y fingí que ponía atención a todo lo que me contaba, aunque empecé a aburrirme soberanamente, sin poder ocultarlo.

Al cabo del rato de oír un sinnúmero de tonterías, le anuncié que debía irme, que unos compañeros me esperaban por un asunto de trabajo que tenía pendiente.

—Aguarda, no me has dicho si sigues escribiendo. —Se aferró con la manita, en forma de garra, a mi abrigo, como un náufrago a una tabla de salvación, en un gesto hipócrita que aparentaba ser desesperado.

—En eso estoy, como siempre; hasta que se me vacíe el coco. —Me levanté, pagué, pero ella se levantó también, aun cuando tenía su cerveza por la mitad y no había terminado el *croque-monsieur*.

—Te acompaño —dijo, aparentando que yo reclamaba su compañía.

Empecé a angustiarme:

—Sólo podrás hacerlo unas cuantas cuadras, mi reunión es privada; no podrás estar presente de ningún modo.

—No te preocupes, yo también debo encontrar a alguien. Tengo que verme con una persona muy famosa, un músico cubano que vive aquí, es archiconocido. ¡Con concierto en el Olympia y todo el lío! Me quedaré solamente unos días en Francia, luego me iré a Barcelona, a encontrarme con un antiguo amante, el pintor...

—No quiero saber su nombre. Tu marido es amigo nuestro, no quiero que me cuentes historias de amantes, ni de nada... —Fui brusca, ella empezó a lloriquear.

—Mi madre murió, ¿sabes? Loca, totalmente loca... Renán no me entiende, es sumamente egoísta, no me da derecho a nada, ni siquiera me da dinero... Fabio es diferente. —Por fin soltó el nombre del pintor que yo no quería oír—. Es bueno, tierno, generoso... Me siento muy sola, las cosas en Cuba van muy mal, están terribles. Por suerte, tengo al escritor colombiano que me apoya...

—Todos estamos solos —repetí vulgarmente, recordando a James Lord—. Mi madre también falleció, y este exilio no ha sido fácil, más bien largo y penoso. La gente que se queda en Cuba se queja, pero los que nos vamos lo pasamos muy mal, y nadie nos entiende, no interesamos a nadie. Y aunque cada vez hay más gente que se va, cada vez son menos los que nos entienden... Todos se van... Todos se van... Pero los que llegan últimamente ya no son iguales a los anteriores, vienen con el cuchillo entre los dientes, con la mentalidad formateada por la dictadura... Todos se van, todos se van... —repetí con ingenuidad.

Sin darme cuenta, nos encontrábamos frente a la casa de Victor Hugo, en la plaza des Vosges, la invité a ver el museo, pero no la vi muy entusiasta, aceptó para no quedar como una idiota.

—Todos se van... —subrayé en una especie de letanía—. Todos se van.

Ella me miró de súbito con un destello pícaro, o mortífero, maliciosamente intencionada, los ojos le brillaban como los de un topo, o los de una rata. Pero no me dijo nada, devolvió su mirada al frente.

—¡Qué camita más pequeña! —comentó mientras observaba la cama de Victor Hugo.

—En aquellos tiempos la gente era pequeña.

—Bueno, yo cabría en esa cama, ¡como soy bajita, un auténtico retaco!

Asentí, no se me escapó que no había hecho ningún comentario en relación al fallecimiento de mi madre en el exilio, no le dio ninguna importancia, ni siquiera se compadeció ante tal hecho.

Recorrimos el museo de nuevo, esa vez a la inversa, emergimos del inmueble; hacía mucho frío, estaba gris y empezaba a nevar.

—¿Sabías que ya soy francesa? —Dio un respingo.

—No. ¿Y cómo lo conseguiste? ¿Te hiciste francesa desde Cuba? O sea, ¿te dieron la nacionalidad viviendo en Cuba?

—Claro, gracias a Renán, como su madre es francesa, y yo estoy casada con él, pues me otorgaron el derecho... Y el tipo que es embajador de Francia es de los nuestros y me regaló hasta una condecoración... —Hizo un guiño.

—¿Qué quieres decir con eso de que «es de los nuestros»? —inquirí.

—Oh, nada, nada, que le priva lo nuestro, que muere por todo lo cubano... —Carraspeó.

Era lo máximo que podía aguantar. Mi familia, mi marido, la niña y yo nos habíamos pasado años esperando el permiso de residencia, luego pedimos la naturalización y ni con la enorme cantidad de impuestos que pagábamos las instituciones oficiales aceptaron la demanda. Tuve que esperar a ser española para que me concedieran la residencia francesa. Gracias a mi condición de europea pude optar de nuevo a la nacionalidad del país en el que residía, y entonces, sólo después de mucho tiempo, volvimos a pedir la nacionalidad. Pasaron cinco años antes de que nos la concedieran.

—Has tenido suerte, poca gente navega con semejante fortuna... —Suspiré intentando mantener la calma.

—He sabido hacerlo bien, sólo eso. ¿No? Es cuestión de movimiento. He sabido moverme bien —soltó descaradamente.

Asentí, sin duda alguna que sí, por moverse no había quedado.

Extrajo un teléfono móvil de lujo del bolsillo del abrigo y marcó el número del músico famoso que —según ella— tenía programado un concierto en el Olympia. Se dieron cita en un club de moda. En ese instante, cuando terminó su comunicación telefónica, nos despedimos, y eso fue todo, al menos eso creí yo. No la volví a ver nunca más, y no creo que lo haga en lo que me queda de existencia, está claro que en el futuro evitaré cualquier encuentro con ese repulsivo ser. Estos encuentros retrasan la vida un puñado de años.

Sin embargo, ahora tuve que echar mano mentalmente de ese encuentro, y resulta odioso que siempre que evoco a James Lord deba acordarme de ella, porque todo sucedió en menos de veinticuatro horas. O sea, lo conocí a él, y esa misma noche —madrugada, mejor dicho—, Yendi llamó. Al día siguiente no pude evitar su encuentro y cuando logré deshacerme de aquel repelente personaje me sentí extremadamente mal, porque me di cuenta de que su presencia había disminuido los efectos que la de James Lord había tenido sobre mí. De alguna manera, esa mujercita había aparecido para perturbar mis proyectos. Había dejado una huella sombría en mí. Hay personas así, que rellenan de una amalgama oscura los sitios más luminosos por los que pasan. Y Yendi también había estado presente, ahora lo recordaba, en aquel intento de manifestación frustrada en Cuba, en la que yo había participado con el Zurdo Sotera, Lena y Apple Pie. Aunque cuando se armó el enorme revuelo en seguida se puso de parte de los represores.

Aquella tarde, inquieta, me pregunté si había dicho una frase de más, y estaba convencida de que no había sido así, ya que había tratado de hablar lo menos posible. Finalmente, no sucedió como yo creí, lo supe después, porque cuando alguien viene a robarte algo, se apodera de cualquier cosa que le pongas al alcance de la mano, por mínima que sea. En aquella ocasión fue sólo una frase, dicha sin reflexionar, un comentario doloroso que hice y que ella transformó en el título de un libro bastante insípido y plagiador: *Todos se van. Todos se van* era, además, un verso de una canción que yo había escrito para Mónica Molina y fue el tema musical de *La Bostella*, película de Édouard Baer.

Horas más tarde, quise volver a pensar en el encuentro con James Lord, deseé concentrarme en su persona, pero entre su recuerdo y mi mente se interponía la imagen de Yendi, con su cara de aprovechada, y la falsedad de la que hacía gala y que le sacaba a flote el peor de los defectos: el de la envidia aderezada con un deje de lastimero hechizo. Añadiría, también, el de poseer la sonrisa más estúpida que haya visto en mi vida. Un ángel roedor, con dientecillos ratoniles, que agitaba sus alas de cuervo en todas direcciones. Un ser oscuro, insensible, destructor.

Dora, 1939 y 1958

Los tres habían entrado en un palacete frente al Gran Canal, era un lugar fabuloso, los cortinajes de terciopelo rojo colgaban pesados de los ventanales, pompones dorados los recogían hacia los lados, y la luz penetraba jugueteando con los reflejos de la cristalería de Murano. No sólo los adornos, las lámparas y las vajillas eran de ese fino material, de vidrio soplado delicada y portentosamente, también algunos muebles, como armarios, cómodas, estaban fabricados con espejos repujados, biselados, de un exquisito y apabullante estilo, extraordinarios.

La luz se reflejaba en todas partes, creando espacios aún más esplendorosos, los salones daban la impresión de poseer el doble de su medida. Dora quedó petrificada ante tanto lujo, pero en seguida su buen gusto la orientó a pensar que aquello nada tenía que ver con la elegancia, que se trataba de una especie de *brocanterie* ilusionista, de jaula dorada, para engañar a los débiles de espíritu. No dejaba de ser llamativo, era la palabra exacta: «llamativo». Aunque ella sabía apreciar las lámparas del techo, los tapizados de seda china y los antiguos dibujos en la frágil y delicada tela que las cubría.

Bernard intentó acomodarse en un *récamier* forrado de fucsia, pero era tan alto que su cuerpo resultó ridículo, como el de un tigre que apoya su garra en una pelotita de ping-pong. La tapicería del resto del mobiliario fluctuaba del leopardo a los tonos violeta, morado, dorado, negro y rojo.

—En el apartamento de este amigo que nos ha invitado es todo muy ecléctico. En París, sin embargo, vive de otra manera, concretamente más modesta.

—París es París. Venecia es otra cosa, Venecia es la exuberancia. Por lo que veo, aquí hay que definirse dentro de cierto estilo de lo pudiente. —Dora sabía que no estaba diciendo nada consistente, sólo deseaba responder a Bernard—. ¿De qué conocen ustedes a este señor veneciano?

—Es *marchand* de arte y anticuario, hace años que nos encontramos en las tertulias de Marie-Laure de Noailles. Resulta raro que no te hayas cruzado con él.

—Igual sí que lo vi antes, y tal vez no le presté atención. —Dora observaba el Gran Canal, sentada en el borde de la ventana; desde el agua se levantaba un vapor nacarado digno de ser pintado en un paisaje sobrenatural flamenco—. Por ahí viene James...

Anunció, y su rostro se iluminó. Se sentía más segura con la presencia del amigo.

Vio acercarse a James al palacete, extraer la llave del bolsillo del pantalón. Regresaba del mercado cargado con quesos, vinos y jamones italianos. Dora acudió a abrirle la puerta de vidrio anaranjado del recibidor. El hombre entró y se dirigió de prisa a la cocina a depositar las compras.

—¿Por qué no nos quedamos en este sitio, en vez de volver al hotel? —preguntó Bernard desde su incómodo y extravagante asiento.

—¡El propietario tiene amigos que llegarán esta noche y se instalarán aquí! Podemos convivir con ellos, pero no tanto tiempo —voceó James desde la cocina.

Dora quiso ayudarlo. Preparó una bandeja con queso y jamón, abrieron la botella de chianti, brindaron por la amistad y por el arte. Bernard cambió de lugar para sentarse en uno más cómodo y rechazó la copa de vino, prefería el champán, su adictivo Dom Pérignon, del que era engorrosamente dependiente, aun siendo tan caro.

—Caro con alevosía e indecencia —subrayó, consciente de su complicada adicción.

James hojeaba un catálogo, mientras Dora, otra vez sentada en el borde de la ventana, contemplaba la soberbia amplitud y la lenta ondulación del canal.

—Eso me recuerda mi llegada a Buenos Aires, con mis padres. Mi madre me apretaba la mano con fuerza, me clavaba las uñas en la palma. Louise Julie Voisin, mi pobre madre, estaba aterrorizada. Sabía que en Argentina a cualquier francesita se la comparaba con lo peor. «Francesa» significaba «prostituta». A muy temprana edad me sentí, o me hicieron sentir, muy puta.

Bernard levantó la vista hacia Dora, toda la luz del atardecer la envolvía, y ella también parecía un cristal, una vestal atrapada en un espejo, en el que se reflejaban múltiples espacios, y ella aparecía repetida en cada uno de ellos. Un cristal fragmentado, como en el primer cuadro que le dedicó Picasso, el primer retrato descuartizado, pintado el 1 de abril de 1939.

La cabeza representaba un jardín compuesto de pedazos de minúsculos jardines azules y lilas. Lo tituló *Tête de femme (Cabeza de mujer)*. La parte inferior se inclina de perfil, con el mentón, la boca y la nariz esquinados; la otra parte de la cara resulta como un pedazo de bosque separado, en el que un trozo de nariz sobresale y desaparece tras el *trompe-l'œil* dando una impresión de destello, la frente y la mejilla aparecen abultadas por una especie de farol de minero. Los ojos espantados indagan en el abismo insondable de lo improbable. En aquel entonces, ella aparentaba ser muy dulce y dócil, pero ahora los rasgos de Dora se habían endurecido, por eso aun así, rota en mil trozos dentro del espejismo del azogue, emanaba de ella una armonía que purificaba y sanaba el ambiente.

Bernard no dejaba de observarla con suma e inquieta curiosidad. Le agradaba conversar con esa mujer austera y acababa de descubrir en él esa fascinación por Dora que lo propulsaba a intermitentes arranques de ternura. Buscó la explicación en su interior, ¿por qué semejante atracción? Porque frecuentar a la que otrora fuera más que la musa, la compañera sexual e intelectual de Picasso, le brindaba una paz muy especial, lo sumergía en un estado de sublimación del arte, como si contemplarla y hablarle lo situaran frente a una obra del artista, seducido y domado por su abigarrado esplendor. Una obra viviente, inevitablemente echada a perder, afectada por la perturbadora esencia de la insoslayable y vulgar humanidad.

—¿En qué piensas, Dora? —bromeó Bernard—. Ya sé que no me contestarás, porque nunca piensas en nada.

—Recuerdo, sólo recuerdo cosas inútiles...

Parecía que el día, grisáceo y lluvioso, iba a verterse en el río, en el tragante formado por un hueco en el horizonte. La neblina encubrió el ensueño. Las temperaturas habían bajado mucho más de lo pronosticado, y el invierno se anunciaba más duro de lo que se esperaba. Ella corría al estudio de Picasso con una *baguette* debajo del brazo. De súbito, una mujer se le cruzó en el camino y la paró en seco:

—Señorita, ¿sabía usted que ese pintor le vende cuadros a cualquiera? Y no sólo sus propios cuadros, también los que le han dejado a su cuidado otros pintores. Ha revendido cuadros de Wifredo Lam, dibujos de Max Jacob, pobre Max Jacob, ¡después de haberlo acogido en su casa! ¿Sabe lo que respondió cuando se enteró de que supuestamente su mejor amigo, Max Jacob, estaba en un campo nazi? Pues dijo que Max Jacob se salvaría, que volaría, porque «Max es un ángel». ¡Será imbécil ese malagueño presuntuoso!

Ella la observó y escuchó angustiada, una fina lluvia opacó sus ojos. La mujer con la que se había topado y que al parecer había salido de ninguna parte tenía la cara hinchada, de sapo, y aunque se notaba que había sido una mujer hermosa, ahora tal vez tendría unos setenta años. Ojos botados, muy amarillos y saltarines dentro de la cuenca, sonrisa de dientes manchados por la nicotina, manos regordetas, agitadas. Era descomunalmente obesa, vestía un *tailleur* apretado de color verde botella, llevaba la pechera de la blusa manchada de puré de garbanzos. Dora se apresuró:

—Perdone, señora, no puedo detenerme, se me mojará el pan...

Ella estaba segura de que la mujer se equivocaba, que Picasso no había vendido jamás obra de Wifredo Lam. El cubano era demasiado receloso para dejar sus cuadros a tan inseguro recaudo, y mucho menos su obra firmada, pues no plasmaba su firma en ningún cuadro antes de venderlo a un futuro dueño que no fuera a traicionarlo, con plata suficiente, y que él pudiera mantener localizado como coleccionista.

La joven sintió que tenía la vejiga llena, le entraron escalofríos, se moría por llegar a la casa y orinar. Picasso debía de tener hambre, como era habitual en él. El hambre de un buey.

Los zapatos se le llenaron de agua, llevaba las suelas ahuecadas, pero su amante no quería que se comprara calzado nuevo. ¿Para qué, qué falta hacía? Empezó a tiritar, no podía controlar el tembleque de los labios ni el castañeteo de los dientes. Aunque sólo de pensar que el hombre al que amaba más que a nadie en el mundo la esperaba en casa, canturreó agradecida. Él tampoco quería que llevara su mejor abrigo, el de piel de chinchilla. Con esa prenda se veía demasiado formal, bella y elegante. ¡Zapatos feos, zapatos feos, que se pusiera zapatos feos! ¡Nada de abrigos caros, nada de lujos!

Subió los peldaños de dos en dos, corriendo trabajosamente, pues andaba con los muslos apretados para no orinarse, abrió la puerta con la respiración entrecortada. Jaume Sabartés espiaba detrás de una mampara, ella no consiguió verle, pero adivinó su encorvada silueta.

Abrió la segunda puerta, entró en el estudio del pintor. Un soldado muy joven dormitaba encima de los cojines, se le notaba saludable y era muy hermoso, tuvo tiempo de percatarse de que estaba medio desnudo, lucía muy provocador en su descuidada posición, como ofren-dándose desde el más allá, desvergonzado en el sueño. Pi-casso pintaba con un cabo de cigarrillo entre los dientes.

—¿Quién es?

—Nadie, un soldado norteamericano —respondió con precisión y sequedad el artista.

Dora dirigió la mirada hacia los cojines, el hombre ya no se encontraba allí.

—Ha desaparecido. —Ella secó sus sienes con un trapo lleno de pintura, estaba entripada en agua.

—Sí, lo sé, siempre ocurre de ese modo. Aparece, de-saparece, a veces pienso que no existe y que lo he inven-tado, que es una fantasmagoría, un mero producto de mi imaginación.

Dora estaba convencida de que era cierto, de que aquel joven soldado no existía más que en el mundo imaginario del pintor y ahora en el de ella, pues creía a pie juntillas lo que afirmaba el Maestro, sobre todo cuando jadeaba febril encima de un lienzo.

Calentó una sopa de nabos, frió unas pechugas de pollo, embadurnó el pan en aceite:

—Ven a comer, hace frío y llevas mucho tiempo tra-bajando.

—Pero ¿quién te pidió comida? No quiero comer, ¡no es hora de comer para mí! ¡No me interrumpas más, no seas inoportuna! —Dio un manotazo a los pinceles, resopló, su rostro se punzó de ira.

Dora replicó con un mohín de angustia.

—Ah, ah, ah, ahora a llorar se ha dicho. ¡La mujer que llora! Otra vez el llanto. ¡Si cuando yo lo digo..., me vas a volver loco, me arruinarás con tus lágrimas! Tus lá-grimas tan, tan, tan especialmente tangueras...

El hombre se vistió, bien abrigado salió a la calle dando un portazo.

Dora vaciló con avergonzada brevedad, pero en seguida corrió detrás de su amante. Él caminaba demasiado de prisa, y se le escurrió entre algunos transeúntes. Al cabo del rato lo distinguió, vio que entraba en un café cercano. Ella esperó, se quedó rezagada a propósito, avanzó luego, le espió desde el exterior a través de una ventana ahumada por el vapor del interior del establecimiento. Era la época en que todos se espiaban.

Dentro, el Maestro se divertía a carcajadas con unos conocidos, parroquianos del lugar, el dueño le sirvió un *pot-au-feu,* un caldo hirviendo en el que flotaba un hueso enorme cuya médula engrasaba el líquido perfumado al orégano, unos vegetales, pan y nada más. El pintor devoró el plato con un hambre atroz.

A su regreso, estaba de otro humor, y el soldado seguía allí, como dormido. El Gran Genio, enternecido, elogió la belleza del militar.

—¡Un sueño, un auténtico sueño!

Angustiada, Dora se había reventado los labios de tanto mordérselos.

Al rato, cansada de esperar a que el pintor reparara en su presencia, Dora se irguió del butacón, recogió violentamente el abrigo y salió huyendo, corrió despavorida escaleras abajo. No quería saber nada más de él, nada más. Era todavía joven, ¿por qué no se buscaba a otra persona? ¿Por qué no se enamoraba de otro hombre? ¿Por qué no renunciaba al artista y se iba con alguien que la amara y la admirara como de verdad se merecía, como el genio que también ella era? Por eso, porque amaba al Gran Genio, no podía amar a otro, no lograba escapar definitivamente, y por él estaba dispuesta a sacrificarlo todo, incluso su vida. Quiso lanzarse al Sena, suicidarse, morir de forma trágica, ansió desaparecer; sí, eso haría, desaparecería, castigaría a Picasso. Pero quizá él no vería su suicidio como un castigo, sino como una liberación. Se sonó los mocos en el boceto que había hecho en una servilleta y lloró abundante y desconsoladamente.

Continuó avanzando por el borde del Sena; los *bouquinistes* la contemplaban no sin cierto temor, escurridizos. Es cierto que trastabillaba como una loca a un ritmo sofocante e indetenible, con actitud despavorida y una deprimente cara de airada, de abandonada, de bestia herida. La locura provoca pavor en los otros.

¿Cómo liberarse del trauma de Picasso? ¿La quería él a ella como ella lo amaba a él?, se preguntaba sin reposo. No, no la quería; el Gran Genio no podía amar a nadie más que a sí mismo. Cambiaba entonces de parecer: lo podría soportar, se repetía, sí, sí, ella podría aguantar su egoísmo, infinitamente. Sin ningún problema, ella sería entonces la amante ideal, la mujer presta al socorro, la sirvienta que sólo reaparecería en el momento de sus reclamos, justo en esos instantes en los que el Maestro ansiara de forma precisa su existencia. No, Dora no podía comportarse como una sirvienta ante el hombre amado. Eso no era el amor, no, de ninguna manera, ella no lo concebía así. ¿Cómo era posible que una mujer inteligente como ella se comportara de ese modo tan insoportablemente sumiso?

«Picasso es un hijo de la gran puta», pensó y enseguida se arrepintió, pidió perdón para sí misma, en un rezo angustioso, se postró ante la virgen enterrada en una capillita de una esquina del muro que bordeaba el Sena. ¿Por qué ante la virgen? Si ella era profundamente atea, incrédula. Pues porque la virgen era diferente, como quiera que sea, la virgen era una mujer, entendería mejor que nadie la situación por la que ella atravesaba. Rió entonces a carcajadas, la mano le sangraba de arrastrarla, rasparla contra el muro. ¿Estaría volviéndose loca? Para nada, para nada; al contrario, la extrema cordura era su peor defecto. Sólo sucedía que sufría, se sentía sumamente nerviosa, demasiado nerviosa y triste, tiritaba de frío. Observó la sangre coagulada en su mano, se lamió la llaga, y la saliva apaciguó el ardor.

Entró en un café, arrastró una silla hacia ella, pidió un chocolate caliente, probó con pequeños sorbos la leche, el líquido entibió su estómago, se sintió mejor, reconfortada. Observó a los paseantes a través del nevado cristal, a una pareja que se besaba junto a una farola, tan enervantemente apasionados, ensimismados en el deseo, sumidos a fondo en el placer. ¿La amaría él a ella como se notaba que ella lo amaba a él, a juzgar por el gesto de entrega en sus labios? Los hombres siempre aman menos. Depende de las mujeres. ¡Existe cada clase de mujeres! ¡Tremebundas en el amor, zafias en la entrega! ¡Tan vivas, tan bichas, que siempre se las arreglan para que las amen a ellas y para sacar provecho de los amores!

—Me gustaría hacer un viaje... —musitó.

El camarero, que no consiguió escuchar su frase, quiso averiguar si le había pedido algo.

—No, disculpe, sólo hablo conmigo misma, no piense que estoy loca... No estoy ni loca ni enferma.

El hombre acudió a la mesa contigua, atendió a unos suecos que habían ocupado el sitio vecino. Eran dos parejas y estaban impresionados favorablemente por la ciudad... Dora los escuchó, enajenada, deshacerse en elogios hacia París, en un perfecto francés. Contaron maravillas de aquel primer viaje a un caballero que había llegado de imprevisto, se hablaron primero de una mesa a otra, después el hombre se levantó y fue hasta ellos, para asegurarse de que todo iba bien, de que sus nuevos amigos suecos se lo pasaban a lo grande. Dora notó que el viejo subrayó «suecos» para que el dueño se diera cuenta de que eran extranjeros.

—*Tout baigne mes amis les suédois?* —La imagen del rostro del anciano se desdibujó empantanada en las lágrimas de la mujer.

Dora reclamó la cuenta al camarero, pagó lo consumido y regresó a la calle.

La calle estaba desierta, había empezado a nevar. A lo lejos, se aproximaba otra mujer, por la acera opuesta, era muy hermosa y joven, fresca, delgada, tal como le llamaban la atención al malagueño. ¿Habría ido a ver a Picasso? ¿Sería una amante de Picasso que regresaba de hacer el amor con él? No, no, todavía no la engañaba, se reconfortaba Dora a sí misma, aún no.

Sí, era una mujer joven, no precisamente bonita, pero por sus formas era el tipo de mujer que le podría atraer al artista. De cabellera rubia, unos sublimes ojos verdes, el pelo lacio, algo pajizo, la tez mate. No era vulgar y sabía caminar, o sea, al andar movía sus caderas como si bailara, ondulaba con esa especie de desdén cadencioso de lánguida sirena (así, de esta forma tan cursi piropean a las mujeres en el trópico, se lo había contado el Gran Genio), mientras avanzaba se veía que poseía un ritmo un poco casquivano, sazonado con un callado y escondido apasionamiento. «Carita de hipócrita», se dijo; sin embargo, la otra taconeaba en el pavimento con paso firme. Cambió a la acera por donde ella iba.

Apenas se rozaron al cruzarse. La mujer había mirado de reojo a Dora, a ésta le pareció que le sonrió de modo perverso, hasta cínico. La fotógrafa regresó sobre sus pasos, la tironeó del brazo.

—Vienes del *atelier* de Picasso, ¿eh? Dime, so zoqueta, mequetrefe.

—¡Eh, qué le pasa, ¿está usted loca?! ¡Suélteme, déjeme! —Se defendió como pudo de la garra de la artista.

—Picasso, te dice algo el nombre de Picasso, ¿eh? ¿Te has acostado con él? ¡Vaya perra! —Dora tenía los ojos inyectados en sangre, no podía contener sus celos, espumeaba toda su rabia por las comisuras de los labios.

—¿Quién, qué? ¡Por favor, suélteme, no sé de qué me habla!

La mujer, extrañada de sí misma, ajena a su verdadera existencia, una Dora poseída por complejos y rencor, que, por otra parte, sólo era la amante de un pintor, que encima estaba casado con la regordeta rubia Marie-Thérèse Walter, y que para colmo era padre de una niña y de un zángano al que incluso ella se empeñaba en tratar como a un hijo, no paraba de insultar y patalear... La soltó, finalmente, cansada, llorosa; con la duda clavada en el cuerpo, pues poseía la certeza de que la muchacha le mentía indecorosamente.

«Seguro que habrá ido a ver a Picasso, se habrá acostado con él, le habrá pedido que la pinte...» Y él ha cumplido con todo, sobre todo con pintarla, salvo que el rostro que aparecerá en el cuadro no será jamás el de esa puta aniñada, sino el de ella, el suyo, el de la mujer que llora. Que llora, que llora, que llora, en un eco ininterrumpido e insoportable, en una letanía inacabable y vulgar. Sus sienes martillaban con un punzante y potente latido.

La otra mujer se alejó maldiciéndola, de vez en cuando volvía el rostro; debajo del brazo llevaba un cuaderno, se le cayó al suelo y lo recogió temerosa, entonces lo guardó en su amplia cartera de cuero desgastado.

Este episodio, que recién cruzaba por su mente mientras contemplaba el blancuzco paisaje del canal veneciano, ¿ocurrió realmente de ese modo o la memoria empezaba a hacerle jugarretas? ¿Esta desintegración constante de fragmentos de recuerdos, o una sucesión de olvidos, tendrá algo que ver con su vida vista por ella misma o sólo pretendía seguir el curso de lo que contaron los demás sobre ella, después del internamiento en el hospital Sainte-Anne?

Bernard insistió en que le revelara sus pensamientos.

Negó, respondió con un escurridizo y apenas creíble juramento:

—Te juro que no pienso en nada.

Ahora sólo deseaba evocar el instante en que conoció a Kiki de Montparnasse, en La Rotonde. La mujer cantaba a los soldados norteamericanos y pasaba el sombrero. Ella la consideraba una gran artista, sin embargo, otros la despreciaban. Kiki había modelado para Foujita, Modigliani, Derain, Soutine, también para Picasso.

Kiki de Montparnasse era, innegablemente, una bella mujer, pero gruesa, aunque muy contenta de serlo. De hecho, en aquella época, la gordura estaba muy de moda. Daban ganas de acariciar su rostro mofletudo y de quedarse fija, prendida en sus líneas, de acariciarla como se acaricia a una perrita sata, y no como a una mujer lasciva; no era para nada una mujer voluptuosa, no, de ninguna manera. Su cuerpo se brindaba como un cojín acolchado que invita a hundirse en él. Su peinado daba risa, era más bien ridículo, con esos pelos tan lacios, un flequillo corto, a la lloviznita, y unos ojos extremadamente pequeños, puramente pícaros.

Dora la admiraba desde aquella primera fotografía que había apreciado de Kiki, la que le había tirado Man Ray, titulada *El violín de Ingres*, en la que se pueden apreciar la estrecha cintura de Kiki, sus fabulosas nalgas, las caderas anchas, un culo exuberante. Un culo animal, una voluminosa monstruosidad lista para ser retratada.

Dora se reconoció en esa foto, si no se cuidaba, en breve su trasero se asemejaría al de la modelo. Entonces quiso conocer a Kiki, la buscó y la halló. La conoció a mediados de 1924, en un bar de Montparnasse. Después, siguiendo el rastro de aquel trasero fotografiado y de su dueña, encontró afortunadamente al fotógrafo, a Man Ray. No fue nada simpático en el primer acercamiento, más bien, todo lo contrario: ríspido y huidizo. Hasta que le dijo su nombre y apellidos completos, y él quiso identificarse, al igual que ella, como judío. Si el de ella era Markovitch, el de él era Radnitzky. Dora insistió en que su apellido no tenía ninguna ascendencia judía; la necesidad de aclararlo continuamente le valió numerosas incomprensiones posteriores.

Man Ray la escuchó, bastante lelo, contar sus aventuras como incipiente, y para él inexperta, artista, así que hizo poco caso de su carrera como fotógrafa surrealista, al menos en aquel momento; supo estar más atento de sus formas y su rostro ovalado, lo que provocó que se prendara al punto de su impaciente —según él— y arrolladora belleza.

Bernard se le acercó, le colocó cariñosamente una mano en la espalda, la mujer no la retiró, sin embargo, él percibió un ligero rechazo, por lo que supo que su gesto no era bienvenido.

James les acababa de preparar con esmero un suculento desayuno. Los invitó a que se trasladaran a la mesa. Dora tenía un apetito del diablo y no tuvo reparos en confesarlo, risueña, siempre tuvo un apetito que debía disimular, además ganaba peso con facilidad; volvió a sonreír, ahora un poco avergonzada. El tibio sol escalaba lentísimo en un cielo brumoso.

Engordaba demasiado rápido, sus caderas, bastante redondas, adquirían un aspecto terrible, arqueadas, grotescas, y eso la hacía sentirse disminuida, poco atractiva. Sabía que ella ya no poseía la juventud de Kiki de Montparnasse.

Ahora ha pasado tanto tiempo que en la actualidad es casi una mujer vieja, así que puede comer lo que le venga en ganas, atiborrarse de alimentos, de golosinas, de lo que quiera. Debería inquietarse más por la diabetes que por la belleza externa. Aunque, precisamente ahora, cuando ya no tiene que agradar a nadie, ha perdido el gusto, la curiosidad del paladar. Antes, todo lo que se llevaba a los labios poseía un sabor supremo, delicioso, cada alimento se le ocurría suculento. Ya durante aquel viaje a Venecia, cualquier bocado le resultaba amargo e insípido, y, pese a ello, necesitaba comer, masticar, llenar su vientre, sentir que sus tripas se calentaban. Sus tripas se entibiaban, pero, de inmediato, los pies se le aterían. No sabía por qué desde hacía algún tiempo los pies se le enfriaban y le trastornaban la digestión.

James se agachó frente a ella, le dio masajes en los pies, con aquellas manos macizas y grandes. Con movimientos del puño empujó hacia arriba en la planta, desde los calcañales. Los calcañales la hacían sufrir espantosamente, con un dolor de aguijón perpetuo. «Es el peso —se dijo a sí misma—, tanto peso.»

Y pensar que fue una niña ligera, aunque eso sí, muy pesada y seria de carácter, pero en cuanto al peso, no pesaba un comino, era sumamente aérea y desganada, sin apetito; sin embargo, jamás una sonrisa, jamás los dientes bordearon los labios, ni nunca nadie pudo testimoniar haberla visto arrastrada en un excesivo arranque de alegría. Eso no quería decir que hubiera sido una adolescente melancólica, desde luego que no. Más bien se recordaba siempre adusta, pero feliz, aunque asustaba con sus rasgos duros, rígidos. Su mentón delataba este aspecto de su difícil personalidad: la dureza arraigada del desarraigado. Sin embargo, ella pretendía que lograba levitar entre los demás, con aquella ligereza que le confirió la niñez en Argentina, muy a pesar de su abundante cabellera negra y brillante como el azabache, de sus ojos claros, de mirada concisa, y de sus brazos y piernas robustos.

De adolescente era tan ligera que podía bailar el

tango, medio a escondidas de la madre; danzaba apretada a una sombra, la espalda como la de una tigresa, las piernas enroscadas en el abismo.

Como era lógico, sus pasos eran los del «tango decente», como le llamaban entonces las familias de bien, pero a fin de cuentas era un tango. «El tango de las hermanas», solían llamarlo, y en esa fraternidad se sucedían los gestos más delirantes y sensuales. Mientras más finos en apariencia, más obscenos; obscenidad desatada en la imaginación febril de los bailarines. Me refiero a un tango de salón, no al barriobajero de los suburbios.

Dora danzaba, danzaba sumida en el compás de su deseo, un deseo que ascendía espigado, daba vueltas y se perdía en el remolino de los besos abordados sólo de manera onírica, se movía o contoneaba con tal suavidad que no conseguía detenerse aun cuando la madre se lo exigía, volaba a través de una ventana.

«Toda buena historia se escribe a través de una ventana —pensó, con los ojos cerrados—, toda historia honesta.» Entonces recordó la ventana de barrotes del hospital Sainte-Anne, en la Unidad de Psiquiatría, y sus deseos de transformarse en torcaza, y cómo lo consiguió, dentro de su mente, trastornada.

Y con esa misma ligereza, en el umbral de la adolescencia arribó a París. En seguida que puso los pies en los pavimentos de Saint-Germain-des-Prés perdió ese don vaporoso, aun cuando empezó, sin embargo, a vaciarse o a fundirse en un molde, o a desembarazarse de tantas preocupaciones heredadas de la familia en pleno estallido. Entonces, su cuerpo se volvió transparente, fugitivo, fulgurante en su huida. Su cuerpo adquirió una especie de estado perenne de vagabundez.

Caminaba por todo París con las voces ronroneándole dentro de su cabeza, un auténtico coro; una multitud se dirigía a ella desde el interior de su cabeza de un modo familiar. Acostumbraba a salir del liceo Molière y se perdía, deambulaba acompañada de sus amigos durante horas, por todo lo largo de la avenida Foch. Le agradaba andar a su aire, marchar sin rumbo fijo, perderse por París como cualquier hija de vecino, voluble y ordinaria, y debido a esa misma ordinariez que presta la adolescencia y que la vejez roba, podía ser soberanamente natural y libre.

Como toda muchacha inteligente, ambicionaba saber cada vez más, conocer ad infinítum... Lo que atesoraba y anhelaba más que nada era el conocimiento.

Empezó a asistir a reuniones, que eran lo que llamaban «fiestas sorpresivas», y allí conoció a Louis Chavance, otro gran artista de una ciudad por demás repleta de artistas, célebre dramaturgo, editor de cine, actor; ella lo consideró su primer amante, con quien frecuentaba el café de Flore y con quien se mostró delante de todos de manera ambigua. Allí también encontró al escritor Georges Bataille, otro gran e inolvidable amante, y en ese trecho se interpuso la figura de Picasso, poco sorpresiva, poco llamativa, mejor dicho. Porque Dora intuía que a él lo estuvo esperando siempre, de manera inconsciente.

Por aquella época, Dora se cortó el pelo a lo garzón, y de ese modo su silueta perdió aún más de su antiguo desequilibrio. Digamos que el exceso de espíritu empezó a pesarle en los brazos, en las piernas, en las mejillas. Dora quiso mudarse otra vez sola y lo hizo a un sitio que ella inmortalizaría con sus fotos: al 29 de la rue d'Astorg, junto a su madre.

Es probable que desde aquella mudanza decidiera perder la curiosidad por la banalidad de las superficies, nada que no fuera profundo la asombraba, y asumió una actitud desprejuiciada, sonsacadora, liberó consistencia y seriedad, aunque ganó notoriamente en misterio, porque no había secreto que se revelara por medio de ella. Sin embargo, los demás sospechaban que en ella acaudalaba la llama del deseo —esa llama doble a la que se refirió Octavio Paz—, la del deseo y la del amor, y que sólo una fuerza demoníaca podría prenderla, encenderla *à tout jamais*. El anhelo del conocimiento mutó en la búsqueda perenne del deseo y el amor. Entretanto, nació la artista.

Max Jacob veía en ella a una dama etrusca y se deshacía en piropos. Max, sí, era sin duda alguna un ángel, pero no pudo fugarse del campo nazi, las alas chamuscadas no le dieron para más. Murió allí, como todos, como su hermana más querida, de una bronconeumonía, al parecer mezclada con tifus, muerto de vida. Dora no se lo perdonaría jamás, aunque ella no era culpable de nada, algo pudieron haber hecho que no hicieron... Ése ha sido siempre su recuerdo más punzante, su martirio.

El 5 de abril del año 1942, Max Jacob describió medio en broma a Jean Cocteau el día que lo había visitado un miembro de la Gestapo, y la manera en que lo había interrogado en su cuarto. «Era un hombre de espaldas redondas (del tipo Edmond Jaloux), iba acompañado de un soldado:

»—*Police!*»

Jacob respondió fingiendo quedar encantado, subrayando la palabra: «*Enchanté!*» E invitándolo a que se aproximara al fuego de la chimenea, comentó el frío tan intenso que había hecho ese año.

«—¿Qué es lo que usted escribe?

»—Una pena que no tenga mis libros aquí..., aunque poseo un folleto con algunos versos. ¿Me permite que se lo ofrezca? ¿Desearía una dedicatoria? Dígame su nombre, ¡gracias!... ¿Qué le pondría?... ¿*"Simpáticamente"*? ¿Por qué no? Le escribiré: *"Souvenir".*»

Y el interrogatorio continuó con sequedad impetuosa por parte del otro.

En una carta del 18 de julio, Max Jacob escribió a otro amigo, Conrad Moricand:

El cuerpo de seguridad parisiense ordenó a Saint-Benoît-sur-Loire que se asegurasen personalmente de que yo llevaba la estrella amarilla. Dos arrestados gendarmes llegaron y pudieron constatar mi corrección.

Su martirio, el tormento de Dora, era ese descenso imparable de su amigo hacia el infierno. Sin duda, aquello constituía el más agudo de sus remordimientos.

—¿Por qué dejaste la fotografía, Dora? ¿Para ponerte a pintar? —le preguntó Bernard.

No constituía ésa una cuestión que, con facilidad, a ella le apeteciera abordar, prefería escabullirse, deslizarse por la tangente:

—Querido Bernard, yo empecé por la pintura. Mi padre era arquitecto, y de alguna manera quise perpe-

98

tuar esa profesión suya a través de mis ambiciones artísticas, no puedo explicarme por qué, quizá eran cosas caprichosas de muchachas, probablemente también lo fueron para mí. El caso es que me matriculé en la Escuela de Arte porque quería aprender a dibujar, asistí al célebre *atelier* de André Lhote, al que todo el mundo se apuntaba, sobre todo los argentinos, que en cuestiones artísticas son los que más al corriente están de lo último.

La mente de Dora echó a volar, imparable...

—Montparnasse reemplazó a Montmartre en el corazón de los pintores. Ir al *impasse* de Odessa, donde estaba el *atelier* de Lhote, me abrió un abanico enorme de posibilidades. Lhote, eso sí, no era un tipo fácil; poseía un defecto que aceptábamos porque en la balanza pesaba menos que su inmensa sabiduría: exigía tremendamente a sus discípulos, incluso una gravedad y una acritud inaguantables, y con él se aprendía o se moría uno de vergüenza. Su *atelier* era el mejor de todo París. Entonces me dediqué a la pintura, con él aprendí a mezclar colores, a dar paletadas sensatas, supe estructurar la composición de acuerdo con el espacio, me introduje en los vericuetos de la perspectiva, para más tarde romperla, hacerla añicos, estrujarla.

—Nunca he tenido claro si Lhote era o no un artista... —interrumpió James.

—Lhote nunca consiguió ser el gran artista que él mismo se creía que era, pero para mí fue un sabio. Era un hombre insólitamente imperturbable, tenaz y agudo. En sus cursos obtuve uno de mis mejores premios: la amistad con Henri Cartier-Bresson, a quien debo el gusto por la fotografía. Aunque ese capítulo, como sabes, vino después. He confesado siempre que debo todo el principio de mi carrera a Lhote, a su *Tratado del paisaje*, a su estudio y a sus modos de considerar el cubismo; sin embargo, su metodología no estaba hecha para personas como yo, demasiado dependientes de la pasión. —Escudriñó de reojo a James, gesto que Bernard no perdió de vista.

James volvía a escuchar impertérrito, o aparentando profunda calma, embebido en las palabras de la mujer, pese a que conocía la historia de memoria.

—Yo me ocupaba más de los ángulos, de la geometría, culpa de Cartier-Bresson. Culpa sí, pues me inculcó el defecto de contemplar desde varios puntos a la vez, defecto que agradezco que me haya enseñado, porque me contagió ese virus divino de volver la mirada hacia lo oculto del extremo doble y a descomponer los triángulos. La abstracción la aprendí a través de la apreciación fotogénica de la realidad. Aunque debo reconocer que Lhote también amaba la «perspectiva aérea», como él la llamaba, la fluidez del ritmo romboidal, el poder espeso de la línea; todos son conceptos que le pertenecen y seguirán usándose. Sin embargo, había una frase que resonaba en mí, la que potencializada en numerosos fragmentos, como esquirlas de un espejo roto, se proyectaba en los fluidos, ésa en la que él ponderaba el preciado valor de los intervalos. Tu cabeza, por ejemplo, es un intervalo.

—¿Y por qué no me pintas? —Bernard quedó arrobado ante el conocimiento de la mujer—. Aunque ya lo hiciste, pero me gustaría que pintaras los sucesivos cambios físicos que en mí se van sucediendo con el paso de los años.

—Te volveré a pintar, Bernard, tienes una cabeza

muy interesante y una nariz impecable. Todo lo que me gusta de un rostro está en el tuyo. Lo haré, nuevamente, sin duda.

James carraspeó, dudoso de las palabras elogiosas que Dora dedicaba a su amigo.

—No te pongas celoso, James, a ti te he pintado en múltiples ocasiones; pero, además, a ti te pintó Picasso. Ya no necesitas que nadie más te inmortalice. Yo te pinté en el banco, nuestro banco, debajo de la higuera, en Ménerbes, fue aquélla una tarde inolvidable e irrepetible...

La palabra «irrepetible» sonó como un cuño que de golpe sellaba definitivamente un documento *top secret.* Sonrojado, el hombre acudió a colocar un disco en el viejo fonógrafo. La voz de Fréhel invadió la estancia.

—En verdad, debería reconocer que fue Marcel Zahar, el crítico de arte, quien me aconsejó que me inscribiera en la Escuela de Fotografía de la Villa de París —prosiguió Dora—. Cartier-Bresson nunca ha querido opinar, ni siquiera habla de nuestra amistad, no sé por qué no se refiere a nosotros, tal vez por temor a que Picasso empiece a ignorarlo. Bueno, también yo venía desde muy lejos; se me debió de quedar muy impreso en el recuerdo el impacto normal y lógico de aquellos fotógrafos llamados «minuteros» que pululaban por las calles de Buenos Aires. Para mí, descubrir al hombre esconderse detrás de una caja de madera, sostenida por tres patas, con un trapo negro encima de la cabeza resumía todo el misterio de quedarme contemplativa delante del famoso y engañador «pajarito» en el que aquel desconocido pretendía que yo me fijara. ¿El pajarito se encontraba dentro de la caja, o en la cabeza tapada del *minutero,* o en algún sitio inaccesible donde yo no alcanzaba jamás a apresar su silueta evocada más que concretizada? Cartier-Bresson no sé si comprendió alguna vez de dónde venía yo, o desde dónde regresaba...

—¿Otros maestros?... —Indagó en su límpida mirada.

—No me dejas terminar, Bernard, iba a añadir que aunque yo tuve un gran maestro, nunca lo he ocultado, me refiero menos a él, es un secreto atesorado por mí: Emmanuel Sougez. Fue sin duda alguna quien me dio directamente clases de fotografía, quien me convenció de que mi arte era la fotografía. Me presentó a Pierre Kefer. ¿O fue Louis Chavance quien lo hizo? Ése, de mencionarlo sólo, me fatiga, siempre ha creído que yo soy su cosa, su invento. Malcriadeces de dramaturgos. Total, que conocí a Pierre Kefer, que era todo un curioso personaje. Con él monté mi primer estudio en su casa de Neuilly.

—Supongo que podía ayudarte...

—Claro. Pierre era rico, de buena familia, mundano, y vivía en un palacete adorable. Hizo todo lo posible porque nos asociáramos y lo consiguió. Me arrancó de cuajo todo mi mal genio y arrogancia de aquella época. Pero no sé, quizá el impulso, el *élan* vital, se lo deba a la revista *L'Art vivant*. En el número de octubre de 1934, Jacques Guenne describió con lujo de detalles mis inicios y lo hizo de una manera arrolladora, viví envuelta en sus elogiosas palabras como si ellas me protegieran como un manto cálido, afectivo y de consagración. Después, se me bajaron los humos e hice mucha fotografía de moda...

—¿Ves, Bernard? Con Dora nada es definitivo.

—Es cierto, James, lo único definitivo en mi vida ha sido Picasso.

La voz de Fréhel en el fonógrafo se escuchó entonces más fañosa que nunca.

James advertía ahora por qué Picasso decía que ella era como un hombre, no solamente porque sus reacciones toscas lo amedrentaban, sino porque no podía situar las intenciones de sus frases lapidarias. Frase que repetía sin descanso. «Para mí Dora es un hombre.» Cuando le pidieron que hiciera una escultura que inmortalizara a Guillaume Apollinaire, entregó una vieja figura de Dora que él había modelado en bronce. Dora para él era un hombre, tal vez por esa indefinición que siempre la había caracterizado, o por la franqueza inquebrantable, a toda prueba, con la que afrontaba cualquier situación; y por muy inestable que aparentara ser, inevitablemente se veía venir directa, similar a un puñetazo cuya diana era el pulmón, siempre con una frase que dejaba sin aliento, irritante. Su palabra quemaba, lanzada como una flecha ardiente, sin pensarlo demasiado.

—Estuve en muchos lugares y con lo mejor de la gente que encontré en ellos... Fui, además, asistente del polaco Harry Ossip Meerson.

Bernard quedó en una pieza:

—¿Nooo? ¿Del célebre fotógrafo norteamericano?

—Se naturalizó después, pero siempre fue polaco —especificó Dora.

—Ha retratado muchísimo a Marlene Dietrich —señaló Bernard.

—Fue ella quien lo condujo al éxito. Su rostro, como un paisaje; de ese modo lo describió Josef von Sternberg, el director de cine austríaco, devenido norteamericano, con películas como *El ángel azul* y *Marruecos*. El artífice de la transformación de Marlene.

James corrió las cortinas. Una nube sanguinolenta enrojeció los tonos de la habitación.

De repente, las pupilas de la mujer empezaron a brincar, intranquilas, dentro de las órbitas, como deseando saltar en el tiempo a espacios improbables de la memoria. A esos fragmentos de memoria perdidos entre los muros de los cubículos del hospital psiquiátrico, donde con las manos amoratadas se golpeaba la cabeza y roía, con sus dientes secos y las encías doloridas, el canto de las puertas.

Bernard y James. Yo. París, 2009

Las manos le temblaban a ratos —sobre todo la derecha— a causa de un incipiente mal de Parkinson, muy ligero, apenas perceptible. Levanté la vista y tropecé con sus pupilas agitadas, del color de la miel, o más bien doradas. Guardó silencio largo rato, y yo no me atrevía a rasgar el hilo de espacio invisible e imaginario que se había instalado entre nosotros. El párpado de Bernard también temblaba, insistente.

Bernard me había esperado demasiado tiempo. Desaparecí entre tanto para escribir una nueva novela, pero, aunque él sospechaba lo contrario, no había abandonado la idea de esclarecer, a través de la literatura, el motivo que obligó a Dora Maar a apartarse de todas sus amistades, a desear no verlas nunca más, tras aquel viaje a Venecia.

No sé si conseguiré siquiera aclarar nada, no estoy convencida de que la literatura sirva para esos menesteres; tal vez sólo logre enredar aún más los hechos y opacar u ensombrecer aún más las pistas.

Bernard se hallaba sentado frente a mí en el café de

Flore, entrecerraba los párpados a la manera de los gatos barcinos. No habría sabido qué responderle si me hubiera preguntado por qué desaparecí todo aquel tiempo. Habían transcurrido más de tres años sin que yo tan siquiera lo hubiera telefoneado.

Un insondable silencio se empantanó entre sus pupilas y las mías.

No preguntó absolutamente nada acerca de mi aislamiento. Había envejecido, un poco más, nada que fuera demasiado visible; sin embargo, el envejecimiento apenas se notaba en el temblor de sus dedos, pues su piel no había perdido lozanía. Por fin abrió los labios:

—¿Qué te atrajo de ella? O mejor, ¿cómo te enteraste de que ella existía? ¿Sucedió en París o en La Habana? —Extrajo una toallita húmeda de un sobrecito y limpió sus manos, dedo a dedo. Esperó a que le respondiera mientras estudiaba el borde de sus uñas, meticulosamente; era un afanado de la escrupulosidad.

La *grisaille*, esa monotonía pesada y enervante, invadía las aceras de París; de súbito, emergió un rayo del sol entre dos nubes. En ese mismo instante comencé mi historia:

—Fue en La Habana, a inicios de los años noventa, cuando conseguí un catálogo de fotografía que ansiaba desde hacía tiempo, y como no pude obtenerlo de una manera honesta, se lo cambié por varias libras de leche en polvo a un amigo que lo había robado de la biblioteca de un diplomático holandés. Esa ventaja de los totalitarismos: el cambalache. Yo ya había leído sobre Dora Maar, pero no conocía sus fotos.

Ahí estaba la sombra de una de mis amigas, Lena, desproporcionada, encima de la pared. El sol, matizado por las cortinas color marfil o hueso, inundaba la terraza de una luz anaranjada. Lena se veía espléndida, sus ojos azules, risueños, llenaban de alegría la estancia. Estaba desnuda.

Yo hojeaba el catálogo de fotos, me lo había enviado un amigo desde París. Y había abierto sus páginas justo donde Assia, la bella modelo de Dora Maar, posaba para aquella foto en la que su cuerpo se afofa en la pared, estremecedoramente hermoso, gigantesco, y su pezón se asemeja a la proa de un barco.

—Llegaremos tarde —me apuró Lena mientras se vestía—, Appel Pie no nos lo perdonará...

—¿Conocías las fotos de Dora Maar? —pregunté extasiada a Lena.

—No tengo la menor idea. —Lena se introdujo el refajo dentro de la falda.

—No me extraña que no sepas nada de ella, no es tu culpa. En este país vivimos en la ignorancia más vergonzosa.

—No me has dicho quién es. —Encendió un cigarro, absorbió el humo, volvió a colocarlo en el cenicero, limpió el sudor de su rostro con un gracioso pañuelo de hilo—. ¡Menuda la que está cayendo! No me parece muy buena idea lo de salir a caminar por ese malecón, con el *indio* como está hoy, *encend'ío*. Ni lo de tener que enroscarnos la bandera en el cuerpo. Y, para colmo, acompañados de vete tú a saber quiénes... ¡Una *part'ía* de locas es lo que somos! Allí lo menos que sabremos es quién es quién...

—¿Cómo que quién es quién? —Yo seguía entretenida en las imágenes del libro—. ¿Sabes? Ahora que te oigo llamarle «indio» al sol... El otro día una periodista italiana me regañó, me dijo que por qué tenía que comparar el sol con un indio, que si eso no es racismo. ¡Qué clase de comepinga la italiana esa!

Lena se encogió de hombros y volvió a coger el cigarrillo entre los dedos, absorbió hondo, señaló el catálogo:

—Por fin, ¿quién es la Dora esta que tanto te intriga?

—Una fotógrafa surrealista, también pintora. Amante de Picasso.

—¿De Picasso? ¡Buen cabrón! ¿Amante de Picasso, dices? —insistió como si fuera sorda.

—Sí, y de Georges Bataille. Picasso la pintó hasta la saciedad, y hasta la suciedad...

—No lo entiendo, me fascina la suciedad que sacia de lo otro, de la abulia. —Apagó el cabo del cigarrillo, se dirigió a la cocina, cogió una mandarina y empezó a pelarla. No creo que le importara demasiado el tema de Dora Maar y de Picasso, aunque fingía lo contrario.

—Menos mal que te quedaba una mandarina, porque estoy *part'ía* por el eje del hambre. Hablando de fotografías y de esa gente que tan interesante te parece, Picasso, Dora... ¿Llevarás la cámara?

Asentí. Terminamos de recoger nuestras pertenencias y salimos a la calle. El ambiente se había enrarecido, o eso nos pareció. Lena seguía chupeteando los hollejos de la mandarina y los escupía contra el asfalto.

—¿Estás nerviosa? —Sus ojos se posaron en los míos. Ojos de mar, ojos líquidos, pupilas aguadas de ensueño.

—No —respondí insegura—, no quiero pensar en lo que vamos a hacer.

Avanzamos un buen trecho en silencio por el borde del malecón, en dirección a la bahía habanera.

A la altura de la calle Salud nos topamos con Appel Pie, que iba acompañada del Zurdo Sotera, guagüero y jugador de béisbol en sus horas libres.

—¿*Quiay?*—fue el saludo del Zurdo, visiblemente intranquilo.

Apple Pie nos besó en las mejillas y nosotras a ella. Normalmente conversábamos con naturalidad para evitar sospechas, pero no nos atrevimos ni a susurrarnos unas frases. Al poco rato, se unieron otras personas, hasta que llegamos a ser unas treinta. Entre ellas reconocí a Yendi, la muchacha, más joven que nosotros, escurridiza, que había querido meterse en mi casa por medio de su novio pintor. Treinta personas... o más, o quizá menos...

«Bastante que han venido, en todo caso, y, como siempre, más negros que blancos», me dije. Con el miedo a la represión que hay en ese país, reunir a treinta opositores para una manifestación resultaba una verdadera hazaña.

Habíamos quedado en que el Zurdo Sotera dirigiría las operaciones, pero el pobre hombre, de pronto, se había fundido y se movía al ralentí, como lelo, atontado, sin saber qué hacer.

Apple Pie sacó un termo y empezó a repartir café en unos cucuruchitos de cartón. Era una joven de piel muy rosada, ojos del color de la miel, boca pequeña, de estatura bajita, y naturaleza bastante inquieta, nerviosa sin motivos, aunque en ese momento todos los teníamos. Se colocó bien el sujetador cuando acabó de repartir el café, tenía senos prominentes, y el sostén parecía dos tallas más pequeño. El sol empezaba a quemarle la delicadísima piel. Se quejó de que tenía sed y de que con tal de que no faltara el café, se había puesto a hacer una colada abundante de café antes de salir, y con el trajín, se había olvidado del agua.

—Todos estamos sedientos —señaló el Zurdo Sotera—, vaya olvido el tuyo, Apple Pie... Bien, todos atentos, a una orden mía desplegaremos las banderolas y marcharemos unidos en dirección a la embajada norteamericana. Dudo de que nos permitan llegar hasta allá, es muy probable que nos intercepten en el trayecto, pero lo intentaremos. ¿Preparados?

Se escucharon murmullos de aceptación. El mar ondulaba sereno, refulgente en su azul Caribe. No había ni una sola nube.

—¿Cree usted que la policía nos detendrá? —preguntó un anciano.

—Sí, purete. —«"Purete" significa "abuelo" en el argot habanero», le aclaré a Bernard—. Seguro que nos aprisionarán, y, se lo advierto, por si quiere marcharse, está a tiempo todavía de salir corriendo, es más que seguro que nos molerán a golpes. Tenemos que estar preparados para recibir una buena pateadura, para que nos detengan y nos conduzcan a Villamarista o a cualquier lugar de esos de detención y, de paso, preparados también para hacernos los locos y olvidarnos de los nombres de cada uno de nosotros.

—No se preocupe, que yo asumiré lo que haga falta —alardeó el viejo—. Aquí hay un nieto de mambí.

A una señal del Zurdo Sotera sacamos las banderas y avanzamos entrelazados por los codos. Agitamos los carteles en el aire, voceamos pidiendo libertad para los presos políticos. ¡Libertad, libertad, libertad!

En seguida aparecieron los primeros policías, y luego dos camiones repletos de «espontáneos»: militantes de las Brigadas de Respuestas Rápidas. Yendi se fue escurriendo, alejándose de nosotros, hasta pasar subrepticiamente al bando de los represores.

No habíamos marchado ni siquiera cincuenta metros.

—Alguien nos delató antes de llegar aquí, a la fuerza ha tenido que ser así, quizá alguno de los que están participando en la manifestación ahora mismo —susurró Lena.

—Ha sido esa tipa. —Appel Pie señaló a Yendi.

No nos detuvimos. Durante unos breves minutos, los policías y los «espontáneos» nos observamos como fieras al acecho.

Uno de los policías se nos acercó y cesó la marcha.

—No pueden hacer esto —ordenó.

Bastó con que pronunciara esa frase para que una bandada de «espontáneos» se tirara de los camiones con porras, manoplas y llaves inglesas, y corrieran en nuestra dirección. Nos echamos a correr, a toda velocidad, desperdigados como canicas de cristal.

Empezaron a lanzarnos piedras enormes y algunos proyectiles nos alcanzaron. Vi cómo golpeaban a la gente a mi alrededor, también recibí golpes, Yendi desapareció dentro de un jeep militar.

Conseguí zafarme de uno de los paramilitares que me agarró por la blusa, por la espalda; corrí, corrí, corrí, hasta que casi me desmayé. Pude internarme en el patio de un solar. Una cortina se abrió y una mano me tiró hacia dentro. La mujer me escondió debajo de la cama. Mis perseguidores entraron en el patio, pero no se atrevieron a revisar el edificio.

Apple Pie, Lena, y yo volvimos a encontrarnos dos horas más tarde en los bajos de mi casa. A la primera le habían salpicado la espalda a porrazos. A Lena le sangraban el labio y la nariz, y yo tenía el lomo ardiendo y un hombro desencajado, que Lena supo colocármelo de nuevo en su sitio, de un tirón. Vi las estrellas y los luceros del dolor.

El Zurdo Sotera se nos unió en el apartamento aproximadamente tres horas después de que nosotras llegáramos. Le faltaban mechones de pelo, le habían aflojado un diente, y en el labio se le había formado una inflamación en forma de verdugón negro, con una punta de sangre coagulada. Llevaba las ropas desgarradas, las rodillas con rasponazos que dibujaban aureolas sanguinolentas en el pantalón roto.

—Me agarraron a la altura de la calle San Lázaro; me han dado leña como han querido, como les ha dado la gana. Por suerte, llegó una guagua repleta de gente que se detuvo en la misma parada donde me estaban moliendo a garrotazos, unos cuantos se bajaron para defenderme, figúrense, era gente que me conoce de mi ruta; y así fue como pude escaparme. La patrulla nunca llegó, y en medio del alboroto y del descuido de uno de ellos, eché a correr y me metí en un edificio que me conozco de memoria, como la palma de mi mano. Subí a la azotea, y de allí fui saltando de azotea en azotea. A partir de ahora me podrán llamar el «gato salvaje», el «tigre de Malasia»... —Se echó a reír—. ¡No pudieron echarme el guante!

Escuchamos atentas, como en una especie de nebulosa, la descripción de su episodio. Me levanté a buscar lo poco que había en el botiquín: yodo, mercromina, ga-

sas, algodón (ya era algo). Por suerte, uno de mis vecinos, que trabajaba en un hospital, me surtía de lo que
podía robarse. Nos curamos entre nosotros, como pudimos.

Sentí miedo de que mis amigos salieran a la calle, les
pedí que se quedaran conmigo, que me hicieran compañía. Y así evitábamos que les sucediera cualquier desgracia.

Cayó la noche.

Herví unas papas, freí unos huevos. Eso cenamos.

Otra vecina me prestó unas cucharadas de su cuota
de café. Bebimos café caliente, azucarado, ¡el paraíso!

—No podemos volver a cometer el error de citar a
tanta gente desconocida —comentó Apple Pie.

El Zurdo Sotera brincó airado:

—¡Entonces no le llamemos «manifestación contra
la dictadura»! ¡Entonces será como una especie de pa-
seíto inofensivo! ¡No me jodas!

—Estoy de acuerdo con ella —apuntó Lena—. ¿No
ves que ni siquiera podíamos contar con la prensa extranjera para protegernos?

—¿Citaron a la prensa extranjera? —pregunté mientras encendía un canuto de marihuana—. No podemos
darnos el lujo de que se enteren pendejas como la
Yendi.

—Claro que citamos a los periodistas de las agencias
yankees, pero brillaron por su ausencia. Los correspon-
sales tienen terror a que los expulsen del territorio na-
cional. Esa Yendi es una chivata, ¿quién la invitó?... —El
Zurdo Sotera se pinchó el punto negro del labio con
una aguja candente, al rojo vivo, la sangre prieta salió
por el orificio. Le pasé el porro a Lena y auxilié a mi

amigo, con un jarrito de agua le lavé la herida—. ¿Quién repinga la invitó?

Nos miramos encogiéndonos de hombros, nadie lo sabía. Ninguno de nosotros habíamos sido.

—¡Qué país mierdero! —Suspiró Lena.

—¡Qué mundo mierdero, querrás decir! —No pude contener mi cólera.

—¿País? Isla de porquería; así es, pero esto es lo que trajo el barco... —Apple Pie lloraba de impotencia.

El Zurdo Sotera reparó en el libro de fotografías que descansaba encima de una pila de otros libros, en una esquina de la sala. Sentado en las losas del frío piso, se dedicó a hojearlo.

—Miren. —Señaló la foto de Assia tomada por Dora Maar—. Se parece a ti, Lena.

Lena chasqueó la lengua.

—Puede que me parezca a su sombra —bromeó.

—Sí, si seguimos comiendo pan de boniato nos pondremos obesas. —Apple Pie bostezó.

—El boniato no engorda, es mejor que la harina, sobre todo es bueno para fortalecer el cuero cabelludo —dije yo.

Nos acostamos, las mujeres en la cama. El Zurdo Sotera en un catre, bastante incómodo, por cierto. Alrededor de la medianoche se mudó a la cama, junto a nosotras. Estaba hirviendo.

Hicimos el amor y lloramos abrazados; éramos todavía jóvenes, estábamos llenos de deseos y presentíamos que nunca seríamos libres.

Bernard se llevó la copa de champán *Demoiselle* a los labios —aquel día no ofrecían Dom Pérignon en el menú del café—, sorbió el trago del gélido líquido degustándolo, saboreándolo:

—¿Te has acostado con chicas? Así que te has acostado con chicas. —Sus ojos brillaron malévolos.

Opté por callar, no tenía por qué responderle.

—Tu silencio resulta prometedor. —Sonrió malicioso, aunque al punto cambió de tema de conversación—: Sigo con mi relato, si es que todavía te interesa. La segunda tarde nos hallábamos sentados en las escalinatas de un palacete, cansados de patear Venecia. Por la mañana, habíamos visitado la iglesia de Santa María y de allí nos fuimos a pie a la residencia de Peggy Guggenheim, ella abría su casa como museo, al público. James quería que Peggy y Dora se conocieran, pero aquel encuentro no cuajó, no se cayeron bien.

Dora quedó extremadamente maravillada ante la escultura de Henri Moore que todavía se halla en la entrada. No pudimos retratarnos esa vez, habíamos olvidado la cámara, pero fue una lástima perder esa imagen de Dora, estudiando la escultura, mientras con su mano acariciaba el bronce como si deseara alisarlo todavía más.

Entonces, esa misma tarde, sentados al pie de aquella escalinata, conseguimos que se desatara a hablar de su trabajo como fotógrafa. Nunca antes lo había hecho con tanta soltura. James y yo estábamos asombrados, realmente estupefactos; éramos sólo oídos. No recuerdo qué fue lo que hizo que ella se pusiera a hablar de tal modo de sus aventuras con Assia. Aventuras fotográficas, fascinación lésbica; como también pudo haber ocurrido con la pintora surrealista Leonor Fini, a quien ella retrató medio desnuda, con su gato entre las piernas; fascinación que ocurrió en efecto con Nush. Dora había sido una chiquilla libre, audaz. Nuestra Dora, sin saberlo, fue una precursora, impulsora de tantas y tantas aventuras artísticas y sexuales. Yo fui muy amigo de Leonor Fini, quien organizaba unas fiestas surrealistas en Córcega muy divertidas, tan exquisitas y teatrales...

—¿Sabe si Dora conoció a Remedios Varo, la surrealista española?

—Seguramente, pero nunca me habló de ella. Es que antes del viaje a Venecia no estuve ligado muy profundamente a Dora, ni siquiera amistosamente, aun cuando conocía bastante sobre ella y me apetecía verla de vez en cuando. Tampoco tuve demasiado que ver con Remedios Varo. Con Dora, sólo durante aquellos cinco días en Venecia, donde cada minuto nos parecieron siglos, y los tres del viaje de regreso en automóvil. De ninguna manera porque nos sintiéramos aburridos con su presencia. Todo lo contrario. Cada minuto con ella significó para mí una extensa vivencia en el tiempo. No sé si ella lo apreció de igual modo; en el mío, en mi tiempo, significó mucho, desde luego que sí. Puedo recordarla tan nítidamente que su imagen se impone en este mismo instante encima de la tuya de manera excesivamente real.

Descansó la cabeza entre las manos, sus pupilas fijadas en un punto recóndito del pasado.

—Regresamos de Venecia en automóvil, llovía mucho. Ella y James discutían todo el tiempo. Yo conducía, y cuando el coche se averiaba era yo quien lo reparaba. Ella se bajaba y me acompañaba con un paraguas inmenso. Nos empapamos en aquel viaje, llovía tanto. Y así empecé a amarla. Y creo que ella también me amó a mí. Empezamos a amarnos justo al final. Al principio de conocerla, Dora daba la impresión de ser una mujer egoísta. Yo sólo la había visto unas veces, pero estaba al tanto de las peculiaridades de su relación con James, al que siempre aconsejé que tuviera cuidado, porque con su actitud ambigua podía provocar que ella hiciera el ridículo aferrándose a una falsa ilusión. Dora era ambivalente, podía ser muy mezquina, orgullosa, de mal carácter, dominante. Le fascinaba la intriga... Y así y todo, era el ser más seductor que conocí, conmigo fue encantadora. Una mujer excepcional que no tenía la menor idea de que lo era, y por eso se desgastaba luchando para llegar a serlo. Más que eso, fue una artista con un alma de una exclusiva generosidad.

PARTE II

TODO LO QUE QUISE LLORAR, LO HE ESCRITO

Dora y yo. Venecia, 1958 - París, 2009

Dora no se apartaba de mis sueños. Sus manos se estrujaban entre ellas y entre las mías en la nebulosidad de mis noches. Manos de finos dedos que ella se acariciaba constantemente, una mano acariciaba la otra, con suavidad; también las observaba, detenida en cada una de las arterias que se transparentaban por la delicada piel, ascendía meticulosamente por las minúsculas venas hacia los recuerdos más fortuitos.

Georges Bataille la describió como una mujer incapaz de amar. Xénie-Dora, en respuesta, le escribió una carta airada, en la que le insultaba, le reprochaba no haber entendido nada de aquellos años en los que la melancolía hizo de ella una artista sin par, incomparable, que amaba a los demás experimentalmente a través del arte y del prisma de su tristeza. Bataille no entendió el juego-amor-artístico de la joven.

En verdad, Bataille se sintió abandonado, su despechada calificación no era más que el resultado de su despecho, un reproche del depredador-seductor al que se le escapaba su presa de mayor envergadura, a quien creía haber transformado en una experta del sadismo y el masoquismo, y en una sumisa de la pasión lésbica. Pero Dora no se dejó dominar.

Años más tarde, justo en el momento en que la mujer empezó a sentirse despreciada por Picasso, Bataille le escribió nuevamente, en esa ocasión para valorarla en su justa medida, y fue él, entonces, quien se sintió cual sombra húmeda, evaporada, concisa. La tristeza le iba como un guante, enfermo y frágil, confiaba en que la amistad de su antigua musa le sirviera de alivio. Y así fue. Ella acudió en seguida junto a él: el escritor que creía que el erotismo era un juego telúrico e infantil y, sin embargo, fue incapaz de descifrar el lúdico mensaje que con su cuerpo y con su arte su amiga le había entregado en el pasado.

No obstante, en verdad, y para ser fiel a la historia real, Dora no lo dejó de la manera en que Bataille le reprochaba a sus espaldas y con amigos comunes. Contrariamente a lo que contaba a diestra y siniestra, fue él quien prefirió a la escritora Colette. De modo que la fotógrafa huyó, más apesadumbrada que atormentada, fingiendo que era ella quien huía con tal de no quedar mal parada. El daño no le produjo graves secuelas, al menos, no visibles. Dora era joven, se repuso rápidamente, sobre todo porque él no era el dios al que ella pretendía o ambicionaba venerar.

El azul del cielo, la novela en la que Georges Bataille configuraba a una Xénie inspirada en Dora, que compartía protagonismo con Simone Weil y con Colette, con quien finalmente la traicionó, se editó en 1957. Un año más tarde, la mujer surrealista decidió retirarse del mundo en un acto absolutamente imperturbable, en apariencia sereno.

Tanto James como Bernard ignoraban si Dora leyó la novela de Bataille, porque entre los montones de libros hallados en su biblioteca después de su muerte no apareció jamás un ejemplar de la edición definitiva que probara que ella lo hubiera leído. Tal vez lo hizo a escondidas. Escondida inclusive de sí misma, en un estado de absoluto arrebato y anonadamiento emocional. O prefirió ignorarse, ignorar a la Dora que había sido para Bataille y que aparecía en la literatura, definida como una jovencita soberbia, con el espíritu aderezado con una insólita perversidad.

Sus manos, vuelta a mirárselas detenidamente. Las manos le sangraban mientras ella, arrodillada, esperaba anhelante el castigo, la tortura física, los pellizcos, los puñetazos.

Las mujeres inteligentes, al contrario de lo que pudiera pensarse de ellas, aprecian la crueldad.

Bataille supo sobrepasarse con ganas, aunque para Dora, seguramente, lo más duro fue verse reflejada en un personaje descrito, en cierta forma, como ambiguo, bastante banal y hasta superficial, por alguien a quien ella respetaba como a un inmenso y puntilloso observador, como a una lumbrera literaria.

«Yo fui coronada reina», suspiró Dora.

Cierto, entre 1935 y 1936, debió de ser una reina surrealista, sus fotografías no tenían nada que envidiar a las de los maestros consagrados.

Gracias a Pierre Kefer pudo mudarse al estudio del número 29 de la rue d'Astorg, al 29 bis, que, según cuenta Alicia Dujovne Ortiz en su libro, alquilaba Kahnweiler, el marchante de Picasso. Le atraía el barrio por su elegancia, además del hecho de que el mismísimo Picasso vivía en un distinguido apartamento no muy lejos de allí y tenía su *atelier* también a poca distancia, en el número 23 de la calle de la Boétie.

29, rue d'Astorg no sólo se convirtió en el apartamento de Dora Maar. Además, ella hizo del lugar una de las más célebres e impecables fotos surrealistas, pues en él revolcó todo su dolor de hija estrangulada, ahogada por la presencia sobrecogedora y aplastante de la madre.

La foto, titulada *29, rue d'Astorg*, provoca inquietud con sólo mirarla, las arcadas como observadas a través de un espejo cóncavo, al final, una puertecilla iluminada. Y en un primer plano, el cuerpo grotesco de una adolescente, cuya cabeza deforme evoca la de una jicotea, con el vestido desaliñado, brazos, piernas, pies elefantiásicos, regordetes hasta el ridículo. La muchacha se recoge la ropa, sentada en el banco, los pies enfundados en unos zapatos escolares puntiagudos cuelgan encogidos. El banco parece zozobrar en un desequilibrio propiciado por la propia sombra de la atrofiada chiquilla que se despega desde el suelo, empujando el mueble hacia una propuesta vibrátil de levitación. El largo cuello de la joven se asemeja a un dedo, pero también a un brazo, o a un pene; resulta innegable su forma fálica. Es una imagen intrigante, no sólo por su contenido surrealista, sino por la perspectiva íntima que posee, sobrecargando una cantidad pesada que proviene de la multitud de ensueños y tormentos que rodeaban y penetraban, hirientes, a la artista. Con esta foto, Dora produjo una obra inspirada por el deseo adolescente, la iniciación en la aventura erótica, el estreno en la brutalidad impía; asistimos a un trío mal mezclado, de dudoso mejunje, que en ella culmina en abominable pesadilla.

Acodada en el puente de los Suspiros, observa ahora sus manos en primer plano, debajo de ellas, a distancia, rielan góndolas que transportan turistas por las grises aguas venecianas. Sus manos son las de una mujer de mediana edad, las manos de una mujer que no posee cuerpo de hombre al que acariciar. Sus manos fueron las primeras manos artísticas en amar y venerar a Picasso, las primeras en deslizarse con una fuerza misteriosa hacia él, en encontrarlo, tal como él encontraba el arte: «Yo no busco, yo encuentro.» Todavía conservaba la cicatriz de aquella herida, la que se había hecho ella misma enterrándose el cuchillo entre los dedos, encajándolo en la madera de la mesa.

Pero ella no llegó sola hasta Picasso. De manera intuitiva, fue descifrando las señales que el azar y las personas le pusieron en el camino hacia él. Primero fue la voz de una mujer la que la condujo, con su misterio, a Picasso. La voz de Musidora.

Como ocurrió con André Breton, quien afirmaba que había reinventado el ideal femenino a través de la extravagante cantante, Dora también fue hechizada por ella. Musidora fue descrita como «un hada moderna, adorablemente dotada para el mal», casi pueril, con una seductora voz infantil. Breton la transformó en figura divina y adivinatoria, en mártir de todos los deseos, en eterna niña pervertida.

Eso vio Dora en Musidora: la audacia potente e infinita. Aunque descubrió algo más, el mensaje que contenía para ella, puesto que ella fotografiaba con el ojo limpio de vicios recurrentes y enfocaba, además, a su objeto con el inconsciente (todo aparecerá más tarde en la biografía escrita por Alicia Dujovne Ortiz). Y el inconsciente fue quien la condujo de Musidora a Picasso. Aunque antes, su más fiel amigo, o al menos ella así lo fue con él, Paul Éluard, entró como una luz contorneada por esquirlas de penumbra, su rostro devoto de la libertad, la ancha y abombada frente en proa hacia la búsqueda. Esa foto inspirará a Picasso, sin duda, en los retratos posteriores que realizó del poeta. Éluard le alumbró el camino hacia Picasso, Musidora se lo trazó paso a paso.

La historia ambigua...

El poeta Éluard protagonizó un momento terrible, sólo comparable al de Picasso con Max Jacob. Cuando le pidieron que hiciera algo para liberar a Jacob del campo de tránsito para deportados hacia Auschwitz, Picasso respondió con una frase demasiado ligera y evasiva para ser poética, en momentos, además, en los que la poesía hundía más que salvaba. Jean Cocteau pudo haber liberado a Jacob, pero la carta que conseguiría su redención llegó demasiado tarde.

Éluard, por su parte, salvó a muchos con su poema *Libertad*, todavía cientos de miles de presos políticos en el mundo se inspiran en ese poema. Ése es el Éluard poeta. El Éluard comunista, en cambio, denunció a un compañero y lo envió al paredón. Fue expulsado del movimiento surrealista, pero regresó, lo mismo que le ocurrió con el partido comunista; medio expulsado, medio arrepentido, pero siempre de vuelta por el mismo sendero por el que desaparecía, el de la constricción. Era una época en que los hombres no sabían, o lo sabían apenas, que el comunismo era culpable.

Pese a esos horrores y remordimientos que se conocían y que el poeta había provocado con su actitud veleidosa, Dora lo quería, como a un hermano mayor que gran parte de las veces la aconsejaba con cariño, como al gran poeta surrealista que admiró porque lo entendía mejor que nadie.

El pintor De Chirico, sin embargo, consideraba que Éluard era un cretino místico, y lo mismo pensaba de Picasso. Pero esa supuesta bobería que reflejaba el rostro de Éluard era lo que había seducido de manera tierna y etérea a la fotógrafa.

Para colmo, Gala *la Drogada*, como llamaban a la rusa en la época en la que era mujer de Éluard, lo dejó por el bigotudo Salvador Dalí, instintivamente para la eternidad, pues no podría escapar a ese abandono, que quedaría marcado en los anales de la historia del surrealismo. Constituyó un abandono, digamos, de antología, del que el poeta tardó en reponerse y al que convirtió en un infinito quejido demorado, inacabable, que sus amigos escuchaban compadecidos, sobre todo Dora. Éluard se sintió despreciado, excluido de la vida de la única mujer que se comportaba como una musa y se revelaba a la vez como una creación. Gala se largó, aun pudiendo haber continuado con él, coleccionando amantes, todos autorizados y justificados por el poeta. Pero tal vez Gala necesitaba pertenecer a un solo hombre, y no a cualquiera, sino a un genio loco, ardiente, fértil y divertido. Todo lo que ella percibía del amor del poeta, para Éluard comenzaba a ser insufrible, esa pasión al estilo Gala, tan exageradamente dramática. Tanto fue así, que cuando ella lo compartió con Max Ernst, Éluard no cesaba de repetir —a modo de justificación, fingiendo que todo aquello le importaba un comino— que prefería antes al amante que a su propia mujer. Ése era Éluard. Y eso era lo que de Éluard amaba Dora, su fragilidad consentida, la evasiva actitud con la que asumía el desprecio de la mujer amada, la amplitud de puntos de vista que derrochaba cuando debatía sobre la sexualidad de las personas, y tantas otras versiones de su compleja personalidad, la virtud de poner todos esos puntos ciegos en escena, con sus sexos a flor de piel, como si las partes genitales hablaran entre ellas, poseyeran cerebros, mentes que disertaran sobre disímiles asuntos de actualidad, semejante a una película de Alain Robbe-Grillet, escritor y cineasta, uno de los principales exponentes del *nouveau roman*.

Musidora la condujo a Breton, Breton a Éluard, por otra vía —ya que no podía obviar la presencia de Georges Bataille en su existencia, ni en la de ambos—, Éluard a Nush, su mejor amiga, su doble. Ellos, a cierto Pablo Picasso.

Nush fue la gran amiga de Dora, su confidente. María Benz era su verdadero nombre. Hija de un saltimbanqui, ella también actuaba asumiendo roles muy secundarios en el Grand-Guignol. Allí la descubrió Éluard. Se asemejaba a una niña enferma, tuberculosa, tan frágil que cualquiera hubiera pensado que iba a deshilacharse como una descosida muñeca de trapo, pálida y de huesos pronunciados. Sin embargo, su blancura nacarada, la cabellera rubia, esos mismos huesos salidos de todos los ángulos se dejaban fotografiar de tal manera que daba la sensación de que se trataba de una monumental belleza nórdica interpretando el rol de su vida: el de morir en cada retrato.

El «pastelero» o *«partouzard»*, como llamaba despectivamente Breton a Éluard por sus continuas y mezcladas relaciones, se casó una semana antes que Breton, el 14 de agosto de 1934, con aquella jovencita que daba la impresión de sostenerse de una cuerda floja con el canto de su nuca, y esa nuca de cisne no podía tentar más a la depravación. Dora recuerda minuciosamente el traje de boda de Nush, el guiño picaresco que ésta le hizo, la complicidad que se produjo en aquel instante entre ambas. En el mundo aún existían las muchachas alegres, pendientes del matrimonio, de la unión nupcial entre el hombre y la mujer, y con la idea de la perdurabilidad del deseo y el amor.

A partir de ahí, de aquel primer encuentro festivo, de su honda relación, Dora empezó a retratar a Nush, sin descanso, obedecía a una misteriosa necesidad de atraparla eternizándola para ella sola, con cierto celo, casi con egoísmo enfermizo.

El «pastelero», sin embargo, no pudo evitar, años más tarde, volver a las andadas, con ellas, con otras, con las que se atravesaran en su camino.

Juegos griegos

Dora permanecía quieta, encima de una silla desvencijada, desde arriba fotografiaba en picado el taller de Picasso, algo que se había convertido en una especie de tic maniático. Éluard y Nush pasaron por allí, «furtivamente», dijeron. Nush, bellísima, se mostró seductora delante de la lente. Dora volvió a hundir el dedo en el obturador de la cámara y quiso apresarla así, envuelta en un halo blanquecino.

Éluard hizo un gesto cómplice que Nush interpretó sin demora. Fue desvistiéndose y, una vez desnuda, se colocó frente al pintor. Picasso, que no había parado de pintar, cuando vio a la joven brindándosele no se hizo esperar, se quitó la poca ropa que llevaba y embistió contra Nush, a punto de romperse, y la lanzó en el camastro.

Dora jamás comprendió por qué Éluard obligó a Nush a acostarse con Picasso delante de ella. Pero esas cosas, supuso en aquel momento, las mujeres surrealistas debían aceptarlas, en nombre de la amistad, de la poesía de su amigo, del mismo movimiento surrealista, tan libre como ella misma había sido en la época de Bataille. En cualquier caso, no olvidó jamás la mirada melancólica de Nush, sus compulsiones, sus gemidos de animal herido, más que en celo, despavorida. Dora sintió una enorme vergüenza por Picasso, que bufaba como un toro, sudoroso, encima del cuerpo de su mejor amiga. Pero esa sensación se borró de inmediato cuando el rostro de Nush se transformó y mostró una especie de desvanecimiento mortal, y al final se dio cuenta de que sonreía de placer, con los ojos en blanco.

Éluard se alisaba los cabellos, y la frente abombada se le notaba a punto de estallar, de ira, de goce, de todo lo que él necesitaba para conseguir escribir un poema a la altura de Paul Éluard.

Dora siempre quiso parecerse a Nush, tanto lo deseó que terminó por enamorarse de ella. De su teatralidad en el amor y su aspaventosa entrega sexual.

Robusta como era, la fotógrafa envidiaba celosamente, en silencio, las formas aniñadas de la actriz, su cuerpo enclenque, por primera vez alimentado por el poeta y su poesía, las manos finas, las uñas que ella fotografió hundidas en la carne de las mejillas febriles de la mujer. El rostro enigmático, velado por una bien dibujada telaraña.

Sus mejores modelos fueron Nush y Picasso, cuando los retrataba sentía que se entregaba perpetuamente a ellos, con el mismo estado de sublimación que se daba durante el orgasmo.

Dora, mientras observa ese magnífico decorado para el alma que es Venecia, se confiesa que amó profundamente a Nush, que aquel día quien mejor le hubiera hecho el amor a su amiga hubiera sido ella, en lugar de Picasso, aunque Éluard jamás lo hubiera comprendido, o tal vez sí, pero no se le pasó por la cabeza proponerle que le hiciera el amor a su mujer. Además de que todos ellos, todos o la mayoría de aquellos hombres surrealistas, buscaban que Picasso se interesara en sus mujeres. Era Picasso, y el morbo lúdico cobraba mayor importancia, los invadía un frenesí indescriptible, el objeto devenía aún más deseable y apetecible.

Ella besó a Nush en los labios, una vez terminada aquella foto en la que los ojos resplandecen húmedos, cual dos gotas de añil licuado. La otra no la apartó, no dijo nada. Sólo cambió de posición suave y demorada. Entonces, Dora empezó a soñar que hacía el amor con la sombra de Nush, con una doble, envuelta en una áurea fluorescente. O con una araña, con la cabeza de Nush.

En otro momento, mientras fotografiaba a la vizcondesa de Noailles, la adinerada mecenas de los surrealistas, Dora se dio cuenta de que podía amar a las mujeres con mayor soltura que a los hombres. Pero al momento rectificó, a ella no le interesaban los hombres, a ella sólo le interesaba *un hombre*, ella había amado a Picasso y hubiera podido amar a muchas mujeres. La primera, Nush. La segunda, seguramente, Leonor Fini, su amiga pintora. La tercera habría podido ser Marie-Laure de Noailles.

Marie-Laure poseía un atractivo de más, parecía no tener huesos, sus carnes envolvían el aire, la brisa, y su cuerpo contenía una suavidad inasible, imposible de describir y aún más difícil de captar en una foto. Era puro aire. El cuerpo de Marie-Laure era un amasijo de piel surrealista, sostenido por el deseo de vestir la nada, de velar el vacío y disfrazar el abismo.

Estaba casada con el vizconde de Noailles, un amante ideal, pues lo comprendía y lo aceptaba todo, tolerante a más no poder. No le quedaba más remedio, de pura sangre le venía, ya que descendía directamente del marqués de Sade. Su bisabuela materna, la condesa de Chevigné, inspiró a Marcel Proust en la creación del personaje de la duquesa de Guermantes. Había tenido la suerte de tener un padre de renombrada alcurnia, banquero judío, Bischoffsheim, apellido complejo, pero que abría puertas sin cerrarlas nunca, emparentado con el barón de Hirsch, fundador de las colonias judías en Argentina.

Toda esta historia fascinaba a Dora y, como tantos otros artistas, aspiraba a entrar en la lista de la corte de elegidos que se habían convertido en el entorno habitual de la vizcondesa. Y mientras que Picasso, Balthus, Dalí, Giacometti y Óscar Domínguez (el pintor y vulgar amante de la mecenas) pintaron a la aristocrática dama de huesos de humo, ella la fotografió.

La rica mujer que produjo buena parte de la filmografía de Luis Buñuel se mantuvo junto a Dora, fiel hasta el final de su vida.

Y eso ya lo intuía ella, desde hacía mucho, mientras contemplaba el rielar de las góndolas. Ella sabía que Marie-Laure no dejaría de estar a su lado, jamás, porque la mayor riqueza de Marie-Laure era su inmensa generosidad y su puntual fidelidad, aunque ésta sería posteriormente discutible, pues si James Lord lo hubiera permitido, se lo habría llevado a la cama durante la semana en la que Lord pernoctó en su fabulosa mansión veraniega.

Dora avanzaba silenciosa ahora, bordeando el Gran Canal. Empezó a recordar cómo había abandonado ella tantas veces... Del mismo modo que Picasso la abandonó a ella, ella lo hizo con Yves Tanguy, pintor y escultor, otro de sus amantes. «Tal vez todo sea un castigo —se machacó por lo bajo en una letanía—, tal vez se trate del peor de los castigos.» Ningún acto quedará impune.»

Antes de Picasso, era ella la que dejaba a los hombres. Al igual que Bataille, Tanguy empezó a ahogarla, y ella no pudo soportar su sofocante presencia, ni siquiera conseguía mirarlo directamente a los ojos, esquivaba su mirada por pudor a que descubriera que ya no lo amaba. Tanguy sufrió, pero los hombres se recomponen del abandono antes que las mujeres. La mujer muere en cada abandono. De cada abandono el hombre renace. Y su relación con Tanguy no duró como duraron los diez años que vivió con Picasso. *«Petit Yves qui vous aime»* fue la dulce dedicatoria que escribió para ella en un libro: «El pequeño Yves, que la ama.»

Y, después, llegó Picasso. Todo amor, todo traición.

Los diez mejores años de su vida se los había entregado a Pablo Picasso, y era como si los hubiera lanzado al mar, como si se hubieran hundido en lo más profundo. Después de él, ya no supo vivir. El resto sólo podía compararse con una forma de supervivencia que, paradójicamente, debía agradecer al impulso vital que le habían dejado en herencia aquellos diez años.

Regresó al hotel. James la esperaba en la entrada, vestido con una camisa blanca de hilo y un pantalón beige de un tejido ligero. Se veía sumamente guapo, muy hermoso, y entonces ella quiso creer que podía comenzar a amar de nuevo.

Étourdissement. Dora, Éluard, Picasso. Y yo. París, 2010

«Aturdida» no es una palabra que en español podamos usar como en francés: _étourdissement,_ en forma de adverbio y conservando su contenido trágico sin parecer cargante. Y, sin embargo, no podría traducir el estado que me embargaba con ninguna otra... Llevaba noches sin dormir. Tantos años leyendo el poema _Liberté_ de Paul Éluard públicamente, porque tenía entendido que había sido expulsado del Partido Comunista francés y que jamás había regresado; tantos años sumida en el error, en la mentira, que repetida casi deviene verdad, como ocurre bajo los totalitarismos.

Me sacó del error, no sin horror para mí, la escritora y ensayista Jeannine Verdès-Leroux. Y aunque continuaré amando ese poema de Éluard y lo citaré siempre, porque es un gran poema, muy a pesar del autor, y seguirá siendo un símbolo literario de la libertad, ya no será lo mismo, ya no lo haré del mismo modo. Cuando se lo comenté a Jeannine me respondió de manera fatalmente decidida:

—¡De todos modos, a él le importaba un comino su poema! —Respuesta angustiosa, aunque magistral.

Igual me sucede con Pablo Picasso, de quien se ha sabido por diferentes vías que no se portó bien, al menos no todo lo bien que nos habían contado, durante la Guerra de Broma, tampoco con sus mujeres. Pero su obra, buena parte de ella, me seguirá seduciendo. Muy a pesar del autor. Ahora, eso sí, ya no la veré igual, del mismo modo que antes he dicho que ya no leeré de igual forma el poema de Éluard.

Paul Éluard llegó al surrealismo antes quizá que el mismo surrealismo, y que el dadaísmo, porque fue surrealista anteriormente a la Gran Guerra, y estuvo cercano a André Breton, primero como amigo, después como poeta. Ambos militaron durante un breve período en el Partido Comunista en 1925, después se largaron de dicha formación política, hastiados y temerosos de lo que ya empezaba a conocerse: el horror. Éluard fue, más bien, expulsado, aunque regresó. André Breton no volvió a poner los pies en él, atraído por el pensamiento de León Trotski.

En el año 1935, Breton y Éluard viajaron a Praga, allí tuvieron la dicha de encontrarse con varios escritores, poetas, críticos de prestigio y conocerlos. Se hicieron amigos del historiador e investigador literario Zavis Kalandra, nacido en 1902, y al que todos adoraban. Aquella experiencia fue sensacional para ambos. Y regresaron entusiasmados con el hecho de haber podido tomarle la temperatura a verdaderos movimientos poéticos y políticos que se estaban gestando incluso dentro de una naciente disidencia.

En 1942, Éluard volvió a entrar en el Partido Comunista francés y allí se quedó hasta su muerte, lo que le obligó a escribir poemas terriblemente monstruosos, incluso sumamente estalinistas, por ejemplo, en 1950 el *Homenaje a Stalin*. Aquella experiencia en Praga, sin embargo, no la había olvidado del todo y le corroía por dentro no asumirla como lo que realmente fue: un despertar a la verdad.

Yo también escribí poemas con tintes comunistas, aunque no tan monstruosos; tenía diecisiete años y una gran confusión en mi cabeza. No me arrepiento, pero me avergüenzo de mi estúpida inocencia, de lo ingenua que fui al creer todo lo que me contaron.

En 1950, Zavis Kalandra —aquel amigo que encontraron en Praga— fue arrestado, acusado de espionaje y complot, y fue salvajemente torturado. Lo obligaron a leer un mea culpa delante de un tribunal, debió acceder a todo lo que el régimen le ordenaba, pues, como sabemos, en todos los procesos en la URSS y en las «democracias» populares se obligaba a testimoniar de lo que los comunistas exigían. Kalandra, destruido, no volvió a ser el mismo.

André Breton hizo un gran llamamiento con el objetivo de exigir su liberación, todos los escritores importantes, de Paul Claudel a Marcel Camus, de François Mauriac a Jean-Paul Sartre, firmaron la petición. No así Éluard.

André Breton publicó en *Combat*, el 14 de junio de 1950, una carta abierta a Paul Éluard: «¿Cómo, en tu fuero interno, puedes soportar tamaña degradación del hombre en la persona que demostró ser tu amigo?» Éluard le respondió: «Tengo demasiado quehacer con los inocentes que claman su inocencia para ocuparme de los culpables que claman su culpabilidad.» La cita se puede encontrar en *Action*, del 19-25 de junio de 1950. Zavis Kalandra fue ejecutado. Tenía cuarenta y ocho años.

Max Jacob, amigo de Picasso, cayó prisionero de los alemanes y fue internado en el campo de tránsito para deportados de Drancy. Allí murió el 5 de marzo de 1944, de una bronconeumonía dijeron algunos, otros que de tifus, o de ambas cosas. Antes había tenido que pasar por la tortura de que su hermana menor, Myrté-Léa, fuera conducida a ese mismo campo y, más tarde, deportada.

El poeta escribió a sus amigos para intentar que se hiciera algo por su hermana más querida. Sacha Guitry contestó que, en caso de que ocurriera lo peor, podría ayudarlo a él, pero no a su familia. Un tiempo después, el 24 de febrero de 1944, fue detenido. Pudo haberse escapado por la puerta trasera de la casa, pero se negó, esperó sentado en la cama... Desde el tren, desde su celda oscura, escribió a Jean Cocteau y a Picasso clamando ayuda... Cocteau se movilizó rápidamente, pero pese a su carta y a la petición, que por otra parte jamás se confirmó que los amigos del poeta firmaran, no llegó a tiempo la carta con el permiso de liberación que había obtenido a través del embajador alemán Otto Abetz.

Ya lo he contado antes: cuando a Picasso le pidieron ayuda para liberar a Jacob, dadas sus relaciones y las relaciones de sus amigos, el pintor respondió con una penosa evasiva. La escena sucedió en Le Catalan: «No vale la pena hacer nada. Max Jacob es un ángel, él podrá salir de allí volando.» Una frase muy picassiana. Hasta se puede uno imaginar al poeta, alado, cual paloma de la paz, volando en medio de un cielo pintado por el malagueño. Otros fueron testigos de que, en lugar de «ángel», pronunció la palabra *lutin*, «duende».

Max Jacob murió en Drancy, la antesala del exterminio, el limbo hacia Auschwitz, muy enfermo y quizá todavía esperanzado. Mi mente repite este acontecimiento a cámara lenta, y no consigue borrar la carta que le escribió a Cocteau:

Querido Jean:

Te escribo desde un vagón gracias a la complacencia de los gendarmes que nos rodean.
Pronto estaremos en Drancy. Es todo lo que puedo decir.
Sacha [Guitry], cuando le hablaron de mi hermana, dijo: «¡Si fuera él, podría hacer algo!»
Eh, bien, c'est moi.
Un abrazo,

MAX

También escribió desde el tren a André Salmon, para rogarle que advirtiera a Picasso, uno de sus más viejos amigos, que hiciera todo lo posible... Y un último mensaje antes de entrar en la gélida celda de los que iban a ser deportados: «Que Salmon, Picasso, Moricand, hagan algo por mí.»

Mientras perecía, el gran poeta Max Jacob vio árboles pasar por encima de su cabeza, gritó, clamó, y al rato se fue apagando. El dolor en el pulmón le hizo gritar con espasmos que alguien le estaba clavando un puñal en el pecho; finalmente, se calmó: «Yo estoy con Dios..., y usted tiene un rostro de ángel.» Fueron sus palabras finales.

Amé y admiré a Picasso, ahora sólo puedo detenerme fríamente ante su obra, con admiración artística desde luego, pero sin más. La ternura me abandonó. Sin embargo, no puedo concebir el arte sin amor. Pero ese amor profundo me ha abandonado. Puede que con el tiempo consiga reconciliarme con su obra.

El gran premio nobel polaco Czeslaw Milosz, quien fuera diplomático después de la guerra, pidió asilo político en 1950. Además, fue profesor en Estados Unidos y regresó a Cracovia en los últimos años de su vida, donde murió en el año 2004. En la última frase de su *Carta a Picasso* —editada en *Preuves,* en junio de 1956, en las páginas 5 y 7, para quien desee colmar la duda—, recuerda al pintor: «Si su apoyo brindado al terror contara, su indignación hubiera contado también. Es justo entonces que se señale con el dedo su ligereza, y que no sea olvidada por sus futuros biógrafos.»

Sus biógrafos se han cuidado muy bien de no tenerlo en cuenta.

Pocos ignoran que Pablo Picasso se hizo de rogar y de esperar a la hora de ofrecer apoyo a sus compatriotas que lucharon en contra del fascismo, no quiere decir esto que él tuviera algo que ver con el fascismo. Él, como tantos otros, se mantuvo callado, o más bien discreto, durante un largo tiempo. Hasta que tres gendarmes alemanes entraron en su taller de Grands Augustins y lo insultaron llamándolo «degenerado, comunista, y judío». Sería, entonces, injusto obviar que fue Dora Maar quien consiguió convencerlo de que tenía que actuar a través de su arte. Lo que también se intenta borrar con frecuencia de esas abrumadoras páginas de la historia en las que se colma a Picasso de reconocimientos y halagos, y a ella se la reduce al papel de amante trastornada.

Puedo imaginar a Dora, con su abrigo de piel, de grandes hombreras, y aquellos toscos zapatos de tacón de madera hueca, suplicándole a Picasso que hiciera un pequeño gesto, que tuviera un sencillo detalle solidario. Finalmente, lo hizo, y eso es lo que cuenta. Pero Max Jacob no se salvó, y Picasso pudo haberlo hecho; él, con su enorme y poderosa influencia. Tardó y no hizo nada. La diferencia está en esa maldita tardanza.

Sin embargo, el Gran Genio no ocupaba demasiado su tiempo en grandes eventos que lo hicieran más célebre de lo que ya era, sino que se encontraba demasiado inmerso en sus orgías y en sus grabados, que tanto lo obsesionaban. De cualquier modo, siempre existirá un buen pretexto para justificarlo, ya que se trata de Pablo Picasso. Y, a fin de cuentas, nada borra más y mejor las tenebrosas acciones que el sexo y la huella impoluta del arte. El arte y la *tête de mort* que idolatraba Picasso.

No puedo dormir, no consigo conciliar el sueño. Paul Éluard, traidor. Paul Éluard, el autor del poema *Libertad*. El poema que durante años —todos los que ha durado mi largo exilio— he estado leyendo a quienes necesitaban entender lo que es la libertad: vida y deseo. Arte y vida.

Eso es también la historia: desengaño a pulso, ira censurada.

¿Qué no habrá visto entonces Jaume Sabartés, el secretario de Picasso? Habrá visto mucho más, ¿qué no habrá visto? Repito incansable. Pero debió de callar, prefirió callar. El poeta, el secretario, debió ser fiel al Gran Genio, al hombre monumento, al artista histórico. Escribo la palabra «genio» con mayúscula y siento una gran seguridad al hacerlo, por supuesto que lo era; cuando hay que dudar es al escribir la palabra «hombre», en toda esa sencillez aparente y al mismo tiempo grandiosa que encumbra al ser humano cuando decide ser sincero y luchar por la verdad.

Dora, sin embargo, no empezó a dudar de la «hombría» de Picasso hasta el día en que él dejó de observar su cuerpo con detenimiento, y ella se percató de que comenzaba a olvidar los recovecos, las deliciosas hendiduras de su desnudez. Picasso dejó de sentirla, de desearla, para embriagarse con su inteligencia. O tal vez sólo quedó eso, su molesto e inaguantable intelecto.

A ella, el cuerpo se le puso más rígido aún. Como de tanagra agrietada. Caminaba a su lado, y él la rehuía, o ella presentía que la rehuía. No se trataba de que el hombre hubiera dejado, súbitamente, de ser masculino y viril. No, el hombre cesó de desearla y de desearse a sí mismo. Al hombre tampoco le interesaba la guerra, ni el sufrimiento de los otros si no era arte; la paz él la imaginaba y la pintaba a diario. El hombre dejó de ser hombre para transformarse en el gran artista histórico, en el monumental Gran Genio, en la eminente y obligada propiedad pública. «Mi partido es mi pintura», afirmaba orondo.

Los besos no fueron los mismos, empezó a poseerla todavía más bruscamente, de forma salvaje. El pequeño hombre devino minotauro, bufaba, resoplaba, encima de su cuerpo. Arañaba sus axilas, por las que corrían hilos finísimos de sangre. Arañaba sus pechos. Con las uñas escribía en una cartulina: «Sangre de Dora Maar.» Y la mancha se diluía en el papel. Pintaba gozoso con su sangre.

Dora se esforzaba en llorar, pero no podía. Dora pujaba las lágrimas, pero éstas se negaban a rodar por sus mejillas. Dora dibujaba una mueca de dolor, pero la vergüenza la socavaba. Entonces el artista la sacudía con violencia por los hombros amoratados: «¡Llora, Dora, llora, Dora!»

La mujer, en esos instantes, recordaba las palabras de su padre: «¡*Mirá, mirá*, Dora!», en el observatorio lejano de su infancia, allá en Buenos Aires.

Aquel cuerpo soberbio, desovado como el de un tiburón hembra de Lautrémont, había dejado de inspirar al Maestro, pero sus lágrimas, su sufrimiento, lo entusiasmaban y lo provocaban hasta la exaltación. Suspiró, aliviada. Todavía no había llegado el final. No, no aún. Mientras ella derramara lágrimas él no la abandonaría.

Ella podía comprender que su verdadero poder consistía en que hasta ese momento, entre todas sus mujeres, ella había sido la más retratada, la más pintada. Pero, al instante, borrada por sus propias lágrimas, evanescentes, traidoramente furtivas. «Furtivadas», de furtivas y hurtadas.

James y yo. París, 2010

Hacía tiempo que no veía a James Lord. Tampoco había llamado más a Bernard. La novela esperaba, el tiempo corría; corre veloz el tiempo, el de sus vidas, y el de la mía.

Temí no volver a verlos y presentí que sería lo que ocurriría: no los vería nunca más. Y, entonces, sonó el teléfono. Hablé un rato con Miriam Gómez, la viuda del escritor Guillermo Cabrera Infante, que vive en Londres. Colgué pensando en mil cosas a la vez. Me di un baño, busqué un vestido negro, me lo puse y salí a la calle en dirección a la galería Ars Atelier, en la rue Quincampoix.

Esa noche tocaba el *vernissage* del pintor surrealista cubano Jorge Camacho, que homenajeaba a otro pintor surrealista, el chileno Roberto Matta. La exposición se llamaba *«Le Grand Transparent»*. Fue grandiosa. Los dibujos, de una gran fineza, hacían honor al título, todos engrandecían la transparencia del trazo, la claridad del tiempo en la alquimia del verso, de la palabra extraída de lo más hondo del sueño.

Cuando la galería cerró, un grupo decidimos ir a cenar al restaurante libanés que propuso Tania, amiga y coleccionista.

Allí, a mitad de la cena, me enteré de que James Lord había muerto. No quise creerlo. No podía ser. Otro pintor cubano, Ramón Leandro, fue quien me dio la noticia, insistió en que era cierto. No quise aceptarlo. No podía ser cierto...

Llegué a casa y me puse a escribir, y a pensar fuertemente en ellos. En James, en Bernard, en Dora... Hasta que me sumí en un llanto nervioso, histérico, ridículo. Decidí darme una ducha y vaciarme de lágrimas bajo el agua caliente.

Lloraba angustiada, evocaba a Dora, a James, a Bernard; pensaba en aquel viaje a Venecia que ella tanto había ansiado, y que Bernard y James le proporcionaron colmando su capricho.

Apenas dormí, el amanecer me sorprendió sentada en el sofá, con las piernas levantadas y recogidas hacia mi vientre, y la mirada perdida en el enrojecido cielo. Esperé a que fuera una hora razonable y llamé por teléfono a la casa de James. Nadie respondió. No me atreví a llamar a Bernard. Todavía hoy no he vuelto a hacerlo.

James Lord había muerto, «se ha muerto», repetí sorda y patéticamente.

Empecé a releer su libro *Dora y Picasso*, lo hice en francés nuevamente, y luego lo encargué por internet en español.

Leí, leí sin descanso el texto en francés con el rostro empapado en lágrimas. Ahora que James no está, su escritura toma otra dimensión, ahora ha adquirido el peso favorecedor de la palabra del que ya no volverá a decir nada más, del eco rebuscado de su voz, que no volveré a escuchar, aunque él hablaba poco y había sido más bien silencioso, quizá debería decir «callado», que no es lo mismo que «silencioso». Ha muerto, y ya no podremos darnos cita en su apartamento, y no podré oír sus disquisiciones sobre Dora, Picasso, el surrealismo, el cubismo, ni permitir que me observe compasivo, ni que, entre meloso y falsamente evasivo, elogie el color de mis pupilas.

Ya no tendré más a James para preguntarle sobre Dora, para enterarme de si aquel viaje fue, como él intentó dar a entender en su libro, una verdadera pesadilla, o si realmente no pasó nada, como expuso Bernard en nuestro primer encuentro:

—No pasó absolutamente nada, sólo que ella se sintió mejor en mi compañía que en la de James. Sólo que ella y yo nos redescubrimos, y simpatizamos, y nos contábamos cuentos y chistes. No parábamos de divertirnos, mientras James se quedaba rezagado. Pero es normal, ella quería darle a James en la cabeza, aleccionarlo, y yo era un buen instrumento para lograrlo. Dora era bastante maliciosa, aunque no lo hacía notar fácilmente. En verdad, nos reímos mucho. Ella regresó a París con nosotros en el coche. Ella padecía de mareos. El automóvil se averió en varias ocasiones, y mientras James se esforzaba en repararlo, sin lograrlo, ella y yo acabábamos descendiendo del vehículo y nos desternillábamos de la risa evocando recuerdos de algunas personas a las que habíamos frecuentado, incluidos Picasso y Marie-Laure de Noailles. Dora poseía la voz más bella que he oído jamás, ya te lo he dicho, y de todas las mujeres surrealistas que conocí, fue la más inteligente.

Nunca le pregunté a Bernard qué pensaba de Picasso

como amigo, como hombre normal, sin la capa protectora del artista. Tampoco le interesó darme demasiados detalles, pero siempre insistía en que Dora era una mujer difícil. Demasiado cerebral, sobradamente inteligente. La inteligencia se había posicionado en el lugar de su libido. Demasiado fría de mente y consciente de la pavorosa temperatura de su cuerpo. Una temperatura altamente peligrosa para un hombre que sudaba aquejado constantemente de oleadas fogosas en pleno invierno. Dora lo acosaba con su respiración, pero él necesitaba de ese acoso, como necesitaba de los chiquillos que correteaban a su alrededor, de la presencia de los niños que, imaginarios, jugaban en el patio de Grands Augustins, que rondaban el día entero en su cabeza. Tres guerras y Dora lo habían envejecido. Imperdonable.

«¿Por qué no tuvo hijos con el pintor?» Me pregunto. ¿Por qué no decidió, entonces, una vez que rompió definitivamente con Picasso, entablar una relación tranquila con James Lord? Y me respondo a mí misma. «Su hijo era Picasso, porque él era su todo, su doble, él era su vientre, su sexo, su parto; él fue su deseo, su placer y su agudo padecimiento. Él fue su hijo único y su muerte.»

—Mis hijos, ya sean buenos o malos, tienen vida propia y nunca decepcionan o avergüenzan a su padre. Y tú tienes un montón en tu poder, mi amor —recordó Picasso a Dora en la casa del amigo y coleccionista Douglas Cooper.

A lo que ella contestó, airada, como una flecha:

—Sí, un verdadero orfanato.

Podía ser dura con él, pero no consentía mantener una relación con nadie que dudara de Picasso y que no estuviera a su altura.

James amaba a Picasso tanto como ella, aunque no con el mismo nivel de devoción. James la quiso en tanto que ella significaba una extensión del genio picassiano. Ella lo presentía, lo percibió desde el día que lo conoció en el estudio del artista y, después, cuando aconteció el episodio de la fosforera.

A ella, James nunca le gustó del todo, pero lo quería, porque sabía que él quería a Picasso a través de ella. Y no podía establecerse entre ella y otro ser ningún otro tipo de relación que no existiera a través de Picasso.

Hoy lo he podido confirmar en internet: James Lord murió. Nunca podrá leer este libro. Me demoré *affreusement* en terminarlo. «*Affreusement*» fue la palabra que usó este hombre que devino soldado norteamericano y no dudó ni un segundo en enrolarse en la segunda guerra mundial sólo porque ansiaba conocer desesperada y vehementemente a Pablo Picasso. «Horriblemente», en español, me gusta más la palabra francesa. Mi idioma me está abandonando, y se apodera de mí la lengua en la que hallé refugio en esta ciudad que me ha parido por segunda vez.

Cuando le pregunté si había amado al pintor, respondió que lo había adorado *affreusement,* con sumisión de artista y amante frustrado.

—Yo fui su soldado dormido. —Metáfora para endulzar su engaño cuando fingía que dormía para que Picasso lo contemplara.

—¿Y a Dora?

—A Dora la amé más que a nadie en el mundo. —Sus ojos se aguaron—. Frente a Picasso, fui un hombre osado y asombrado. Frente a Dora, sólo un hombre agradecido y sorprendido.

En el libro *Dora y Picasso*, tampoco rehúsa contar la anécdota del beso que le dio el pintor, algo poco frecuente entre dos hombres en Estados Unidos, pero bastante común en Europa. Lord sintió que aquel beso significaba mucho más que una prueba o una declaración amistosa.

—¿Fue Picasso su amante?

—De ninguna manera. Yo fui el amante de Picasso, platónico, claro, y tal vez un poco más, como solamente puede ocurrir en los espejismos que el arte provoca.

—¿Y Dora? ¿La apartó usted del resto del mundo o fue Picasso quien la acaparó y la engulló?

—Yo no aparté a Dora, ni tampoco Picasso la acaparó. Dora era una mujer rota, sospecho que siempre lo fue. Cuando la conocí, todavía no se había retirado del todo del mundo, su marcha se produjo poco a poco, paulatinamente, aconteció de modo definitivo mucho después de regresar de nuestro viaje a Venecia. Conversábamos a diario por teléfono, nos veíamos casi cada día, por supuesto, hablábamos de pintura y de Picasso, lo que terminó siendo obsesivo para ambos, pero para ella más. La separación la quebró, no podía consolarse, guardaba demasiado rencor y amargura. Dora quería ser una pintora célebre, puesto que había sido Picasso quien la había desviado de la foto hacia la pintura. Ella tenía la seguridad de que iba a ser reconocida, tarde o temprano, como una artista de gran valor, pero nunca lo fue. ¡Tal vez lo sea algún día! Creó obras que no estaban nada mal, pero yo prefería sus dibujos y sus acuarelas. Curiosamente, ella jamás quiso mostrarme ninguna de sus fotos.

—Fíjese en que ha dicho usted «yo prefería»... ¿Por qué una mujer, una artista, siempre debe ser considerada, valorada, y encasillada por los hombres que supuestamente la aman? ¿La amó usted como artista? ¿Cómo pudo amarla, entonces, como mujer? ¿No es usted homosexual?

James Lord se estrujó concienzudamente las manos, su mirada seguía fija en la pared de enfrente, evitaba mi rostro.

—En cierto sentido, la amé como mujer. Fue una gran amistad amorosa la que tuvimos ella y yo. Yo la amé sin sentir el deseo físico de poseerla, porque, debo ser sincero, nunca me sentí atraído por las mujeres. Dora lo sabía, pero tal vez pensaba que con ella sería diferente. Soy un homosexual que amó a Dora Maar, si prefiere verlo de ese modo. Hubo un momento en que sí que experimenté el deseo físico, eso aconteció en la isla de Porquerolles, en la playa. Ella emergía del mar, como una diosa de agua, era una mujer a la que le asentaba el mar, y ella lo sabía. Pero mi adoración sexual y cerebral transcurrió muy brevemente. Yo he amado a algunas mujeres porque me habría gustado ser como ellas.

Entonces, fui yo quien se frotó las manos sobre el impermeable, había enfriado y estaba nerviosa, insistí:

—Leí en una entrevista que le hicieron hace tiempo que usted tuvo sueños eróticos con Picasso...

—Los tuve, los sigo teniendo, sigo acariciando a Picasso en sueños, y él me penetra, como un toro... El toro para mí es el deseo de Picasso... —Se detuvo, sonrojado—. Lo que evoca, sinceramente, el célebre cuadro del toro que posee a Dora Maar... Yo no sólo amé a Picasso, yo estaba obsesionado con él. Yo soñaba incluso despierto con esas imágenes eróticas y todavía puedo presentir su mano aferrada a mi pene... Disculpe, le ruego... Una vez lo vi en calzoncillos, en su *atelier*, no me hizo la más mínima insinuación, pero, si me la hubiera hecho, yo habría respondido más que complacido, eufórico, totalmente entregado.

James Lord esbozó una sonrisa melancólica.

Ahora, de madrugada, bajo este manto penumbroso de silencio, recuerdo aquella tarde en la que flotaba una luz neblinosa, y sus manos todavía se estrujaban entre ellas, las piernas largas cruzadas, los mocasines ingleses muy lustrados, un ligero temblor en el pie derecho. El torso recto recostado en el respaldar del sofá impecablemente blanco, el pelo copioso muy hermoso, las pupilas húmedas, y dentro de ellas el reflejo de *Ubu Roi*, de Alfred Jarry. *Ubú*, animalito surrealista en la foto de Dora Maar, que soporta la pesantez de la suprarrealidad.

—¿Sabe que a Picasso le encantaba decir eso de «soy lesbiana»?

—¡Claro que lo sé, se lo oí decir tantas veces...!

Fue una de sus frases sentenciosas. Ambos nos echamos a reír a carcajadas.

—También decía eso de que «mi obra no es más que mi diario íntimo» —apunté. Pasó un ángel. Denso.

NOTAS MÍAS EN EL CUADERNO FORRADO EN TERCIOPELO ROJO: Dora. Venecia, 1958 - Bernard. París, 2008 - Yo. París y Venecia, 2008

Dora

Salgo del hotel y decido que voy a dar un paseo en góndola. Mientras el gondolero riela en el agua con el largo remo y mucho antes de que doble en alguna esquina exclamando o entonando su *«¡Oeeeeeeee!»*, con su voz tan joven y viril, vuelvo a presentir, después de mucho tiempo, que recupero de nuevo la placidez del placer, que el placer vuelve a instalarse en mi cuerpo, redescubro mis piernas y recuerdo que el escritor, dramaturgo, cineasta y dibujante Jean Cocteau, vestido como un personaje de sus obras, aparentando nobleza en sus principescas gesticulaciones y aleteando un manojo de finuras, trajeado cual un misterioso duque, pródigo en alabanzas, piropeaba mis piernas. También el actor Jean-Louis Barrault, inevitablemente medio desnudo, se acercaba a mí para dedicarme los más insospechados elogios y hasta atrevidas parrafadas encendidas en las que halagaba mi sensualidad y añadía que mi mirada parecía estar cincelada por la bruma del día.

—Tienes una boca hermosa —susurraba Barrault, y yo temblaba por dentro, aunque por fuera aparentaba la fortaleza de una muralla, toda con los músculos tensos, toda como de piedra tallada en mármol, el cuello cual columna de Murano, el rostro tirado hacia atrás, la expresión esquiva y aguileña.

—Sí, una bellísima boca absorta y reflexiva —subrayaba Jean Cocteau, mientras hacía un boceto detallado y hablado de mi rostro.

Presiento que dentro de mí, la anciana gana cada vez más espacio y, sin embargo, siempre fui vieja, cuanto más joven más vieja me sentía, o me intuía.

Sé que, en realidad, no le gustaba a ninguno de los dos, que jamás he gustado a los hombres con el deseo fulgurante que ellos reclaman. Picasso me quiso por mi inteligencia, pero no aprobaba mi cuerpo, se pasaba el tiempo llamándome «gorda», «debes poner atención, Dora, has engordado», y entonces me arrebataba la cuchara de las manos y no me permitía comer en abundancia. Sin embargo, tampoco le gustaban las flacas, no soportaba abrazar a una mujer cuyos huesos le hincaran el pellejo.

Yo ansiaba ser tan bella como Leonor Fini, seductora y vibrátil; más que una pintora, cualquiera hubiera afirmado que se trataba de una *cocotte*, de una cortesana estilo imperio, o de una puta del Pigalle en la época de Toulouse-Lautrec, con las medias descorridas y rotas, un gato colándosele entre los muslos y las piernas torneadas y fuertes, como de turmalina. Leonor me venía detrás, me perseguía para que yo la retratara. Ella nunca supo que yo me moría por hacerlo, pero lo que yo deseaba por encima de todas las cosas era no parecer inoportuna. Leonor Fini fue más argentina que ninguna de las que lo hemos sido por épocas, y mucho más surrealista

154

que Remedios Varo y que yo, más translúcida debido a su lucidez. Una mujer de carbón, a veces de diamante, de fuego, una mujer opalina, nacarada.

Cuando Picasso me abandonó, Leonor Fini estuvo siempre ahí, *à portée de main*, al alcance de la mano, para consolarme, pero yo no quería su consuelo, ni el de ninguna mujer. Yo sólo requería la presencia de los hombres, la que asumía como una retahíla de castigos.

Así, de tal modo, acepté a Georges Hugnet, el poeta. A él le impresionaban mis fotos surrealistas, las que Picasso detestaba, o al menos eso decía, sin sentir en lo más profundo de sí un verdadero desprecio. Hugnet quedaba enternecido observando mis fotos, por eso publicó *29, rue d'Astorg* en una colección de cartas postales. Todo un hombre, bueno, paciente e inteligente, un hombre fiel. Su amistad me hizo más bien que mal, aunque todas las amistades masculinas, sin excepción, me hicieron daño. Sin embargo, como buen ser de contradicciones que soy, soporto mejor a los hombres como amigos que a las mujeres. A las mujeres sólo puedo amarlas, como un hombre.

Georges Hugnet murió antes de morir, se apagó en vida, joven de alma, aunque ya era viejo de edad. Nos encerrábamos muchas horas en mi apartamento de la calle Savoie, su esposa no entendía nuestra relación, pero le importaba un comino lo que sucediera, con tal de que él fuera feliz, y creo que ella me quiere porque reconoce que lo hice feliz, entretuve a su esposo evitando lo peor, que se aburriera de la vida, y ella tiene esa deuda de gratitud conmigo. Yo lo fotografiaba, lo pintaba. Pero nunca conseguí plasmar todo lo demasiado bello y profundo que fue. Nunca he estado satisfecha de mis fotos de hombres, tampoco de mis pinturas. ¿De qué vale la satisfacción individual cuando se ha vivido con un genio indiscutible? Cualquier cosa que yo haga quedará fea y reducida al lado de su portentosa obra.

Qué importa si fui amante de Georges Hugnet, nada de él me perteneció, a diferencia de cada partícula del cuerpo de Picasso. Tampoco nada mío quedó impregnado en el alma de Hugnet. Un alma joven, virtuosa y sincera hasta el fin.

Nadie ignora que todo cambió en mi existencia el día en que Picasso descubrió la foto que me hizo Man Ray, en la que aparezco con la cabeza emplumada y la mirada suavizada. Todo cambió entonces, cuando mi independencia fue destinada a ser aniquilada, a anularme como artista. No sé cómo pudo conseguir Man Ray esa mirada, yo jamás miré dulcemente a nadie. Picasso me lo habría reprobado. Él, que detestaba las mujeres tristes que miraban con ojos de cordero degollado. Picasso me amó a través de esa foto. No, perdón, Picasso primero amó esa foto, no a mí. Lo primero que existió para él, el objeto de su adoración, fue la foto. Y luego quiso amar a la mujer que Man Ray había fotografiado. Todo en el amor de Picasso pasaba por el tamiz artístico, por la observación apropiada de lo artístico. Más que una mujer que llora, antes que esa nada quimérica que es el todo artístico, yo fui para él una foto de Man Ray, un retrato de una mujer de mirada falsamente suave, sensual, cabeza emplumada, con los labios densos y las manos perfectas, manos pequeñas de muñeca de porcelana.

Una mujer bastante primitiva levitaba en el contorno

de esa foto que intentaba calcarme superficialmente, pero ahí no era yo, no era la estática y rígida mujer que soy, todavía era la mujer de agua, un torrente de barro diluido. Se produjo esa casualidad de la observación-contemplación, Man Ray exigió una pose, más bien la sugirió, puesto que él no imponía nada, y quedé plasmada para la eternidad como el objeto que seduciría al Gran Genio.

Picasso se enamoró de la amazona, de la salvaje, de la arisca, de la terca que se escabullía detrás de los plumajes y trastocaba la mirada azucarada y turbia. Mis manos convertidas en trofeos, a través de la poderosa imaginación de Picasso. Pequeñas manos que no compaginaban con mi rostro en apariencia agreste, sumamente atenuado y expuesto en la vitrina que el dios de los pintores necesitaba para armarse de un ideal femenino y saciar su sed, aunque fuera con una gota de la mujer hidráulica, esa mujer en la que hallaría eterno abrevadero.

Siempre preferí el otro retrato de Man Ray, el manso, en el que aparezco con el rostro limpio de toda excesiva manipulación de la imagen, las pupilas navegan en dos lágrimas contenidas, por la boca, que da la sensación de estar ligeramente abierta, se asoman pájaros, la nariz, igual de fina, las aletas menos abiertas que en la primera foto, las cejas finas, todo son rayas en esa cara que yo tuve, envuelta entre mis brazos vestidos con una tela negra, mi pequeña oreja apenas asomada, semejante a un escurridizo pajarito. Aquí, en esa sencilla foto, soy una auténtica mujer líquida, cristalina, ahí ya soy esa mujer que Picasso robó para sus pinturas, toda lágrimas, toda trazos, toda ensueño, toda pálpito.

Picasso y yo nos encontramos en el intermedio uno

de mis llantos más célebres. El de una película. Después de aquella foto de Man Ray, cuando ambos aspirábamos a vernos en ese mundo anterior al conocimiento que advierte, anuncia y también adviene autorizado por el presentimiento, sólo concebido en el surrealismo. Sólo nos quedaba encontrarnos en una novela o en un filme.

Y sucedió lo segundo: él estaba en la sala, como espectador, yo en la pantalla. De ninguna manera como actriz. Sino como fotógrafa de escenario. Coincidimos, pues, en la película de Jean Renoir *El crimen de Monsieur Lange*. Cuando yo retraté el llanto de Sylvia viendo el tren partir, allí me estanqué para siempre, traducida en la imagen. Yo fotografié de Sylvia todo lo que mi pesaroso sueño presintió de ella. La retraté llorando desconsoladamente. Picasso la vio llorar en la sala del cine, se conmovería ante una mujer que llora, excesiva, que no se esconde para hacerlo, que expone su llanto como si abriera sus piernas, desnuda, que lloriquea desvergonzada, impúdica, sana, insólitamente salvaje. Sylvia estrujaba sus labios con el pañuelo, mordía las puntas del tejido mojado por las lágrimas. El pañuelo se abría como una rosa blanca entre los dientes perlados. En el otro extremo de la sala, en la penumbra, yo contemplaba la misma escena, me deleitaba con mi obra, y mi vulva se humedecía al recordar la hermosa foto que había logrado de Sylvia Bataille.

No recuerdo si saludé a Picasso antes de acomodarme en la silla, cinética y cinéfila. Él más adelante aseguró que sí, que nos habíamos saludado de lejos, que más tarde, en la penumbra, adivinaba mis formas, la impetuosidad de mi cuerpo y que, sobre todo, me silueteaba con el pensamiento. Igual que cuando me describió y me pintó tiempo después: yo también lloraba para él, en silencio. Así, empecé a llorar en la mente de un desconocido, en lo más hondo e insobornable de su alma de artista, gimoteaba por el hombre que intuía que amaría hasta mi muerte y que no era otro que él mismo, aunque todavía ni yo misma sabía quién iba a ser, y, sin embargo, respiraba a pocos pasos de mí. Y ya él poseía la certeza de que iba a ser él por el que yo me desviviera. Ahí estaba yo, una mujer en el cine, llorando como una Magdalena, a la espera del Maestro, del Gran Genio que deshojaría la rosa blanca entre mis dientes y que haría de mí, otra vez, un gran un retrato célebre, cuando no era más que una mujer deseada y olvidada. Sin saberlo, yo anhelaba su férrea voluntad de imponerme obediencia, esperaba que la inmensidad de su talento apagara el mío, me embargaba el poder que fluía de aquel hombre por mí inventado y anhelado, el que no se había definido todavía en toda la vastedad desasosegada de su tenebroso poder.

No lo negaré, porque nadie habrá pasado por alto que el centro de mi obra, el núcleo de mi vida, ha sido la imagen retorcida de la tragedia, que no llega a serlo en todo su esplendor, porque nunca fui lo suficientemente valiente, ni por el contrario puntillosamente metódica, para equilibrar la solidez del arte y la aventura del amor. Dos fuerzas contrarias, que juntas, unidas en un forcejeo delirante, destruyen la espontaneidad y la libertad de los seres frágiles, y conforman, así, la verdadera tragedia, que es la perdurabilidad de las hostilidades.

El día en que conocí a Picasso —él lo supo contar mejor de lo que yo lo haría— incluso se lo contó a Françoise Gilot, quien después, a su vez, lo contó y escribió a diestro y siniestro. Ese día yo todavía era crédula, no tanto ingenua, pero sí confiada. Debo hacer un paréntesis y aclarar que sufrí y me encelé enormemente de ella. Sin embargo, en honor a la verdad, tendría que admitir que ella supo darle a Picasso lo que él añoraba, lo que exigía: juventud e hijos. Más rebeldía y egoísmo personal. Sin esa rebeldía, sin su egoísmo, si no lo hubiera apartado de su vida como ella lo hizo, Picasso se habría aburrido y la habría convertido en un pelele más, en un monigote que se hubiera suicidado siguiendo el lamentable estilo de las otras. Picasso jamás dejó de encelar artísticamente a sus mujeres, pero con Françoise Gilot padeció lo que nos había hecho padecer a algunas: la indiferencia, la desgana, el desdén, la humillación. Ella le ofreció aquel amor casi adolescente, dúctil, para luego mutar en vestal maternal, lo que fortaleció mucho su amor, pues devino el de una madre, a la que nada se le puede negar. A la que se le debe la continuidad de la vida, la eternidad sanguínea. Y eso sólo lo dan los hijos. Ninguna obra artística lo consigue. Françoise fue, de todas, la más hábil.

En octubre de 1935 yo era una joven de una muy fresca y atrevida belleza, era consciente de ello y sabía que podía provocar sentimientos extraños en los hombres, que no seducía sólo por mi físico, que mi inteligencia y mi luminosidad se transparentaban, fuera enfundada en un vestido de un pesado tejido negro, fuera con el cabello peinado y moldeado hacia atrás, negro y brillante, y con mis zapatos de tacones toscos... Los hombres me miraban, y sus miradas traspasaban mis vestimentas, me desnudaban. Ellos mismos reconocían que al inicio me encontraban irresistible y que después de una segunda mirada, empezaban a hallar algo en mí inmensamente perturbador que les impedía deshacerse de mi presencia. Me convertía en la droga que cualquier hombre necesita para reafirmar su virilidad, pero esa virilidad les entumecía el alma.

Entré en el café-restaurante Les Deux Magots y advertí unos ojos grandes y redondos que se fijaron al momento en mi cuerpo. No sabía de quién se trataba, ni me interesaba a quién pertenecieran esos ojos, lo único que me importó fue que la fuerza de su mirada me impulsaba a sacar mi lado más bestial. Quise aparentar dulzura, mi rostro se volvió incluso amable, recorrí el recinto como si danzara cualquier sabrosa melodía, un vals, un tango, un minué... Los ojos grandes y redondos persiguieron el más mínimo de mis movimientos.

No sé quién es, él no sabe quién soy. Paul Éluard responde cuando el desconocido pregunta por lo bajo, puedo adivinarlo. Paul Éluard le susurra que soy Dora Maar, un alma robusta, un alma surrealista, una indómita que pudo con Bataille y lo dejó tirado (cuando, en verdad, fue él quien me abandonó por Colette).

Y, sin embargo, yo entré en Les Deux Magots con la intención de doblegarme ante el hombre de mi vida, si por casualidad lo encontraba, si el azar me lo ponía enfrente, con el deseo de caer rendida a sus pies. Ansiaba que el encuentro se produjera, porque yo vivía obcecada y exclusivamente buscando ese instante en que no dudara de que ese hombre era como yo había imaginado desde adolescente.

Los ojos grandes y redondos treparon, entonces, por todo mi cuerpo, mordieron mis orejas. Se posaron en mis pupilas. Resistí sin pestañear su magnética mirada, que descendió un tanto oblicuamente desde mi oreja derecha y acribilló mis labios como si me enviara miles de agujillas finas que se encajaban en mi piel.

Llevaba unos guantes negros salpicados de florecitas rosadas, me quité el de la mano derecha, y, entonces, los ojos redondos y negros se apoderaron de mi cintura y me obligaron a que tomara asiento.

Abrí mi bolso, extraje el cuchillo de punta afilada. Posé mi mano izquierda todavía enguantada y repujé el contorno con la punta del cuchillo en la madera de la mesa. Los ojos redondos y grandes bailotearon en el reborde de la tabla. Con los párpados cerrados intenté clavar el cuchillo en la madera, haciéndolo saltar al azar, entre mis dedos. No sentí apenas dolor, casi nada. Al abrir los párpados, el borde de mi mano sangraba, y mis dedos latían martirizados. Los ojos ajenos, grandes y extraños se zambulleron en las gotas de sangre. El guante empapado del líquido púrpura.

Los ojos grandes y redondos estaban ahora sentados a horcajadas en mi espíritu. Frente a mí, tenía al desconocido, que no lo era en absoluto. Se trataba nada más y nada menos que de Pablo Picasso, que reclamaba mi guante encharcado en sangre. Él no era un hombre y mucho menos un pintor que necesitara de los objetos para acordarse de ellos. Picasso poseía una memoria única de las cosas, porque antes que existieran ya las había adivinado. No había objeto que escapara a su capacidad visual y a su retentiva. Guardó para siempre mi guante en el armario en el que conservaba sus tesoros fetichistas. Lo valioso de mi guante era la sangre, obviamente. Eso lo supe más tarde, cuando le vi mojar su pincel en los algodones empapados de mis coágulos menstruales.

Como supe también después que lo valioso de mí no era el envoltorio, que soy yo, sino mi corazón, esa masa palpitante y groseramente coagulada en un montículo inexplorado, en un paisaje virgen.

Pensé que pediría mi mano, y se llevó mi guante. Aquel hombre pequeño, calvo, con cara de mono loco, ojos desmesuradamente abiertos, boca agria, pantalones demasiado subidos para mi gusto, brazos delgados en comparación con la caja torácica de su cuerpo, que era bastante ancha, torvo, pero con una enorme fuerza en aquellos ojos negros, con un gran poder varonil en el gesto de guardar el guante en su bolsillo, decidido a todo con tal de quedarse con aquella prenda, partió sin decirme una sola palabra. Por lo menos, yo sólo recuerdo esos ojos oscuros, como dos clavos encendidos y goteantes del crucifijo de Cristo.

Algún tiempo más tarde, ese hombre, el dueño de aquellos desorbitados y martirizantes ojos negros, y yo reiríamos abrazados por primera vez en una cama. Yo contaba veinticuatro primaveras, y él era, exteriormente, un viejo ajado de cincuenta y cuatro maltratados años.

Así y todo, ya yo me consideraba intelectualmente más vieja que él. Y él seguía siendo un niño entretenido en su juego preferido, el de amar hasta destrozar. El niño que jamás lo abandonaría. El niño que lo torturaría en esos otros intercambios lúdicos entre los pinceles y el lienzo en blanco.

Bernard, proximidad de la tibieza

Bernard tomó una de las manos de la mujer entre las suyas, se hallaban sentados en la terraza de un pequeño café cercano a la galería donde exponían algunas obras de Balthus.

Dora permitió que se apoderara de la mano sin apenas percibirlo; desde que había dado su solitario paseo en góndola, su mente se había refugiado en el pasado, en su pasado junto a Picasso, y no podía dejar de repetirse en una molesta letanía cómo le habría gustado haber hecho este viaje con él.

Precisamente en el pasado había viajado con Picasso a Italia, él la había invitado así, de repente, espetándole, como acostumbraba a dar las sorpresas: «Vamos a Florencia a ver todas esas obras maestras.» Pero ya una vez en Génova, malhumorado y visiblemente hastiado, empezó a decir pestes en contra de Botticelli, Rafael, Miguel Ángel y de los demás, gritaba que no daría un penique por todas esas mamarrachadas, que no las cambiaría por su Cézanne. Y entonces tuvieron que largarse porque la ira lo atormentaba y echó a perder la estancia sacándola de quicio.

—Tu mano es tan pequeña... —dijo Bernard.

Ella la retiró. No era la primera vez que el hombre reparaba en la pequeñez de sus manos.

Bernard sintió deseos de describir aquellos dedos, las uñas como sutiles escamas a punto de desprenderse. No, Dora no había sido tan bella como su amiga Leonor Fini, pero él no dudaba ante su evidente misterio, todo concentrado en sus ojos, en la boca, en sus manos, pero sobre todo en su voz. Le hubiera gustado ser un gran escritor para poder describir de forma exultante el tono de la voz de Dora. Resonancia de las nubes en la garganta de un gorrión, incisiva y torrencial, húmeda como la atmósfera impregnada de los goterones de un aguacero. Entonces, le hizo una pregunta medio sonsa, como para que ella se embriagara de sí misma y se sincerara.

—¿Qué esperas de James, Dora?

Silencio pesado.

No era la pregunta a la que precisamente ella contestaría con facilidad.

—¿Sabes que él y yo fuimos pareja? Claro, también sabrás que ahora sólo somos amigos íntimos.

Ella miró hacia otro lado, los ojos entrecerrados se posaron en una paloma que picoteaba una piedrecilla y se limpiaba el pico constantemente.

—¿Lo amas?

Ella lo observó, ahora, de frente.

—Sí, seré sincera. Alguna vez creí que podríamos vivir juntos —murmuró.

—¿Creíste? ¿Ya no lo crees? ¿Te gustaría que se casara contigo? —Bernard dudó antes de lanzarle a bocajarro la atrevida cuestión.

Ella se encogió de hombros. Parecía una niña atemorizada, nunca la había visto así. Nunca antes se había atrevido a acorralar sentimentalmente a la mujer que tanto pudor le imponía como artista.

—No estoy seguro de que James desee... —Quiso dañarla, hundir el puñal en la herida.

Ella lo detuvo, firme.

—Por favor, Bernard, no sigas. ¿Qué interés podrías tener en esto? ¿Qué quieres oírme confesar?

—Me gustaría escribir, ser un gran escritor, me agradaría que fueras el personaje de mi mayor obra, sólo eso —titubeó.

—Oh, no, por favor, sólo fui la modelo de alguien, el fango moldeado por Pablo Picasso. ¿No es suficiente? Para mí lo es. No soy nadie ya, todo lo que logré ser durante mi relación con Picasso ya he dejado de serlo, todo eso ha quedado en el olvido, no valgo nada. Búscate otra modelo, no lo sé, tal vez una reina. La reina Margot daría para una gruesa novela de cientos de páginas, o un rey, invéntate un rey, con los salones y las cortesanas. O el mismísimo Pablo Picasso... —Le gustaba deleitarse pronunciado el nombre de su verdugo. «Pablo Picasso.» Y también disfrutaba tratando de usted, de repente, a sus amigos—: Usted, Bernard, no tiene ningún derecho...

La cinta de seda que le recogía el pelo se le resbaló, la brisa despeinó las mechas desatadas. Ella, púdica, se apresuró a ligárselas en un moño austero.

—Entre James y yo sólo existe la amistad de Picasso, él se lo habrá explicado. Ambos sentimos un amor intenso por su obra. Nos unen los recuerdos de aquella época; nada más. Quiero a James, tal vez me hice falsas ilusiones, ahora sé que nuestra unión no podrá formularse nunca. Su presencia entre nosotros lo confirma.

Se refería a la presencia de Bernard.

La mujer acotejó el cuello redondo de su vestido.

Bernard bebió un sorbo del Campari con limón. Era un hombre joven y apuesto, más empecinado que apasionado, sabía que su mayor fuerza era entablar un mano a mano en el terreno de la seducción ambigua; después de su profundo amor por la literatura, se dijo a sí mismo. Debería invertir los órdenes si deseaba triunfar como escritor, pensó.

Se hizo un largo silencio. Hasta que ella preguntó cuándo llegaría finalmente James, empezaba a tener hambre y no estaba dispuesta a esperar por él mucho más.

—Supongo que no tardará. Como sabes, yo me fui de librerías y, como supondrás, él se dirigió a hacer lo que más aprecia: comprar chucherías y *bibelots*.

La mujer extrajo un espejito de su cartera y se observó en él, escurridiza, humedeció sus labios con la punta de la lengua y lo volvió a guardar a la carrera. Algunas canas empezaban a aparecer en las sienes, lo que la obligaba a rechazar su propia imagen ajada de mujer sin retorno.

Bernard sacó el cuadernillo de notas y se dedicó a garabatear frases. Ella, impaciente, pidió otro vodka con zumo de naranja. El camarero se inclinó para murmurarle cerca de la mejilla:

—Es usted una *signora* muy bella.

Dora sabía que el cumplido formaba parte del ritual de caballerosidad habitual de los camareros venecianos.

Reparó en una mujer que se sentó a la mesa de al lado y que también retocaba su maquillaje, en movimientos similares a los gestos que ella había hecho hacía un momento; ahora se contemplaba en un *vánite*.

Por fin, a lo lejos, se dibujó la silueta de James Lord.

Bernard continuaba absorto en su cuaderno de apuntes. Dora no hizo el más mínimo movimiento ante la presencia del recién llegado.

—Aquí estoy, sospecho que me he demorado lo suficiente como para que te encolerices y digas pestes de mí durante un año. —James cargaba unos paquetes y soltó la broma con un deje irónico.

Bernard levantó la cabeza, y el sol del atardecer hirió sus pupilas.

—Te demoraste, sí, lo hiciste a propósito, como es costumbre en tu carácter tan cruel y mimado —protestó ella.

James llevaba regalos para sus amigos, ambos sonrieron agradecidos: para él, una pluma de cristal de Murano, azul, alargada. Para ella, un gracioso sombrerito de terciopelo, emplumado, y unos guantes negros, de florecitas rojas. Las florecitas se asemejaban a unas gotas coaguladas de sangre estampadas en el resbaladizo y extensible tejido.

En el bolso, Dora llevaba el mismo cuchillo con el que se había agujereado la carne el aciago o bendito día en que conoció a Picasso. Pero ahora prefirió que aquel instrumento se quedara donde estaba, hundido entre la banalidad de los objetos tirados con premura en el fondo de aquella penosa y vieja cartera que le había regalado su antiguo y único amor.

Sombras, arabescos

Estuve todo el santo día buscando un sitio en un café donde poder sentarme a escribir confortablemente, sin que me hablaran, ni me molestaran con conversaciones demasiado insistentes y ruidosas. A los venecianos les encanta dar palique.

Por fin me topé con uno que daba al canal, bastante discreto, con una pequeña terraza. Desde allí podía distinguir las góndolas que doblaban y pasaban justo delante de la terraza.

En una de ellas divisé a una mujer trigueña, de tez mate, con un vestido oscuro de florecillas violetas, ceñido a la cintura; era uno de esos vestidos que se habían puesto de moda durante la posguerra, de falda amplia y talle recogido con un cinturón. Descendió de la góndola y se sentó justo a la mesa de al lado. Pidió un vodka con naranja.

Me dije que para observarla mejor fingiría que me retocaba el maquillaje, saqué mi *vánite* y de este modo pude estudiarla con detalle a través del redondo azogue; empolvé mi rostro, usé repetidamente el pintalabios. No parecía una mujer sencilla, había algo en ella de altanero y principesco, de portentoso y arrogante. Quizá haya sido eso mismo, el porte, la manera de sentarse, tan recta, con cierta rigidez que atrofiaba su espalda alargándola como la de un leopardo, semejante a las espaldas de las protagonistas de los harenes de Ingres. Esperaba a alguien, sin duda. Al igual que yo, con esa esperanza tan particular de las mujeres que empiezan a envejecer.

Yo, en la treintena larga, esperaba al hombre que había elegido para hacer aquel viaje a Venecia. Mi marido. Por fin apareció con nuestra hija de la mano. La niña lloriqueaba, tenía sed, hambre y sueño.

—No podemos quedarnos, mira cómo está Attys de inquieta...

—Dámela...

La subí encima de mis muslos, y recostada sobre mi pecho en seguida se durmió.

—¿Pudiste visitar la exposición de Balthus?

Asentí.

—Estoy cansado de tanto caminar, además con la niña encima de los hombros. Me encontré con Roberto en el café Florian, estaba llenísimo.

Se refería al pintor cubano Roberto García York.

—¿Has conseguido escribir algo?

Negué con la cabeza.

—¿Qué pasa, por qué no me respondes con palabras?

—Nada, no pasa nada, sólo que no tengo ganas de hablar.

Desde hacía un buen rato, nuestros diálogos eran más o menos iguales, breves, concisos. Sin embargo, yo lo amaba, y él, aunque nunca me lo decía, me amaba también. Nuestra vida era ese triángulo: él, la niña, yo. Indestructible, nadie podría romperlo.

¿Por qué nos amábamos apenas sin decirnos nada? No había ya más nada que decir. Con mirarnos nos adivinábamos.

Desde el inicio de nuestra relación, yo sabía que él era un artista, que tenía una sensibilidad única, que poseía el don de inventar a cada minuto de la vida, con una potencia creadora y sobrecogedora.

Nos compenetramos a través de su cine, un cine contestatario, que cantaba a la vida y a la libertad. Nos exiliamos juntos y nos llevamos nuestro mayor tesoro, nuestra gran obra: la niña, nuestra hija.

Nada fue fácil en el exilio. Él empezó a filmar documentales sobre pintores. Nos unía más aún el acto fílmico, su trabajo, no el mío —el mío nos separaba—, conocer a los pintores, indagar en su obra, pintar su ambiente con el lente de una cámara nos hizo un único ser. Aquella aventura se convirtió en nuestro universo amoroso por excelencia. Sin embargo, mientras que yo estaba pendiente de su obra, a él no le atraía demasiado la mía. No leía lo que yo escribía. Temía leerme.

Yo lo prefería así. Entonces pensaba —pienso todavía— que un día me moriría, antes que él, y que él podría leer lo que he escrito apaciblemente para la niña y para él.

La mujer sentada al lado de nuestra mesa debía de estar en la cincuentena, tal vez era más joven, descruzó las piernas y se acodó en la madera tosca, indagó con la mirada hacia ambos lados, disgustada. Sin duda alguna, esperaba a alguien que llegaba tarde. Mi marido reparó en ella.

Frente a la mujer, conversaba un hombre desdibujado, pero ella no lo veía, ella esperaba a otro.

—Se parece a una novia que yo tuve.

Sí, mi marido es experto en hablarme de sus ex novias cuando estamos en viajes que deberían ser más bien románticos, en los que deberíamos olvidarnos de todos los ex que hemos tenido y reparar específicamente en nosotros. Pero él ahora se empeñaba en señalarme que esa mujer guardaba un increíble parecido con una ex novia que, con toda evidencia, había sido importante para él.

Extrajo la cámara fotográfica de su mochila y nos hizo una foto a la niña y a mí. La mujer quedaba dentro del plano, al fondo.

—Sería mucho mayor que tú, porque esta mujer es una tembona, está bastante madura ya, vaya, casi podrida —interrumpí con sorna.

—No digas eso, para nada. ¿Dónde tienes los ojos? Ponte los espejuelos, anda.

«Ahora resultará que la vieja cegata soy yo», pensé. Rehusé colocarme las gafas. La niña lloriqueó, despertó de súbito y pidió comida.

—¡Hambre, *mamounette*, tengo hambre!

Pedimos una pizza. La corté en trocitos y se la di. Masticaba y tragaba sonoramente, la mujer hizo un gesto desagradable ante los gorgoteos de la pequeña cuando bebía agua.

Por fin, al rato, apareció un hombre alto y apuesto, con unas bolsas de regalo en las manos. Ella curioseó dentro de las bolsas y sonrió satisfecha aceptando los obsequios del hombre.

La niña terminó de mordisquear y chupetear la pizza,

pagamos y nos fuimos. Saltamos a una góndola que nos dejó frente a la casa, nos quedábamos en un suntuoso apartamento que habíamos alquilado a un anticuario parisino y que estaba situado frente al Gran Canal.

Acostamos a la niña en el cuarto contiguo al nuestro. Jugué un rato con ella hasta que se rindió.

Me quité la ropa en nuestra habitación, delante del espejo en el que alguien había pintado en el azogue con lápiz labial: «*Just I love you... I killed you...*»

El hombre se colocó detrás de mí, su sexo erecto entre mis nalgas. Me volví y le entregué mis labios. Mientras él me besaba, ardiente, yo pensaba en Dora Maar, en los besos apasionados que ella debía de haber intercambiado con Picasso. En lo difícil que resulta el amor entre dos artistas. En lo poco que cuesta seducir a un hombre, físicamente, más que intelectualmente.

Y en que cuando ya lo has seducido intelectualmente, es posible que el deseo, una vez saciado, haya llegado a su fin.

Dora, a través del caleidoscopio

No podía explicarse ese encaprichamiento que le entró por hacer aquel viaje a Venecia, no se trataba sólo de cambiar de aires, de conocer la ciudad que hubiera deseado en tiempos pasados desandar junto a Picasso, tampoco le interesaba demasiado a esas alturas entender cuál era el verdadero secreto entre ella y James, puesto que hacía tiempo que sospechaba que entre ella y el joven no existía más que la obra y el genio de Picasso, ni siquiera el amor hacia él. Ella amaba al hombre y al creador, al Dios. Él adoraba la obra, la ambicionaba, para él el pintor era ya, a aquellas alturas, algo secundario.

Anduvo lentamente en medio de la piazza San Marco, entre el gentío. «Éluard, Éluard», pronunció bajito. Cerró los ojos: *«dégoût»*. Oyó súbitamente esa palabra, o creyó oírla, la palabra que encontraron escrita en un papel sobre el cadáver de René Crevel, el joven poeta homosexual que le había pedido a Éluard que intentara un acercamiento con André Breton, para sensibilizarlo y limar asperezas entre surrealistas y comunistas, y al que Éluard ignoró. Así se inició el dolor de las rupturas, la

174

gran persecución entre ellos, los artistas comprometidos, primero con el arte, después con el resto, una vez sembrada la desconfianza y la cizaña que cundía y crecía entre los comunistas.

Los comunistas sospechaban de los surrealistas, los acusaban de traidores, de *trostkistas*. Dora firmaba peticiones, cartas, aquí y allá, corría de un lado para otro testimoniando cómo la política iba destrozándolo todo, pero sin perder un ápice de confianza en el arte y, por desgracia, también en la ideología a la que ella se había aferrado como a una tabla de salvación.

Dora, la gran artista y musa surrealista, se fue rebajando hasta convertirse en una pichona aventajada de extremista con un fuerte carácter totalitario. Es cierto que se vivía una época enrarecida en que no quedaba más remedio que serlo, pero también se podía caer más bajo y bordear y coquetear con el fascismo, además de aceptar el comunismo cómo única arma, con esa ingenuidad propia de los que se sienten culpables de no abrigar más esperanzas que en el acto libertario de la creación.

Dora observaba entristecida la ruta que tomaba Georges Bataille. Fumaba más que nunca, comía poco y mal. Éluard se negó a firmar la carta cuando Bataille prefirió la brutalidad de Hitler antes que «¡la excitación babosa de los diplomáticos y los políticos!». Éluard rompió también con Breton, lo culpaba de todo lo que acontecía alrededor. Eludió cualquier aproximación al padre del surrealismo y viajó a Barcelona para participar en un homenaje a Picasso. Ella intuía que algo feo iba a ocurrir, el presentimiento la mataba más que el sufrimiento mismo por lo que acontecía a diario.

Sin embargo, buscó un refugio, una especie de desván vacío imaginario en el que poder albergar un poço de paz. Ese desván fue construido con la confianza que depositaba en sus amigos, y ellos en ella. No podía culpar a Éluard porque este y Nush se hicieran amigos inseparables. De ella y de Picasso. Incluso llegó un momento en que Picasso no podía vivir sin ellos, sobre todo sin Nush.

Mientras Picasso esculpía a su esposa Marie-Thérèse Walter a dimensiones descomunales, Nush y Éluard lo acompañaban en la residencia de Boisgeloup, lo entretenían leyéndole poemas y hablándole de pintura, aunque esto último era lo que a él menos le interesaba. Reinventaban el mundo a través del arte. Un mundo que sabían que iban perdiendo, en el umbral ya del cataclismo, pero que ellos se empecinaban en salvar segundo a segundo. Cada pincelada en la obra de Picasso lo demuestra. Cabeza de toro. Cabeza de muerte.

Fueron Nush y Éluard los que invitaron a Dora a visitar al Maestro en su castillo. Dora fotografió la imponente puerta, retrató cada rincón, la calle Chêne d'Huy y al crítico Roland Penrose, que se descomponía, emocionado, repitiendo sin cesar gestos alterados frente al portal de la residencia del Genio del Siglo.

Al atravesar el umbral, la mujer olió el aroma de los jazmines, y una especie de extraño perfume veraniego inundó el recinto y bañó cálidamente la superficie de su piel.

Pablo Picasso esperaba en la antesala junto a su hijo Paulo, el que había tenido con la bailarina rusa Olga Kokhlova, su primer matrimonio, su primer vástago.

Dora sintió que no debía estar allí, que cuanto antes saliera corriendo de aquel lugar menos se arriesgaría. Sin embargo, siguió adelante, atraída por los ojos de mirada salvaje, por la sonrisa socarrona; embelesada, continuó haciendo fotos, más y más retratos de la casa, de todo el contenido y, sobre todo, de su dueño. Perseguía seducida esos grandes ojos negros con los que ya se había topado en una ocasión que ella recordaba muy especial. Dentro de sus pupilas ella se transparentaba, inquieta, nerviosa, abatida y rítmica, en una especie de danza a la que no podía renunciar; se sintió molesta ante esa dependencia del espacio, asumiendo una sórdida actitud de consentida y al mismo tiempo esclavizada, similar a la de una bestia herida que busca un recoveco en el que esconderse, o que está a punto de ser alcanzada por la flecha encendida o envenenada de un cazador.

El artista no cesaba de contemplarla, fascinado por la percepción visual que ofrecía la fotógrafa, por sus movimientos de gacela acorralada. Ella —debió decirse— era diferente de todas las que había conocido antes. Él y ella tenían muchos puntos en común y compartían el empeño por la belleza y la vertiginosidad creativa alrededor de lo inusitado.

Ansió en seguida convertirla en su musa. De su pelo negro emanaba la brisa del sur, su cuerpo prodigaba movimientos familiares, reconocibles al olfato, al tacto, ondulaba como en un baile marino meticulosamente estudiado, cada vez que se colocaba detrás de la cámara encimaba las caderas hacia delante, abierta la pelvis; cuando se apartaba del aparato, su cuerpo volvía a sus estrictas formas de mujer discreta e inteligente, incluso algo pedante y engreída.

Escuchándola hablar en su lengua materna, el español, podía adivinar sus jadeos eróticos mientras imaginaba sus gruesas manos en las nalgas de ella, apretándolas, enrojeciéndolas a pellizcos. Concebía de manera apresurada que ella podría ser para él como una segunda madre, que lo pariera mientras lo devoraba en el acto sexual.

Picasso sabía y se enorgullecía hasta el límite de que ella hubiera sido la modelo literaria de Georges Bataille, una de sus «amantes pervertidas», como él la llamó luego con sorna. Sin embargo, lo de Dora y Bataille había durado y perduraría, incluso en la infinitud de una obra literaria. No, no habían sido meros encuentros sexuales. Dora había conquistado al filósofo. Lo que el malagueño suponía que haría él con ella. Lo hizo, desde luego, claro que lo hizo: la conquistó y la sometió, para retratarla e iluminarla en los retratos y apagarla en vida. Ella, eso sí, logró seducirlo con sus ideas más que con sus pensamientos. Porque con sus ardorosos y profundos pensamientos terminó por agotarlo.

Picasso fue siempre muy consciente de que la belleza de Dora estribaba en su eficacia para enrolar a las personas primero con sus ideas y, después, con su capacidad para dominar cada contundencia de su cuerpo y situarla justo en el centro del deseo. Una vez en el altar, desde el pedestal en el que ella reinaba y rechazaba cualquier proposición o, por el contrario, más tarde desde los escombros, donde aceptaba la sumisión más inimaginable, Dora siempre aparecía como la que tenía el poder. Había que destruir ese poder.

Dora —eso lo vio en seguida— no sería la madre que había sido Marie-Thérèse para Maya, la segunda hija de Picasso, ni tampoco la despótica Olga. Dora era, por fin, la artista, pero también la matrona que le recordaba los tiempos soberbios de los burdeles del Barrio Chino en

Barcelona. Ella apareció en primera instancia como la muchacha exótica del sur, la belleza mestiza, con un divertido matiz de ligereza al inicio y hasta dulzona, sabrosa y elocuente. Misteriosa, culta y peligrosamente intuitiva. ¿Por qué no destruirla imponiéndole toda la pesantez que a él le sobraba?

A él le urgía penetrar su universo, desentrañarlo. Como cuando quiso desentrañar el alma de aquel gitanillo simple con el que vivió encerrado en una gruta durante algún tiempo, el que luego apareció en su pintura como un personaje que irradia inocencia, fogoso erotismo, sabia ternura... Picasso advirtió que una de las características que más le atraían de Dora era la idea de revivir con ella aquellos momentos ardientes de intensa aventura bucólica con un chico campesino. Ella era mucho hombre. Todo un hombre aquella mujer. Su masculinidad fortalecía su deseo.

A Dora ya le contaría más adelante sobre su fugaz idilio homosexual de juventud. Sobre cómo había anhelado conocer todo lo referente al sexo y sobre cómo quiso probar todo lo que abría el apetito de su deseo. Pero, por el momento, ella podía esperar a conocer esos secretos que le confesaría más adelante. Dora era esa mujer nueva que tenía ante sus ojos y también aquel muchachito, aquel modelo que parecía escapado de uno de sus futuros cuadros. Ambos reunidos constituían la perfección, el ser andrógino de Sócrates rodando hacia la luz.

Si Picasso era un hombre tan abierto de mente, ¿por qué ahora ella se mostraba tan reacia a la homosexualidad de James y a su relación con Bernard? A decir verdad, no le molestaba verlos juntos, lo que le fastidiaba era tener que compartir a James en ese viaje a Venecia, el único viaje que haría con él. El viaje final. Aunque Bernard se deshiciera en halagos hacia ella e intentara hacerle creer que no se interpondría jamás entre ella y su amigo, no podía evitar encelarse de la sombra de la relación amorosa que había existido entre esos dos hombres.

Tampoco soportaba imaginárselos haciéndose el amor y, sin embargo, no podía evitar evocar constantemente sus desnudos cuerpos fundidos en el acto amoroso.

Por esa razón estaba en ese instante de la madrugada paseando, una y otra vez, recorriendo la forma ovular de la plaza, para apartar la imagen de ambos jóvenes chupándose los sexos, imagen que, con frecuencia, la asaltaba durante el sueño.

Entonces, afloró de nuevo en su cabeza el suicidio de René Crevel, el joven poeta homosexual del que todos se burlaban, al que la mayoría marginaba por homosexual, por flojo, afirmarían los envidiosos. Y se dijo que aquella época tan artística y fascinante se había echado a perder cuando claudicaron ante los nazis, luego cuando decidieron, finalmente, acabar con la bestialidad y borrar el horror del fascismo, pero entonces, en lugar de querer ser libres, se aferraron al terror comunista. Cuando sustituyeron a una bestia por otra. ¿Tuvieron otra opción? Sí, la de la libertad, pero una vez conquistada, como es habitual en los jóvenes, no supieron qué hacer con ella.

O sí, pero la trocaron por el libertinaje, por una sexualidad desenfrenada que sólo sirvió para enroñarse entre ellos y divertir una vez más al enemigo. No supieron combinar la libertad con el deseo. No pudieron hacer del sexo poesía. Lo ensuciaron todo con discursos y política.

Probablemente, Picasso había sido más arrestado que ella, porque supo asumir el sexo de otra manera, de un modo más salvaje, mucho más vivaz y pueril, más emocionante y perdurable, lo mezcló con el placer que proporciona el coraje de sutilizar la hombría, de sodomizarla, y de devenir un ser enteramente sexual.

Picasso, además, despertaba en todos los que lo conocían deseos asombrosos de posesión. De tal modo afectan la valentía y el talento ajenos que al momento sucumbimos al desesperante y angustioso anhelo de poseerlos, de adueñarnos de su existencia.

Así sucedió con Pere Manyac. Dora se divertía con aquellas historias del pasado, tan increíblemente posesivas, de ardiente persecución, atribuidas al galerista homosexual. Éste le ofrecía bastante dinero a Picasso por su trabajo, pero, en consecuencia, no lo dejaba en paz ni un maldito segundo. Hasta tal extremo llegó la historia que Picasso debió fingir que se metía en la cama con su amigo Manuel Hugué para que Manyac lo hallara ocupado en aquellos menesteres tan excitantes, y poco previsibles con Manolo, y de este modo lograr zafárselo de encima.

—¡Dora, mujer! —Ahora James le hacía señas desde la puerta de la basílica de San Marcos.

Sonrió, alegre de poder asistir al espectáculo del joven James Lord reclamándola desde el atrio del templo. Estaba muy cerca, quiso salir corriendo hacia él, abrazarlo, contarle todo lo que había recordado durante ese largo paseo que la había sorprendido madrugadora y matinal, pero se contuvo. No, no debía destruir el hechizo que provocaba el respeto que tanto le había costado establecer entre ella y el eterno aspirante a escritor y a artista, al que había conocido dormido a los pies de Picasso, mientras éste culminaba una de sus mejores obras: la contemplación de la fugaz y atrevida juventud.

Dora era demasiado consciente de que James un día escribiría sobre ella y no deseaba dañar la imagen de pulcra y austera presencia que le había permitido renunciar al surrealismo para convertirse en la sombra existencial de detrás de aquellos rostros atrapados por el lente de Man Ray, y que ya nada tenían que ver con ella. Porque se podría afirmar que aquellos rostros fueron retratados exclusivamente para que Picasso la descubriera, la amara y la pintara. Y ya ninguna historia de aquellas existía, la multiplicidad de su rostro inventada por Man Ray se había evaporado. Nada podía existir, salvo en la intimidad de la memoria. Pensándolo mejor, ni siquiera en esa siniestra promiscuidad de los recuerdos. Nada existía mejor que en la obra en la que Picasso la había inmortalizado.

James gesticulaba con discreción, tierna sonrisa en los labios, como mismo hizo en aquella pequeña tienda del barrio parisino que compartían, cuando lo encontró por segunda vez en su vida.

La *boutique* se hallaba apenas iluminada. Ella se volteó con el paquete que recién había pagado y atinó a soltar una frase aburrida, bastante banal:

—Volvemos a vernos.

Y él respondió con otra peor:

—Qué sorpresa.

Lo absurdo de la frase no sonó tan ríspido ni fue tan inexpresivo como la locuacidad y la espontaneidad de su indiferencia.

Imitación de la intimidad de Dora, 1958.
Puente de los Suspiros

Pero para no recordar debería matarme.

Alrededor de las once de la noche, después de cenar, anuncié a James y a Bernard que iba a salir a dar un paseo. Quisieron acompañarme, pero les rogué, renuente, que me permitieran alejarme un rato, además, prefería que también ellos se ocuparan de sí mismos, que dieran un paseo a solas y se dijeran frases que correspondían a su intimidad, y disfrutaran de aquella ciudad a la que seguramente volverían, pero no olvidarían ningún detalle de la Venecia de aquel viaje, precisamente porque lo habían hecho conmigo.

Me dirigí hacia el puente de los Suspiros, que quedaba bastante cerca de donde estábamos alojados. El agua rielaba penumbrosa y aceitada por las miasmas que invaden la laguna. «Nunca podré darme un beso con mi enamorado debajo de este puente, ni pedir un deseo, tal como impone la leyenda», me dije, melancólica.

Al rato, tenía decidido que lo mejor sería lanzarme al canal y acabar de una vez con mi vida, pero pensé en mis amigos. Era una solución egoísta, ellos no se merecían sufrir semejante acto de ridiculez melodramático. Hasta para morir hay que ser atildado, y sobre todo muy educado y contenido. Pero ¿querría yo verdaderamente acabar con mi existencia?

«¿Qué harían ellos con mi cadáver en caso de que lo hallaran intacto?», me pregunté casi al borde de la carcajada.

Entonces sí que ellos jamás olvidarían aquella macabra estancia en Venecia.

Estaba condenada al pesaroso repercutir de los recuerdos, a seguir viviendo pendiente de sus goteantes latidos, cada vez menos espaciados, más estridentes y revulsivos. La mayoría de mis conocidos esperaba a que después de la huida de Picasso yo me suicidaría. Incluso Picasso sospechaba que lo haría. No lo hice, ni lo haría nunca. Por la sencilla e irónica razón de contradecirlos y no darle la satisfacción al pintor. Todos creerán que he sido una pobre desgraciada si lo hago. Pero el colmo de las desgracias es él, no yo. Porque nunca amó a nadie. No sabía amar.

Cuando me dejó, la parte de crueldad que invertía en machacarme la traspasó a su obra, ya de por sí cruel.

De súbito, una sombra acaparó mi atención. La oscuridad sobrevoló, o ésa fue la sensación que tuve, desde la esquina de una callejuela, pasando por borde del canal, hasta la balaustrada de piedra del puente donde yo me hallaba. Abrió los brazos, que se transformaron en dos inmensas alas blancas. Era un ángel, o un duende, pensé. Al salir de la penumbra, me di cuenta de que se trataba de un hombre vestido con esmoquin y unas inmensas alas azules ajustadas a la espalda, llevaba una máscara de lentejuelas blancas.

—¿Quién es usted, qué quiere de mí? —inquirí, firme.

—Voy disfrazado de Marlene Dietrich. Es carnaval. ¿No lo sabía?

—Pues no se parece mucho a Marlene Dietrich y usted miente, no estamos en carnavales —añadí, burlona.

—Sí, claro que me parezco a ella, en el esmoquin. Es el mismo que usó en la película *Marruecos*, he tenido que adelgazar tanto para poder ponérmelo... Pero no importa, no tiene ninguna importancia... Lo único que importa son las apariencias... —El hombre corrió a lo largo del muelle, fue alejándose de mí y desapareció por la puerta de un palacete moteado de una pintura color flamenco.

No puedo evocar la imagen de un ángel sin que me vengan a la mente Max Jacob y la época del Bateau-Lavoir en Montmartre, en el 13 de la rue Ravignan, donde habitaron y pintaron tantos artistas, donde la pobre Fernande Olivier, convertida en modelo, posó y amó a Picasso. Sin embargo, en la actualidad, la mayoría de las personas peregrinan al lugar como si aquel estrecho y elocuente sitio hubiera sido solamente el santuario-*atelier* de Picasso.

Allí, es cierto, Picasso vivió y trabajó, pero como uno más y junto a todos los que se fueron integrando con el único objetivo de crear y cambiar el sentido del arte. Allí, sin embargo, también inició un trayecto en apariencia ligero en su pintura: la época rosada. Para el hombre tosco y rudo que aparentaba ser Picasso, la época rosada significó la irrupción de un mundo intrépidamente femenino. Tal vez esto tuvo que ver con aquella mujer que apareció para hacer de él un sobrio macho ibérico: Fernande Olivier, quien lo inició verdaderamente, como un tipo indómito, trepidantemente brutal, que embestía como un toro, resoplando espumarajos, en extensos asaltos amorosos en grupos, en orgías, en los que ella relucía entre otras muchachas de vulgares atractivos.

Max Jacob era un ángel, un duende, Picasso tuvo razón cuando lo llamó de aquel modo, de repente tan poético que sonó sospechosamente evasivo en sus labios. Max amó al malagueño y el malagueño lo amó a él, sin ninguna duda, pero la constancia y la permanencia de Picasso sólo se daban en relación con las formas y los colores, quizá un poco más claras que con la amistad con el amor cuya turbiedad lo cegaba. Max Jacob lo condujo hasta allí cuando ya no pudo retenerlo más tiempo en su buhardilla.

Picasso tuvo miedo del amor de aquel ángel. Picasso tuvo miedo *tout court* del duende y ni siquiera consideró las consecuencias futuras de su miedo. Porque, aunque fuera un ángel, que lo era metafóricamente, Max Jacob fue, por encima de todo, un ser perecedero aunque líricamente inmortal, el poeta más grande, el duende lorquiano. Y no tenía por qué haber sido conducido al horror, a aquel umbral para deportados en Drancy con destino al campo de exterminio de Auschwitz, de donde pudo haber sido rescatado si uno de sus más antiguos amigos hubiera hecho algo real y rápido, y no solemnemente metafórico; desde donde no pudo volar, donde murió con las alas incineradas, torturado y enfermo.

Una tarde hablamos de Max Jacob. Rara vez Picasso lo hacía conmigo, evitaba mencionarme la desdicha y el sufrimiento que Max representaba en su existencia, creo que acerca de ese tema se franqueaba más con el solapado Sabartés. Y, en esa ocasión, evitó tocar el instante en que los gendarmes alemanes se llevaron a Max, prefirió continuar sublimando los viejos momentos en los que junto a él conoció a Guillaume Apollinaire y sobrevivieron en la más absoluta marginalidad, fumando opio y gastándose la juventud, que constituía entonces la mayor de sus riquezas.

Jaume Sabartés era un hombre bastante apagado, ya lo he dicho en alguna ocasión y lo subrayo. Sabartés se iluminaba exclusivamente cuando halagaba al Maestro y cuando el otro le regalaba uno de sus pocos agradecimientos. Su fiel Sabartés.

¿Qué pude aprender de la reacción de los demás ante ese elogiado Maestro? Picasso fue para mí también un gran maestro, pese a que yo, desde mis inicios como artista, ya pertenecía al surrealismo, a su lado entendí el auténtico misterio de la pintura, que es música y es literatura. Aprendí y estoy muy agradecida a aquellos que me despreciaban para incentivar en mí el ansia de ser cada vez mejor. Aunque, por otra parte, con su continuado maltrato hacia mi persona creyeran honrar a Picasso. Uno de ellos fue Sabartés.

Dejé la fotografía porque el Gran Genio así lo quiso, porque Picasso me lo insinuó imperativamente, como cuando daba una orden: eso o nada, eso o el abismo. Y así me lo propuso, porque, según él, quiso hacer de mí una gran artista. O la fotografía o la pintura. O la fotografía o Picasso. Personalmente, no sé si yo ya era una gran artista. Sí, tal vez lo era, es probable que lo fuera. Al menos otros lo creían, los demás pensaban que yo sí lo había sido antes de juntarme con él. Y uno de los que lo pensaba era Max Jacob. Sin embargo, lo que yo quería llegar a alcanzar realmente tenía que ver de manera justa y precisa con lo que Picasso quiso que yo alcanzara, con lo que soñó para mí.

Casi seguro que él me abandonó porque no cumplí sus expectativas. No produje el efecto creador, el ambiente de perseverancia en su entorno, que él esperaba de mí.

Mi mundo se desplomó la primera vez que lloré delante de Picasso por un motivo poco poético, entonces dejé de ser la amante, la madre, la compañera, para rebajarme a la mujer que llora. «Rebajarme» es un decir, en realidad él me sublimó imaginándome invariable y perdurablemente llorosa, o llorona.

A partir de ahí, la cadena de sucesos que mi persona le sugería estuvo relacionada con el llanto, nada le interesaba más que mi llanto y mi sangre, ni siquiera mi desnudez. Pronto empezó a desinteresarse por mi cuerpo, evitaba morder con roña mis puntiagudos senos como le gustaba hacer cuando nos conocimos, apartaba la vista ante mi pelvis abultada por aquellos vellos brillantes como el azabache, salvo cuando de aquel agujero de eternidad brotaba mi sangre menstrual.

Picasso ansiaba verme llorar una y otra vez, una y otra vez, sin fin; llanto y sangre, mis mejillas y el toro revolcado en la arena, agónico en los coágulos. Picasso escupía palabras como cuchillos, como dardos con la intención de dañarme, para retratarme incólume, para recrear la brusquedad del acontecimiento en el lienzo. Mis lágrimas se convirtieron en diamantes, y gustosa las obsequié tiempo después a todas las mujeres que él cortejó. Mis lágrimas empezaron a venderse mucho más caras que las joyas más cotizadas en las célebres tertulias parisinas y en los salones de todo el mundo.

La gente siempre estará dispuesta a pagar por el morbo. Todo lo que ha vendido la humanidad hasta ahora, enmascarado en arte, ha sido puro y pésimo morbo. Es la razón por la que huí de toda esa avaricia, que ya no quiero ni puedo llamar «arte». Es la verdadera razón de mi soledad, de mi abstinencia, de mi amargura, de mi viaje sin retorno a la adoración del dios de los innombrables, de un verdadero dios. Después de Picasso, sólo Dios. ¿Yo? No, yo ya no existo.

Conversaciones anheladas y un sueño con el pintor Jorge Camacho

Hará un año y medio visité a los pintores Jorge y Margarita Camacho. En aquel encuentro les conté que estaba escribiendo sobre Dora Maar y Picasso. Nos reímos mucho con algunas anécdotas de Picasso relacionadas con Wifredo Lam que Jorge Camacho recordaba. Yo estaba segura de que Picasso se había enamorado del mulato chino, endiabladamente brillante como artista y complejo como ser humano. Camacho reía a carcajadas, aunque estaba dudoso. Creo que fue una de mis mejores conversaciones con Camacho, pintor surrealista, de los primeros surrealistas, y de los últimos surrealistas. «Aunque el surrealismo sigue, no se acabará nunca», me recordó Margarita. Camacho sabía que la alquimia proviene de la risa y él sabía reírse como buen alquimista que fue toda su vida, y que es ahora en la muerte.

Varios meses después de aquel encuentro jocoso, Camacho enfermó. Lo visité dos o tres veces más. Más adelante, se deterioró demasiado y no toleraba ni siquiera las visitas de sus amigos. No deseaba que lo vieran en las condiciones en las que se hallaba. Margarita lo cuidó y mimó hasta el final y respetó su deseo de que no lo viéramos depauperado.

Camacho murió. La muerte de un amigo en este penoso exilio añade todavía más pavor a ese estado de delírium trémens que se ha apoderado de mí.

Me tomé tres pastillas y me puse a dormir. Cuando, en realidad, hubiera querido ponerme a morir, pero no tuve coraje.

Dora Maar, desnuda, me extendió un jabón.

Mi madre, desnuda, me entregó un albaricoque con su mano cuarteada y temblorosa.

Jorge Camacho, escondido detrás de los árboles de Los Pajares, asomó el rostro, sonrió, se alejó hacia una duna de sal, lejana, borrosa.

Desperté dos días más tarde, necesitaba beber agua, mucha agua. Tenía la garganta como encalada y los ojos pegados debido a una conjuntivitis aguda que contraje durmiendo.

Fui a la cocina, por el pasillo rocé el fantasma de la escritora Emilia Bernal, iba murmurando uno de sus versos. Por un instante, mis dedos atraparon los suyos, ella apretó fuertemente mi mano.

Nos miramos a los ojos, sonreímos atónitas.

Temprano por la mañana telefoneé a Miriam Gómez, a Londres, me comentó que seguía trabajando en la *Obra Completa* de su esposo, Guillermo Cabrera Infante, y que acababa de leer la traducción al rumano de *La ninfa inconstante*.

—¿Sabes rumano? —le pregunté.

—No, pero es muy fácil de leer. —Ésas son las respuestas geniales, excepcionales, de Miriam Gómez.

Colgué con Miriam, y fue entonces el escritor Juan Abreu quien me llamó desde Barcelona, quería que le enviara una foto, dijo que para pintarme. «Ya estoy muy vieja y muy fea para eso», le dije. Pero él insistió.

Padecía de un insomnio feroz. No tenía ganas de nada. Volví a los libros acerca de Dora Maar.

Desde hace años, por la noche, veo viejas películas americanas. «Es mejor que pagar a un *psy*», me aseguró Miriam Gómez. Que no quepa la menor duda. También cine viejo japonés.

A mediodía, invariablemente, me invadía la idea de que debía suicidarme, pero cinco minutos más tarde otra vez me inundaba un amor asqueroso por la vida. «Además, sólo se suicidan los escritores rabiosos», me decía, descorazonándome... O los valientes. ¿Soy una cobarde?

Empecé a leer otro libro sobre la historia del comunismo y de los totalitarismos, y nada, lo mismo de siempre. Ese dolor agudo que sentía en toda la cabeza y que se resistía a desencajar sus garras de mi cráneo se internaba en mis nervios.

Mamá volvió a aparecer, estaba enfadada, visiblemente disgustada porque yo no había ido a visitar su tumba al cementerio de Père Lachaise, porque no le había llevado flores en un día tan señalado, el de su cumpleaños, «ni una mandarina siquiera me has traído», protestó y mucho menos la rocié con ron, como a ella le gusta que la bañen, o sea, que bañen el mármol que le he colocado encima. Un mármol rosado que ha costado casi lo mismo que un apartamento en Miami. Pero mami siempre quiso una tumba ilustre, hubiera preferido el apartamento, como todo el mundo, pero Dios no lo quiso así. Dios o quien sea.

Así transcurrían las cosas con mi madre muerta. Y mi vida con Dora Maar... Nocturna y alborotada.

Mi vida con los amigos y con los espíritus.

Ayer almorcé con Laure de Graumont, en su casa, a pocos pasos del 29, rue d'Astorg.

¿Saben lo que hay en el 29, rue d'Astorg? Oficinas. De noche, penumbras y fantasmas. Bóvedas llenas de fajos de informes sin alma y espíritus errantes, desolados.

Me tomé otras tres pastillas, me ha dado por ahí, por tomar pastillas a escondidas, sólo así puedo resistir el día y dormir por la noche. Las mastico y las escupo. No las trago, sólo el jugo de la saliva con esa especie de cal que forma como un sedimento en el cielo de la boca.

Rehíce la biblioteca, pero de sólo contemplarla me puse a llorar. Todo se acabará muy rápido, todo morirá conmigo. Es una compleja manera de darme ánimos.

—¿Iremos pronto a orillas del lago? —preguntó el espíritu de Emilia Bernal la otra madrugada.

—No, Emilia, volveremos a la isla.

—¿A la isla? ¡Dios me libre! —Casi vomitó, y le dio un vahído que por nada se me derrumba.

—Sí, tienes razón, ¡Dios nos libre! —respondí, resignada, mientras la sostenía y abanicaba con un abanico de Dulce María Loynaz.

Se repuso y, ocultada tras un cortinaje, encendió una linterna, y al rato oí su voz quebrada al recitar o leer un poema que había escrito hacía más de medio siglo:

Oh, yo te haré una barca de mis sueños...

Oh, yo te haré una barca de mis sueños...,
ligera como un haz de mimbrecillos.
Te hará mi amor una canción de cuna
al golpe leve que le den las olas,
cuando a los besos del terral la noche
traiga a mecer la barca hacia la orilla.

—Soy una exiliada —musitó— sin remedio. Igual que tú.

Libre albedrío del sueño surrealista, abril de 2011

Los Pajares. Finca de Margarita y Jorge Camacho. Jorge va vestido de blanco, con un traje de lino, de blanco impecable, igual que cuando presentó a la cantante andaluza María Faraco, que interpretó boleros a lo flamenco en un tablao de Almonte.

Sin embargo, yo sabía que Jorge ya no estaba, que sólo había quedado su mano abierta, en el aire, diciéndonos «adiós», en una extraña fotocopia de un retrato que Margarita me había mostrado. El pintor había fallecido hacía muy poco.

Ricardo y yo pedimos agua, acabábamos de llegar de un largo viaje en coche, desde París hasta Los Pajares, y estábamos cansados y sedientos. Jorge nos habló de las maravillosas naranjas que daban Los Pajares. De repente, nos invitó a salir, o a entrar, depende de cómo se estudien los ángulos en esa arquitectura que es el limbo onírico, por una puerta que irradiaba una luz radiante.

Jorge Camacho se alejó, se fue perdiendo, a continuación, por la luminosidad que emanaba de aquella entrada, o salida.

Yo lo seguí primero con la mirada, luego fui tras él. Ricardo se quedó conversando con Margarita, que exprimía jugosas naranjas en la cocina.

Entonces, frente a mí, apareció uno de los paisajes más hermosos que he visto jamás: un campo repleto de naranjos espléndidos, todo el suelo regado por esas suculentas naranjas pulposas, olorosas y de unas tonalidades que iban desde lo dorado hasta un subido amarillo. Jorge me hacía señas para que le siguiera, mientras él avanzaba siempre delante, lentamente, entre aquellos naranjales. El cielo, de un azul suntuoso, brillaba, el sol lucía la forma de una toronja cortada por la mitad.

Al rato, Jorge se sentó en el suelo, con las piernas recogidas en posición budista, peló una de aquellas frutas con sus gruesos y jorobados dedos, deformados por los pinceles y resecos debido al aguarrás, y empezó a chuparla, mientras me echaba un discurso aristotélico, enlazaba con algunos fragmentos de *Lisístrata*, de Aristófanes, y remataba con la descripción de aquel rostro tan hermoso de *La dama del armiño*, de Leonardo da Vinci.

Dormía junto a un caballo, abrazada a su lustroso y grueso cuello, mi rostro sudaba hundido en la crin del animal. Su nombre era *Jade*. Estábamos acostados en medio del campo, yo vestía un pantalón ecuestre y botas de montar, una camisa blanca de manga larga y una chaqueta larga de cuero marrón. Hacía un frío cortante, amanecía y el sol apenas entibiaba el ambiente, y de la hierba fresca aún goteaba rocío. *Jade* suspiró hondo, relinchó y se levantó de un tirón.

Tardé en alcanzarle. Nos encontramos ambos, la bestia y yo, a orillas de un río.

Era un sueño en pasado que mutó, de repente, en presente.

Jade bebe sediento, se detiene, me mira, y casi podría decir que se alegra de volver a verme.

Es todo lo que tengo en el mundo: este caballo de crin y pelambre rojizos. Y por esa sensación de pertenencia absoluta, de propiedad humana, presiento que él y yo debemos iniciar un largo trayecto.

Jade mordisquea la hierba y, de vez en cuando, otea el paisaje.

Me quito la ropa y me zambullo en el agua cristalina. Está helada. Emerjo y corro un tramo para secar mi cuerpo con el aire. Me muero de frío. Vuelvo a vestirme de prisa. Desayuno unas almendras y unas manzanas que recojo del suelo.

Jade trota hacia mí, justo a mi lado, muy pegado a mi cuerpo, se contonea para que yo lo monte. Lo monto a pelo. El caballo emprende el camino, primero a paso lento, luego con una serena cabalgada. La elegante y calculada marcha culmina en una carrera frenética por una vasta e interminable foresta.

Finalmente, llegamos a un pueblo. Ese pueblo se transforma en calles estrechas. En una de esas calles hay un edificio bajo con un balcón. El balcón de mi madre. Allí está mamá, joven, tan hermosa, con su blusa blanca recién planchada y la falda negra que se ponía para ir a trabajar al restaurante La Estrella Oriental. Lleva la melena corta, y su rostro está limpio de maquillaje.

—Hija, por fin has regresado. ¿Y ese caballo? ¿Qué haces con un caballo?

—Es mío, mamá. Pensaba que era lo único que me quedaba, creía que te había perdido, pero veo que estás aquí, esperándome. ¡Tírame la llave, anda! —La frase que siempre le gritaba cuando llegaba de madrugada, después de trasnochar en fiestas juveniles.

—Las madres siempre parece que esperamos, pero a veces no sucede así... —asume y me lanza una llave mohosa.

La introduzco en la cerradura. Empujo la puerta chirriante. Subo los peldaños de la escalera de dos en dos. Me abre la puerta mi mejor amiga. Mamá ya está acostada. Le doy un beso. Está fría. El cuarto está impregnado de un aroma insoportable, el olor a antibióticos de la muerte.

Voy hacia la terraza. *Jade* no se ha movido de ahí, bajo la enramada, alguien le ha enganchado una desvencijada carreta de madera.

Regreso al cuarto, Ena me ayuda a cargar a mamá. La bajamos por la escalera. La coloco en la carreta. Ena sube junto a ella.

Hago una señal, un pequeño silbido se escapa de mis labios, y *Jade* comprende que debe echar a andar.

Y otra vez los cascos se oyen secos y lentos en el polvoriento camino; después, trotamos a mayor velocidad, y al rato, el trote se convierte en una desenfrenada carrera.

Se hace de noche, tupida, sin estrellas. No sé cómo he podido vivir tantas noches sin contemplar las estrellas en el firmamento.

Jade aminora la velocidad, vamos subiendo un peñasco. Me pesa todo el cuerpo, estoy tan cansada que me adormilo. Un estruendo me espabila, la carreta se ha soltado de las correas y se precipita por el barranco. *Jade* se da la vuelta y corre por el despeñadero en la dirección en la que ha caído la carreta.

Ahí, en medio de ese valle, me recuesto junto a mamá, tan tibia ahora. Soy yo la que tiembla, congelada, en este instante.

Mi mejor amiga se ha convertido en una pequeña niña perdida en el bosque con un conejo de peluche entre sus brazos.

El ojo negro de *Jade* se derrama en una marea oscura que inunda el valle.

El pintor hunde el dedo en el charco espeso y oscuro, dibuja la silueta de un caballo montado por una muchacha huérfana.

Las lágrimas bañan el rostro de la viajera.

El hombre se lavó las manos debajo del chorro de agua que salía del grifo del fregadero, se las restregó bien, las sacudió en el aire y se dio a la tarea de reorganizar minuciosamente los pinceles. Antes de darse la vuelta hacia nosotros, quedó prendado de una nueva figura que había aparecido en el desconchado de la pared. Le dio forma con la uña, descascarando un poco más la superficie, ahora parecía un insecto, una pequeña araña.

Vestía una camiseta blanca de algodón, pantalones anchos y hasta mitad de pierna, alpargatas blancas; era verano en París. En la habitación contigua con vistas al cuarto en que él se encontraba pintando, esperaban Paul Éluard, la Princesa de Leche, como él llamaba a la modelo, y Dora. El poeta observaba, sonriente, sentado en una silla, su sonrisa lasciva le demacraba el rostro.

El pintor dio varias vueltas en la estancia, abrió y cerró una ventana, volvió su rostro hacia la cama. Daba la impresión de que el cuerpo desnudo de Nush flotaba entre las sábanas; él amaba el rostro de Nush, pero no demasiado su cuerpo, prefería el de Dora, preciso en sus curvas, contorneado por el impudor. Tanagra bruta. Nush era toda huesos, un saco de huesos, cuando la abrazaba y caía encima de ella tenía la sensación de que la iba a desmontar, que iba a quedar impresa en los bordados del lino como un fósil en una piedra. Le costaba también pintar su cuerpo, no sabía por qué ángulo de su huesuda humanidad empezar, sin embargo su cara, precisa con aquellos afilados ángulos y hundimientos, evocaba la perfección. Se dirigió hacia ella. Nush entrecerró los parpados, pero él supuso que, en el fondo, estaba mirando a Paul y que Éluard la estaba estudiando a ella.

Extrajo con facilidad su sexo del interior del ancho pantalón, hacía tiempo que detestaba desnudarse, pero no le quedaba más remedio que hacerlo y deseaba que aquello terminara rápido. Él, a quien tanto le había atraído la lentitud ceremoniosa de la desnudez en otros tiempos y que antes abusaba de esos desnudos suyos tan frecuentes, sin ningún tipo de vergüenza, hoy sólo atinaba a sacarse el pene y empezó a masturbarse de manera presurosa. Éluard hizo un gesto, dio una orden, y Nush obedeció sentándose en la cama, con las piernas recogidas. Un segundo gesto de Paul, y ella, entonces, abrió las rodillas, mostrando la suave y dulce profundidad rosada entre sus muslos.

El pintor tomó a Dora de la mano, fue desvistiéndola, su traje negro resbaló por su cuerpo y cayó al suelo, ella salió del círculo del vestido tirado en el piso, lenta y precisa, primero un pie, luego el otro. No llevaba ropa interior. Sólo medias finas sostenidas con unos ligueros de encaje.

Dora desnuda, esencial y exuberante, ensanchada en el ojo del pintor, los senos firmes, pezones reventones y gruesos, vientre tímidamente abultado, muslos blancos y carnosos, rodillas marcadas, piernas rectas y torneadas, los tobillos cabían enlazados por la descomunal mano cerrada del pintor, los pies pequeños; al igual que las manos, que entraban hasta la mitad en la boca del hombre. Él la empujó delicadamente hacia Nush.

Ella besó los labios de la otra mujer, sabían a miel, a fresas; el pintor interrumpió el beso acariciando los senos de la Princesa de Leche, Dora contempló con los ojos vidriosos esa febril caricia. Picasso dirigió una mirada a Paul, el poeta la esquivó, ahora estaba concentrado en tocarse sus partes por encima del pantalón.

La fotógrafa se acostó al lado de Nush, y ambas juntaron sus cuerpos. Frotaron sus pubis y sus senos. Picasso apartó a Dora, besó los labios de Nush, para en seguida penetrarla con un pene potente y grueso, la mujer emitía ligeros quejidos de placer y, de vez en cuando, volvía la cabeza y detenía su perdida mirada en Paul: su centro de atención era él, su atracción primordial era Paul. Nada valía más que su universo, y el universo para ella se llamaba «Paul Éluard».

Dora se quedó aislada. Picasso no se ocupaba más que de Nush, Paul tampoco cuidaría de ella, jamás participaba de manera activa. El corazón de su amiga latía exclusivamente para el poeta. Picasso salió del sexo de Nush y buscó los pechos de la fotógrafa.

La mujer sintió el olor agrio del aliento del pintor encima de su cuello, pellizcó los pezones del hombre, él le golpeó los senos, ella se puso las manos encima para protegerlos, los ojos empantanados de llanto, sin embargo su mirada sostenía la del otro. La cara de Picasso fue transformándose en un hocico negro y peludo, el hocico del minotauro, sus manos se convirtieron en patas erizadas y velludas. El pene enhiesto y morado entró, entonces, una y otra vez en la vulva púrpura de ella, más y más, con mayor ímpetu, a mayor velocidad. El minotauro rugía. Dora jadeaba y sorbía, callada, las abundantes lágrimas que le rodaban por las mejillas. Nush se masturbaba mirándolos. Paul había acercado la silla al borde de la cama, pero, vacilante, no se decidía a integrarse.

El minotauro arremetía con descomunal y telúrica fuerza contra aquel hermoso cuerpo ondulado y mate. Dora empezó a emitir unos sonidos raros procedentes de su garganta, como mugidos, sin desviar las pupilas de las del hombre. El minotauro respiraba cada vez más intrincadamente, como si corriera perdido por un bosque, además, gritaba palabrotas en castellano. Dora empezó a sonreír, aunque lloriqueaba; sus senos bamboleantes excitaban compulsivamente al hombre. Dora estiró la mano y la colocó en el clítoris de Nush, empezó a masajear la pepita con frenesí. La delgada mujer revolcaba su esquelético cuerpo entre las sábanas, gemía con un cada vez menos tímido gozo.

Picasso se pegó más a Dora, deslizó sus brazos por debajo de su cuerpo y le agarró las nalgas, ella no cesaba de contonearse. Por fin, el hombre soltó un grito atronador y su monumental caja torácica se estremeció en extrañas convulsiones, tuvo una larga y abundante eyaculación dentro de Dora. Estuvo un rato encima de ella, luego se separó. La amante continuaba mirándolo seria y fijamente, el esbozo de sonrisa había desaparecido de su rostro. Se besaron en los labios, y él cayó del otro lado como un fardo pesado.

Dora y Nush continuaron besándose en los labios, acariciaron sus senos, entrelazaron sus muslos; por fin, ambas alcanzaban el orgasmo, con un suave y no menos pérfido regocijo.

Paul dejó de masturbarse, en el pantalón se advertía una gran mancha mojada con una aureola babosa.

Las dos mujeres se levantaron y se dirigieron a darse

un baño. Juntas, entraron en la antigua bañera de cobre. Paul se acostó al lado de Picasso.

El pintor se sintió incómodo con la presencia del poeta, pero no se movió. Al rato, ambos quedaron profundamente dormidos.

Afuera atardecía, la ola de calor marchitaba los rosales, y los geranios se doblaban moribundos en los tiestos que colgaban de los balconcillos.

Picasso se pasó la mano por su sudorosa frente, apretó las mandíbulas, pronunció varias palabras, rezongó y blasfemó —unas veces en castellano, otras en catalán—, aunque parecía profundamente dormido.

Mientras tanto, Nush y Dora secaban sus cuerpos, se vestían, peinaban sus cabellos y decidían a qué restaurante irían a cenar más tarde.

Dora estaba triste, no podía deslindar las razones. O tal vez podía intuirlas, aunque prefirió no comentarlas con su amiga. Éluard amaba a Nush, lo que no constituía un impedimento para que compartiera su mujer con Picasso. A Picasso le gustaban las mujeres de sus amigos, no tenía ningún tipo de escrúpulos a la hora de acostarse con ellas. De este modo, Marcelle, a quien él llamó Eva, que era la mujer del pintor Marcoussis, se acostó y vivió a su lado durante una temporada. A Alice Princet, la mujer de Derain, también la hizo su amante. Eva Govel murió de tuberculosis.

¿Picasso le era fiel? Dora no tenía siquiera la opción de la duda. No, no lo era ni lo sería nunca.

Por el contrario, Picasso no le habría tolerado una sola infidelidad, ni imaginarlo siquiera, nada sexual que pudiera suceder con hombres, aunque quizá sí con mujeres, ahora bien, estando él siempre presente y, por supuesto, muy implicado en la *partouze*, orgía.

Un rostro marítimo. Venecia, 1958

—Tiene usted los ojos más bellos que yo haya visto nunca.

El sujeto, vestido con un traje blanco impecable y sombrero panamá, zapatos a dos tonos, se sentó a su lado en el jardín de esa otra gran mecenas de la época, aparte de Marie-Laure de Noailles, Peggy Guggenheim. El hombre apareció sólo para susurrarle esa frase al oído. Ella sonrió, afable. Él musitó de nuevo el piropo, y ella acentuó el mohín afable de la sonrisa una segunda vez. El desconocido advirtió que ese gesto comedido iba a ser el único resultado que iba a obtener con su intento seductor, así que se incorporó, caminó hacia la escultura de Henri Moore, dio la vuelta y observó a la mujer a través del agujero desde el centro del bronce, para alejarse, luego, decepcionado.

Dora también echó a andar.

Buscó a los dos hombres que la acompañaban, se habían perdido en el interior de la casa, hubiera deseado que ambos constataran que todavía, a pesar de su madura edad, podía atraer y conquistar buenos mozos, incluso a los de una holgada posición, lo que se notaba en el vestir y en las maneras educadas de aquel fugaz e intruso cortejador. No obstante, cada vez que un hombre se le insinuaba, no podía evitar acordarse de Picasso.

¿Había conquistado ella a Picasso? Sí, los primeros años fueron pese a los compromisos con las otras mujeres maravillosos, hasta que se propuso fotografiar el gran acontecimiento pictórico, social y político: *Guernica*. Sin decírselo, Picasso nunca le perdonaría el reportaje fotográfico que hizo de esa obra, aun cuando le debía muchísimo a sus consejos y a su experiencia surrealista como fotógrafa y pintora. El primer reportaje fotográfico de una obra de arte que vio la luz fue el que Dora hizo de la magna obra del malagueño, pero a él, aquel delicado detalle, ¡bah!, ¡qué le importaba! Más bien le perjudicaba, porque en el reportaje se podían apreciar sus vacilaciones, los errores en los que según él reincidía, lo que a juicio de los demás valorizaría aún más la obra, pero que a sus ojos sólo lo hacía sentirse ridículo y extraviado dentro de sus propias dudas. Aun cuando saber adónde ir era su verdadero móvil para ampararse de la búsqueda y hallar, encontrar siempre.

Por otro lado, ¿habría conquistado ella a James Lord? No podía saberlo, nada le confirmaba que se trataba de una conquista amorosa real. James vivía poseído por una fascinación erótica y homosexual por el pintor, estaba más que claro que esa obsesión carcomía sus sentidos. Ella había decidido, desde hacía poco tiempo, encargarse de la educación y refinamiento del joven norteamericano, al que había que iniciar en un exigente protocolo artístico parisino, nada concordante con el de un pueblito como Englewood, en New Jersey, de donde era oriundo James.

Y en cierta manera, esto la convertía en *dominatrice* circunstancial, porque para colmo sólo era considerada *maitresse* platónica dada la situación de la relación en la que tanto había empezado a invertir.

Y, mucho después, como novedad, apareció Bernard... Con Bernard era innegable que los progresos de encantamiento demoraron en llegar, pero cuando lo hicieron se iniciaron con respeto y estabilidad. En un brevísimo período tiempo, habían compaginado a la perfección sus sentimientos y sus gustos, pero a ella Bernard no le interesaba más que como amigo o más bien relación pasajera. La amistad profunda podía resultar más comprometedora que una aventura amorosa, y todavía más dependiente e inconfortable; y ya ella había hecho suyo aquel sabio dicho de que «el buey solo bien se lame», mejor solo que mal acompañado.

Dora se levantó y paseó por el jardín. Precisamente, fue Bernard quien acudió a ella. La acompañó en silencio, él siempre tan curioso y hablador, parecía acongojado. La tarde se tornó plomiza e hizo un viento de agua bastante agradable. Los ojos de Dora también se aplomaron.

—¿Dónde has dejado a James?

—Se encuentra tomando notas sobre un cuadro de Juan Gris... —mintió Bernard. En verdad, James se había quedado conversando con unas jóvenes de la alta sociedad veneciana que acababan de presentarle y a las que ya había invitado a viajar a París, algo de lo que Bernard había sido testigo y que encontraba absolutamente ridículo.

—Oh, Juan Gris... Picasso no lo soportaba, hizo todo lo que pudo para destrozarlo... —Dora observó, atenta, unas aves que surcaron el cielo—. Como un ave de rapiña... Sí, él podría ser un águila, una tiñosa, podría hundir sus garras, picotear hasta que la sangre brotase... Se portó mal con Braque, lo llamaba Madame Braque, se burlaba constantemente de él, todavía se jacta diciendo que «Braque fue la mujer que más me amó». Y Braque se vengaba afirmando que Picasso «antes era un gran artista, pero ahora es sólo un genio». En el fondo se adoraban.

Bernard rió a carcajadas.

—¿Por qué hablas siempre de él, de ellos, como de un pasado remoto?

Dora lo miró, extrañada.

—Tal vez porque ya me he situado en el futuro.

Otra risa franca de Bernard hizo que los pajarillos de una arboleda cercana remontaran vuelo.

—¿Sabes en qué año Max Jacob conoció a Picasso? En 1901, en su primera exposición en la galería de Ambroise Vollard. Picasso siempre se creyó poeta, y fue Jacob quien le abrió las puertas de la poesía francesa. Al año siguiente, y a pesar de la pobreza que el poeta debía asumir solo, Picasso se metió en su cuarto de criada de la rue Voltaire. Max Jacob le dio hasta su cama. Picasso pintaba de noche y dormía de día. Max, a la inversa. Allí se quedó dos años. Hasta que el poeta consiguió el *atelier* de Montmartre, en el 13 de la rue Ravignan, para ese grupo de pintores que andaban como indigentes. André Salmon y Max Jacob fueron los que lo bautizaron como Le Bateau-Lavoir.

—Max lo amó de verdad... a Picasso —comentó Bernard.

—Claro que sí, para estar cerca de Picasso se mudó a un tugurio en el número 7 de la misma calle, situado en el fondo de un patio. Allí, Max pasó una miseria inimaginable, y allí también, en uno de esos muros, se le apareció el rostro de Dios. Años más tarde, en 1915, el poeta judío le pidió a Picasso que fuera su padrino de bautismo y se convirtió a la religión católica. Después de la muerte de Max Jacob, algunos amigos le hicimos un servicio religioso en la iglesia de Saint-Roch, Picasso se quedó fuera, no quiso entrar. Él nunca ha querido tener nada que ver con la muerte.

—¿Y qué es *Guernica*?

—Todo, menos la muerte.

—¿La guerra? —inquirió, perplejo.

—La guerra, la vida. Pero jamás la muerte.

De súbito, a ella le pareció oír la risa de Picasso, aquella risotada relinchona que soltaba en los sitios más inesperados. Hubo una época en la que el artista bebía mucho vino y Anís del Mono, fumaba hachís a todas horas y se despatarraba de la risa por cualquier tontería, con unas carcajadas estruendosas, hasta que el cuello de toro se le hinchaba y la acidez lo hacía llorar, pero de dolor agudo, y el aliento le olía a vómito.

En una ocasión vomitó sangre, cogió un pincel y, ni corto ni perezoso, empezó a pintar en un lienzo, con su propia sangre y los grumos devueltos de su estómago, la cara de un Cristo que se confundía con la imagen de Max Jacob.

—¿Sabías que Max Jacob vio a Cristo en una mancha en la pared o te acabas de enterar por mí?

—Algo sabía —musitó Bernard.

—Aconteció el 7 de junio de 1909, justo cuando quiso convertirse del judaísmo al catolicismo. Picasso en seguida aceptó ser el padrino... Los comunistas terminan siempre aferrándose a Dios, y Picasso no podía ser menos.

Bernard hizo ademán de interesarse más en esa historia que ella contaba de manera resuelta, caminaba pegado a ella, arrobado con su voz. Dora llevaba un pañuelo de seda en una mano y cuando gesticulaba, éste flotaba entre su rostro y el hombro de Bernard.

—Yo también empecé a querer a Dios, igual que Max, y empecé a tener fe a través de la astrología... Sí, yo he seguido el mismo camino que siguió Max Jacob... No hay nada más parecido a un cuadro de Picasso que una carta astral, fe, creencia, ciencia, poesía...

Bernard divisó a James a lo lejos, junto a un árbol, conversaba con un tipo bastante apuesto. El joven le entregó un pequeño papel en el que había anotado algo.

—¿Qué se siente al ser, para la eternidad, la *maîtresse* de Picasso? —preguntó el hombre con los labios temblorosos, sin variar la vista del lugar donde su amigo intercambiaba miradas más que amistosas con aquel nuevo desconocido.

—Te reitero que yo no fui la *maîtresse* de Picasso, él fue *mon maître* —contestó ella con un admirable juego de palabras, *maîtresse* es «amante» o «querida» y «dominadora» en francés, *maître* quiere decir «maestro» o «dominador». *Domador de fiera furiosa en una feria.* Ahora fue ella quien rió ante aquel trabalenguas que se le acababa de ocurrir.

La figura alta y desgarbada se detuvo, bajó los párpados, los ojos de Bernard se clavaron en los de ella. Se dio cuenta de que estaba ante el más enigmático de los rostros: un rostro marítimo. El de una mujer de mediana edad, por el que han pasado varias marejadas y en el que las únicas huellas que ha dejado el paso de la tormenta son las de las lágrimas derramadas a solas, como minúsculos riachuelos surgidos de aquellos manantiales que marcaron la carne: ojos cuyas pestañas daban la impresión de estar siempre húmedas, brillantes. Sola, inmaculada, pintada y borrada por el mismo artista que la creó como obra de arte mayor.

—¿No hubo manera de escapar de él? —inquirió el acompañante.

Dora cayó en la cuenta de que había algo que disgustaba a Bernard, por fin descubrió la causa de su incomodidad: James departía con un extraño, muy vigoroso y atractivo.

—No, Bernard, nadie escapa de Picasso, jamás. Nadie puede resistírsele. Nadie se atrevería a atacarlo tampoco. Su leyenda, su «magia negra», lo protegerán siempre.

Ella lo agarró por el brazo, como apartándolo para susurrarle un secreto:

—No te atormentes, es un consejo de amiga que te doy, no vale de nada atormentarse...

La mujer deslizó el pañuelo alrededor de su cuello, se colgó del brazo del hombre.

Desde lejos, James advirtió la presencia de ambos, se despidió del joven y acudió en dirección a sus amigos.

Empezó a lloviznar, avanzaron apresuradamente por las callejuelas, la ventisca despeinó a la mujer, y las ráfagas de lluvia azotaron sus cuerpos, en menos de diez minutos arreció un torrencial aguacero. Corrieron a refugiarse dentro de la iglesia de San Gregorio.

Bernard se quedó algo rezagado mientras los otros dos exploraban el interior del templo, extrajo un pequeño cuaderno y anotó:

Dora Maar es una gran mujer incomprendida. Ningún hombre ha sabido quererla como se merece. James tal vez sepa más de ella que ella misma, porque es ducho en calcular obras de alto valor, y Dora lo es, pero él tampoco podrá acompañarla hasta el final. No está preparado para semejante empresa. Ella está sola y lo estará. Picasso la convirtió en una irremediable solitaria. No me extrañaría que terminara mal sus días, loca o beata, encerrada en un manicomio o en un convento. Si es que en el segundo se arriesgan a aceptarla. Tal vez no llegue a... No, ella no es de las que se suicidan.

Empezó a lloviznar, retumbaron los truenos en los tejados y las cúpulas, y el viento rechifló al colarse por las grietas de los vitrales.

Dora se arrodilló frente al altar, parecía que rezaba.

Nada, nadie. Venecia, 1958

Quisiera pensar que lo que nos contaminó fue la política, las malas compañías relacionadas con la política y la dependencia a una ideología; esa *idea fija* de devenir *ideólogos*. Puede que, además, hayamos sido bastante pueriles, víctimas del ansia de mostrarnos públicamente, no como amantes, más bien como cómplices, pese a la vida tan compleja que llevaba Picasso, y de añorar más tarde, bastante tarde, la posibilidad de huir despavoridos.

Picasso no podía aceptar críticas de ningún tipo, yo lo criticaba a menudo, y eso lo ponía de muy mal humor. Salvo de la papisa, la escritora Gertrude Stein, no toleraba críticas de nadie más. Ella, la *mamma* de todos los artistas y escritores en boga de la llamada «época loca», era la que estaba mejor situada para ubicarlos: los relegaba a las alcantarillas o los encumbraba en los pedestales que les correspondían, según el nivel de cada uno de ellos. Manejaba muy bien a Ernest Hemingway, a su antojo, y a Picasso le hacía bromas y carantoñas, o lo reprendía, en función de su estado de ánimo. Podría afirmar, sin temor a equivocarme, que Stein era sumamente

voluble. Ella podía darse el lujo de desdeñar su genialidad, ¡la genialidad del Gran Genio!, y de llamarlo «mal
poeta» delante de los demás, de humillarlo con todas las
letras cuando a Picasso le dio por escribir, más que escribir. Le dio por juntar versos salidos del dolor y el desengaño amoroso, sobre todo cuando, aliviado entonces de
la extrema fatiga que le proporcionó Olga Kokhlova, su
primera mujer, la madre de Paulo, el primogénito, pudo
ponerse a escribir.

—No has sufrido lo necesario —afirmó Gertrude
Stein—, o los versos que escribes no son lo suficientemente
buenos como para que podamos creer en tu padecimiento
amoroso. No se puede pintar como Picasso y escribir como
un Pablo cualquiera —soltó a bocajarro la renombrada escritora, la inconmensurable papisa de verbo como un lá-
tigo—. La bailarina rusa no es digna de tu inspiración, o tú
no eres digno del sufrimiento que ella te ha aportado, o ni
siquiera esa mujer ha podido causarte tal padecimiento
que te escarmiente como esposo y te engrandezca como
poeta.

Gertrude Stein no se anduvo por las ramas.

En efecto, Olga no le dio nada a Picasso, ni siquiera
un pesar digno de la majestuosidad de su obra, tampoco
sus formas le inspiraron ni una sola pincelada que valiera la pena; como modelo fue harto convencional, algo
que él mismo comentaba irritado.

Todo lo convencional que puede llegar a ser una bailarina de clásico que no confía en sus posibilidades y que
a lo único que aspira como artista es a no romper moldes.
Lo que nos pedía Picasso a las mujeres era que renunciá-
ramos a ser convencionales, que nos esforzáramos y reba-
sáramos los límites, que dejáramos de ser mujeres y nos

convirtiéramos en pintura, en imperecederas obras de arte, en niñas surrealistas. Teníamos que bailar descalzas para él encima de las rocas puntiagudas, mientras nos heríamos salvajemente los pies. Le facilitábamos el trabajo al verdugo.

—Olga es nadie. Fue convirtiéndose en nadie, poco a poco se desdibujó. Tengo pavor de personas como ella, de los *nadies* que podrían invadir el planeta, ningunearlo, socavarlo —murmuró, desvanecido en mis brazos, una tarde en la que, sentados en un banco de los Jardines de Luxemburgo, se propuso desvelarme aspectos sombríos de sus relaciones con las mujeres. De la única que no habló fue de Marie-Thérèse Walter, *la Vestal maternal.*

Ventisca cuadriculada en el cuaderno

Escampó de improviso. Bernard dejó de escribir en su cuaderno y se dirigió, agobiado, en busca de James. Ambos me esperaron en la salida de la iglesia, bajo el dintel de aquel sólido y vetusto portón. Me hubiera gustado no tener que abandonar nunca ese sitio, pues hacía años que no encontraba la paz como la encontré en ese lugar.

Volvimos a caminar los tres juntos, empezaba a tomarle el gusto a andar a su lado, en medio de los dos. Un vapor salitroso ascendía desde los muelles; la mezcla del agua de lluvia con la de los canales avivó un aroma ilegítimo, como a arándanos machacados, y mis sentidos se diluyeron en la vaguedad húmeda del atardecer.

Más tarde, Bernard y James prefirieron regresar al hotel con la excusa de que necesitaban organizar su tiempo. En realidad sospeché que ansiaban encontrarse a solas, besarse deseosos, amarse y prodigarse en arrumacos. Lo había adivinado en sus ojos, en las miradas que se lanzaban, miradas que me excluían.

Pero supongamos que fuera verdad, que necesitaran planificar su tiempo y cuadricular las horas en una agenda, en esa pequeña agenda de tapas azules de Bernard, ¿qué sentido tiene?

Eso ya no va conmigo. Hace mucho que dispongo de todo el tiempo del mundo, que no claudico fácilmente ante el aburrimiento cotidiano, que no me interesa encuadrar mi vida en parcelas dibujadas, encajonar mi existencia en páginas divididas por rayas horizontales y verticales que se entrecruzan, y cuyo único objetivo sería impulsarme en una absurda e irreparable cosmología hacia el fin.

De cualquier modo, si hay algo que se nos escapa verdaderamente de las manos es la vida, el tiempo que le dedicamos, por eso deberíamos, al menos, fingir que esa obsesión por la organización sólo nos atormenta lo imprescindible. Por mucho que insistamos en llenar nuestras existencias de contenido, nos vaciaremos igualmente en el nefasto o liberador minuto final de la muerte.

Bordeé el muelle, las ondulaciones del agua veneciana evocaron en mí aquel paseo por la orilla de la playa en el sur de Francia, por primera vez junto a Picasso.

Hablábamos en castellano, él con un incontenible acento andaluz, que cuando quería lo enfatizaba más de lo habitual, y yo me manejaba con mi rezongón acento argentino. A veces, le otorgaba más zetas de lo acostumbrado a mi forma de pronunciar, lo que sacaba de quicio a Picasso porque pensaba que me mofaba de él.

Durante aquel paseo, supe ligeramente de la existencia de Marie-Thérèse y de la pequeña Maya, una niña sangrona, pesada, y demasiado madura para su edad, que con los años ganó en espiritualidad. De Olga y de su primer hijo todos estábamos enterados. Digo «ligeramente» porque él, más que contar, precisar y poner las cartas sobre la mesa, divagaba y monologaba. Además, para ser sincera, yo quería saber más bien poco acerca de semejante enredo, quería alejarme al máximo de aquel rebumbio.

No ansiaba conocer absolutamente nada de ellas, mucho menos desmenuzar los enredos de nadie y menos aún destripar o deshilachar las bien tejidas historietas de la retahíla de amores que había tenido este hombre, que se jactaba dándoselas de sultán, orgulloso de su harén bien repleto de féminas vehementes y adoradoras. Lo único que ocupaba mi entera atención era él, su genialidad, su trabajo y su forma de expresar su amor, tan poco romántica, aunque profundamente idílica y apasionada en medio de la tosquedad que lo caracterizaba. Yo era su sultana, o la noble capataz del harén. Al menos, eso me hizo creer durante un tiempo.

En pocas ocasiones como aquella vez al borde de la playa, en el sur de Francia, fui tan consciente de lo que yo buscaba, de lo que hallaba en la personalidad del pintor: ese hombre trituraba lo que para mí significaba entregarse de forma ciega, total e irrepetible a otra persona; me cambiaba en todos los sentidos, hacía de mí otra persona. Yo me rendía, sumisa, a sus pies. Y suponía que ésa era la idea que los demás, esos a los que yo admiraba y a los que me empeñaba en imitar, los surrealistas (yo incluida), poseían del gran amor artístico.

Si bien es cierto que deseaba ser moldeada por Picasso en el terreno del amor, en el de las ideas apreciaba demasiado mi independencia.

Después de unos primeros meses de convivencia interrumpida, se instaló entre nosotros el factor político, tan de moda entre el grupo surrealista. Fui yo una de las que lo introdujo, debo confesarlo, tal vez me dejé llevar por las ganas que tenía de que me tomara por una mujer analítica, inteligente, firme en mis convicciones, armada con un pensamiento. Lo que ignoraba era que Picasso detestaba la política y, muy en el fondo, a las mujeres pensantes. Fue culpa mía, lo reitero, fui yo quien lo introdujo en la encrucijada de las ideologías. Antes de que yo apareciera en su vida, sólo había coqueteado vanidosamente con los comunistas, pero rechazaba de plano toda vinculación comprometida con cualquier ideología.

Otros antes que yo testimoniaron cómo rehuía firmar cualquier documento que lo enredara o vinculara con decisiones de carácter político. Unas veces, se enroñaba enfurecido contra aquellas demandas comprometidas que le hacían de pintar tal o más cual tontería a favor de la causa. «¿Causa, qué causa?», musitaba, enfadado, con el pincel entre los dientes. Su causa era el arte, su batalla la pintura, rezongaba. ¿Decidir en política? Estaba incapacitado.

No puedo evitar reír al recordar aquella imagen de Picasso imitando a Hitler, burlándose de él con un cepillo negro a modo de mostacho. Sucedió a la orilla de la playa, durante nuestras primeras vacaciones, en el mismo instante en que estallaba la guerra civil española. No éramos los únicos que echábamos mano del humor para afrontar la incertidumbre de lo que se nos avecinaba, el horror que apenas podíamos sospechar que nos tocaría vivir. El humor, la risa, nos aliviaba y, al mismo tiempo, nos alejaba del tema. Unos meses más tarde, supimos del asesinato de un poeta y dramaturgo cuyo nombre por aquel entonces ya significaba mucho para Picasso y para mí: Federico García Lorca.

Empezamos a temer lo peor, la nada, la nada traicionera y baldía. Temíamos que por el mundo se expandiera un ejército compuesto por soldados sin nombre, *nadies, nadies, nadies*, marchando desaforados en una sociedad en la que ganara el hastío, la soberbia, el terror: el Imperio de la Nada. Morir desasosegados en un mundo vencido por el sosiego.

Sin embargo, Picasso supo desdoblarse como nadie y en público afirmaba: «El comunismo representa un ideal en el que creo. Pienso que el comunismo aspira al cumplimiento de ese ideal.»

No obstante, lo que expresara con palabras o a través de la pintura no valía demasiado para los ideólogos fanáticos. Le encargaron un retrato de Stalin, y él lo pintó inspirándose en una imagen de juventud, de cuando el líder soviético no era nadie o era bien poco. Se armó un lío enorme. La embajada soviética consideró que aquel retrato era inadmisible. Lo que le cayó encima fue el Armagedón: se convirtió en el punto de mira de los *ultraconservadores comunistas*. Picasso se limitó a callarse, por cobarde. En el fondo, no era más que un cobarde. El único cobarde del que se ha escrito mucho.

¿Cómo pudimos sobrevivir a todo eso en el París ocupado? Pues como la mayoría: dedicándonos al arte con discreción, escondidos como ratas y cobijados bajo el poder del Gran Genio, al que todos cortejaban, absolutamente todos, incluido el enemigo, aunque a su manera. Eso sí, el enemigo respetaba a Picasso. Y todavía nadie puede explicárselo. Como todavía no nos podemos explicar por qué el enemigo respetó a tantos artistas e intelectuales. Tal vez porque necesitaban divertirse, y esa diversión sólo podían hallarla en los círculos parisinos de moda.

El cuaderno de tapas marrón de Bernard

James me irrita constantemente. No consigo que entienda a Dora. Para colmo, a veces la maltrata, su conducta es cuando menos cínica y poco amable. No es culpa suya, lo sé. Dora es una mujer abatida, aunque vanidosa, y a veces habla demasiado y, otras, otras pues se hunde en el silencio. Pero él no debería comportarse de forma tan ruda con ella. Ya sé que Picasso la trataba peor, no lo ignoro, pero él era el Maestro, el Dios, el Gran Genio. ¿Qué somos nosotros? Nada, nadie. Tal vez exagero, pero cada vez va ganando terreno esa nada sulfurosa que todo lo corroe.

No, no es justo. No somos perfectos. Dora tampoco. Nosotros menos. Y no pretendemos una amistad perfecta.

Hoy, mientras tomábamos un helado de *fragola*, Dora me contó aquel episodio de cuando se mudaron cerca el uno del otro, Picasso en el 7 del quai de Grands Augustins, y ella en el 6 de la rue de Savoie. Se le iluminaba tristemente el rostro mientras me describía los espacios en los que creía que iba a ser feliz. Resulta extraño que una mujer como Dora aspirara a ser sencillamente feliz junto a un hombre como Picasso, y cuando se lo comenté respondió que ella supo serlo, por instantes, y no de una manera convencional. Todo depende del modo en que uno espera que sea la felicidad. En diez años, tal vez haya vivido una veintena de momentos felices. Ella no creía en la idealidad banal de ser feliz, «serlo es demasiado vano», subrayó, jugando con las palabras *banalité* y *vanité*. «Banalidad» y «vanidad». Trastabilló, tartamudeó. Una respuesta evasiva y un comportamiento sórdido, por supuesto, a mí, que le brindaba mi apoyo sincero. «Picasso era muy valiente», dice. Para luego tratarlo de todo lo contrario. ¡Está loca!

Bastante se ha escrito sobre las circunstancias que hicieron que Picasso abandonara el apartamento de la calle de La Boétie, aunque ya hacía rato que se encontraba deshabitado y descuidado, casi en ruinas, a causa de la inestabilidad del pintor y de su renuncia a continuar viviendo en un lugar donde, aseguraba, había sido tan sometido e incomprendido por Olga. Aquel apartamento le recordaba excesos y mundanidades a las que tuvo que doblegarse inducido por la esposa rusa, según me contó Dora. Sin embargo, lo cierto es que Picasso también había disfrutado de esas banalidades y vanidades, aunque también es verdad que la fastuosidad y la fatuidad lo aburrieron muy temprano.

Pasada la primera época de bonanza de aquel matrimonio, empezó a añorar un lugar donde pudiera vivir como lo que era, ¡un artista! Pretendía regresar a los tiempos de la bohemia, de los amigos poetas y pintores, a las noches en que entablaban extensas polémicas sobre arte y pintura.

Dora encontró aquellas dos direcciones muy adecuadas al nuevo capricho de su amante. En aquella época Picasso había roto con Jaume Sabartés, las chismorrerías —según él— del secretario lo tenían harto, pasaba el rato dándole a la sin hueso, que si Picasso maltrataba a las mujeres, que si era tacaño, que si se había comportado lamentable y cruelmente con las personas que lo veneraban... «El Maestro», como él lo llamaba en tono servil, terminó por alejarlo de su vida durante una larga temporada, y Dora aprovechó y tomó el mando de la situación.

En el 7 del muelle de Grands Augustins se produjeron una serie de coincidencias que además de sobrealimentar el ego de Picasso, lo cubrieron de un enfermizo regocijo y de un altísimo orgullo. No sólo el dramaturgo y actor Jean-Louis Barrault, protagonista posteriormente, en 1945, de la película de Marcel Carné *Les enfants du paradis*, junto a Arletty, había usado el espacio para ensayar sus obras, sino que también el célebre grupo Contre-Attaque debatía sobre el surrealismo al servicio de la revolución, entre otras ideas políticas. Y en la esquina de enfrente, Luis XIII de Francia, al que llamaron el Justo, había sido entronado en 1610, a la edad de nueve años, bajo la regencia de su madre, María de Médicis, después de que su padre, Enrique IV, muriera asesinado a manos de un católico fanático.

Durante las reuniones de Contre-Attaque, en aquel mismo inmueble, se encontraron Remedios Varo acompañada de Benjamin Péret y Dora Maar con Georges Bataille. Allí conocieron a la escritora y etnóloga cubana Lydia Cabrera, quien no apreció en absoluto aquellas irresponsabilidades, o veleidades, de sus colegas abiertamente comunistas. Tampoco Remedios Varo quiso saber demasiado sobre el surrealismo relacionado con la política, y mucho menos sobre ideología, pese a que ella era antifranquista y antifascista, y había sido perseguida y apresada por ello en Francia. Tampoco Lydia Cabrera tuvo nada que ver con el fascismo, y mucho menos con el comunismo.

Para colmo de buenos augurios —según Picasso—, el edificio había servido de inspiración a Honoré de Balzac para escribir el cuento *La obra maestra desconocida*, datado de 1832. Curiosamente, este cuento de Balzac tenía mucho que ver con lo que estaba sucediendo en el ámbito artístico en la época en que Picasso se mudó al edificio. El relato anticipaba una verdadera revolución en el arte, y no en la sociedad, como se pensaba. Se creía que el arte originaría revueltas sociales con encendidos mensajes políticos que animarían a las masas a tomar el poder (realismo socialista a pulso surgido en la Unión Soviética). Picasso despreciaba cualquier mensaje en el arte; ahora bien, el mayor revolucionario en dicha disciplina, sin duda alguna, fue él.

Se trataba de un cuento que ya entonces podía considerarse premonitorio, sobre todo porque en uno de los pisos del edificio que aparece en la historia, viviría nada más y nada menos quien cambiaría profundamente la naturaleza mundial del arte, y haría suya una frase recurrente en la obra narrativa de Balzac: aquella que manifiesta que el arte no debería tener como misión copiar la naturaleza, sino expresarla o interpretarla.

Más adelante, Picasso ilustró aquella pequeña joya literaria con una serie de aguafuertes. Ése era el tipo de vivencia oblicua —como diría el escritor y ensayista cubano José Lezama Lima— que hacía vibrar al genio y multiplicaba en él, más que la fuerza de su ego, como he expresado antes, su impulso vital, su fuerza misteriosamente arrolladora, concebida en exclusiva para crear.

Anoto los pensamientos y las evocaciones de Dora Maar en este cuaderno marrón porque algún día serán útiles, tal vez para mí, para escribir sobre ella, o para escribir sobre este viaje, breve aunque intenso, en el que he aprendido a escucharla y a interpretar sus cambios drásticos de humor.

No lo sé, no tengo mucha claridad en cuanto a estas anotaciones. Ni siquiera podría ambicionar un futuro prestigioso; nadie apostaría porque yo llegue a ser un renombrado escritor. En el cuaderno de tapas azules escribo sobre James y yo, a veces sobre los tres.

Me he puesto a cavilar con sensatez, ¿quién de nosotros habrá ganado más con este viaje? Para Dora, tanto James como yo no significamos mucho más que agua de borrajas, no le hemos aportado nada esencial de manera que pueda envejecer con alguna suerte de distinción que dependa de nuestra presencia, y no la hemos marcado con ninguna huella imborrable e imperecedera proveniente de nuestro intelecto. El único que pudo transformarla fue Picasso. No tenemos ninguna opción frente a esa devastadora realidad.

James ya la conocía, y a sus subidas y bajadas también. Es posible que, de tanto frecuentarla, en la actualidad haya perdido un poco de interés en ella. Tampoco el hecho de hacer este viaje con Dora le supondrá nada asombrosamente profundo y privilegiado en su vida. A estas alturas, sospecho que se aburre más con ella que con cualquier otra persona. Resulta evidente su fingido gesto entretenido o, por el contrario, el mohín de pereza que muestra al oírla narrar sus anécdotas, del pasado en las que el monotema lleva nombre y apellido: Pablo Picasso. Sin embargo, la soporta, porque James no quisiera renunciar al hecho de haber sido alguien importante en su vida, en la vida de ambos, de Picasso, de Dora.

Sin duda alguna, soy yo quien ha ganado con este viaje: he conocido un poco más a la mujer, he podido retenerla en mis brazos. Imaginaba a una señora rígida, adusta, soberbia, y debo confesar que me equivoqué, que fui injusto. Hay personas que nacieron para que todas las injusticias confluyan en la apreciación que se tiene de ellas.

Ahora ya estoy perdido, no podré olvidarla jamás. ¿Cómo podría, si ella ha visto en mí lo que nadie vio nunca: mi aspiración a llegar a ser un gran hombre de letras? Y la ha entendido.

James. Paseo en góndola desde la esencia del olvido

La barcaza lo esperó justo en el sitio en el que había quedado con el gondolero en recogerlo. Quiso dar un paseo en solitario y regresar en góndola a donde se había dado cita con sus amigos, en un restaurante próximo al teatro de La Fenice, en la Madonna, un lugar refinado, exquisito, que Le habían recomendado sus amigos parisinos.

Hoy hubiera deseado no ver a Dora, estaba un poco harto de su compañía. De súbito, comenzaba a arrepentirse de haber invitado a la amante de Picasso a acompañarlos.

Pese a que la consideraba su única y gran amiga, no la soportaba cuando se encaprichaba en enfatizar su relación, inmortalizada en la pintura, con la figura imponente de Picasso, más que con Picasso mismo, y odiaba cuando se ponía a relatar una vez más, y precisamente delante de Bernard, el calvario que sufrió con el pintor. Encontraba aquel comportamiento presuntuoso y poco discreto, utilizaba los aspectos más quejosos y lamentables de su relación con el Gran Genio para seducir a Bernard. Habría ansiado olvidarla, tacharla de su existencia.

Sin remordimientos, detestó, por ejemplo, cuando ella se dedicó a contar el inmenso esfuerzo que había significado fotografiar *Guernica*. Era algo que él ya se sabía de memoria, y que él mismo había contado a Bernard. Pero su amigo quiso aparentar una extrema curiosidad ante aquellas confesiones —algo que a sus ojos lo rebajaba—, entonces toda la belleza de Venecia desapareció de su imaginación para postrar su atención a los pies de la cronista y de sus pobres anécdotas picassianas.

El gondolero interrumpió sus reflexiones preguntándole si conocía la ciudad para, en ese caso, navegar más de prisa o si, por el contrario, prefería que merodeara calmadamente por los canales mientras le explicaba la historia de los diferentes palacios:

—Como usted desee... No tengo ningún apuro.

—En este palacio vivió Giacomo Casanova, el célebre autor de la República de Venecia; su libro *Historia de mi vida* fue un documento grandioso... —pronunció en engolada y orgullosa oratoria el veneciano. El otro hizo un gesto orondo con la mano para indicar que continuara con otro sujeto, pues ya conocía esa historia.

James, algo perturbado por la perorata del gondolero, se dejó conducir con ese insensato parloteo turístico de fondo, lo que le impedía pensar a sus anchas, pero no podía negar que apreciaba el encantador y musical acento veneciano.

Así, en medio de una extraña serenidad, ambos se perdieron por los recovecos húmedos de la ciudad. Y mientras el gondolero lo iba guiando y le mostraba una a una las mansiones y le indicaba, ahora sucintamente a exigencia del viajero, los personajes que habitaron en ellas y los que todavía vivían allí, James no pudo evitar rememorar algunas escenas del taller de Grands Augustins.

A Picasso, inevitablemente, le gustaba hablar de la «guerra de broma» —*drôle de guerre*, como la llamaron los parisinos— y de las corridas de toros como si de obras de arte se tratara. Solamente con el bombardeo de Guernica, el 26 de abril de 1937, logró percibir la magnitud de los horrores reales del conflicto bélico. A partir de aquel acontecimiento, tomó conciencia del dolor y la tragedia de la masacre.

Guernica no nació exclusivamente de su notorio *narcisismo estético*, como había sucedido en otras ocasiones, tal como cuenta Alicia Dujovne Ortiz y como él mismo pensaba narrar en una ocasión en un libro, sino del dolor punzante y real que percibía a través de la correspondencia que le enviaba su madre, en la que le hablaba de esa España hundida en la muerte, y de los continuos reclamos que Dora le hacía para que se implicara como español, como republicano, en la tragedia que vivía su tierra.

Si bien rehuía de la Dora comprometida, activista política a todas horas, fue esa misma actitud de la mujer la que lo precipitó, en un acto de obediencia obligada, a ocupar el puesto que le correspondía como artista y como defensor de la libertad.

El cuadro *Sueño y mentira de Franco*, terminado mucho antes, no bastaba para representarse a sí mismo la ira personal e íntima que le provocaban las miles de personas que habían sido cruelmente asesinadas y los cientos de heridos y moribundos. «Las guerras se acaban —recordó que le había señalado Picasso en una ocasión—, pero las hostilidades son eternas.»

James hubiera querido estar junto a él cuando tomó la decisión de pintar *Guernica*. En eso envidiaba sanamente a Dora. Pero un hombre obnubilado por el encanto arrollador del artista jamás habría podido presenciar y entender el inmenso trabajo que conllevó la magistral obra, y mucho menos incitarlo a que la llevara a cabo. El miedo paraliza a los hombres, mientras que a las mujeres, las moviliza.

Picasso invirtió una gran energía física y espiritual en aquella obra. Sin embargo, Dora no sólo lo acompañó, además lo aconsejó. James se dijo que él no hubiera sabido hacerlo. Habría sido extraordinario presenciar aquellos momentos en los que el Gran Genio, *Cher te Beau*, desplegó las inmensas porciones de papel en las que dibujó los bocetos que devendrían los fragmentos de la gran tela. *Guernica* fue, más que un cuadro, un parto tormentoso. James no hubiera estado a la altura como comadrona.

Nunca antes Picasso había permitido que fotografiaran su trabajo en plena y ardua labor; sin embargo, autorizó a la fotógrafa a hacerlo. Él sabía que no le estaba entregando semejante tarea a cualquiera, que se trataba, en primer lugar, de una gran artista surrealista y, en segundo, de la mujer que lo amaba. Y así lo testimonia la serie de extraordinarias fotos que Dora tomó de *Guernica*, sobre todo una, aquella en la que Picasso, subido a una escalera, se deja sorprender por el lente de la autora de *Silence*, una de las mejores obras del surrealismo, en la que las arcadas cercenan los cuerpos de forma minuciosa y tajante, y la media luz, o la sombra en apariencia superflua, fortalece la idea del caos ondulado. En el centro, el cuerpo accidentado de una niña que cruza sus manos encima de la pelvis; la cabeza de una mujer muerta asoma por el borde inferior de la foto, y al fondo un cuerpo gatea hacia el vértigo ungido de concavidades.

James podía apostar que, secretamente, Dora insufló en el *Guernica* de Picasso el misterio de su obra *Silence*. Pero lo que más envidiaba el joven era aquel rostro de mujer, tan parecido al de ella, entre el caballo, con la lengua afuera, destripado, adolorido, agónico, y el toro, que representa la reflexión, la contemplación, la perplejidad. Dora fue testigo, cómplice y protagonista. *Guernica* le debe mucho a su presencia. Presencia que varios años más tarde enervaría a Picasso, porque se daría cuenta de que en aquella serie de fotos se notaban, se ponían ampliamente de relieve, sus numerosas dudas e indecisiones ante aquellos 3,51 metros de alto por 7,82 metros de ancho. Y porque en su pintura más reconocida permanecería reflejada, para la eternidad, la mujer que llora. Esa mujer que llora percibida por la otra mujer que gatea con el niño a cuestas, parecida a aquella tercera que, con anterioridad, se arrastra a cuatro patas en la foto de Dora, en una secuencia magistral de *Guernica*.

A James le habría gustado aparecer dentro de la gran obra, haber sido inmortalizado como lo fue su amiga. Pero él no debía de tener la grandeza de ella y carecía de su ardor para rellenar esos espacios en blanco, negro y gris.

Dora está en todas partes en *Guernica*. Su presencia no sólo vibra explícita como la fotógrafa que retrató a Sylvia Bataille llorando en la película *El crimen de Monsieur Lange,* en la que ambos coincidieron antes de conocerse. En *Guernica* está en todas las mujeres, ella es todas ellas, es hasta el caballo, y está en cada espacio del cuadro, habitado por espíritus desenfrenados, en un llanto desmesurado.

Para James, *Guernica* era la obra más importante del siglo XX.

Un cuadro que nunca estuvo destinado a Dora, ni siquiera bajo las peores promesas y mentiras de Picasso. Ni a ella ni a nadie. Ni cuando el pintor le prometió a Marie-Thérèse que aquella obra la pintaba para dársela a ella y a la niña, que estaría dedicada a Maya y a su madre.

La madre de Maya, la Vestal maternal, sin embargo, no advirtió la relevancia de aquella promesa, no se percató de la importancia del cuadro, el que a Dora le había costado tanto esfuerzo que realizara.

—Tú no sabes pintar soles. Los soles te quedan mal. —Dora lo mortificó al estudiar el sol de *Guernica,* apreciable en la secuencia de fotos que ella había tomado.

El sol se transformó en ojo, y dentro del ojo un bombillo. La idea se la regaló ella. Ése fue el primer paso hacia su perdición. Era imperdonable que quien debió quedarse tranquila, observadora silenciosa en un segundo plano, fuese quien le robara, aunque sólo fuera por unos segundos, el protagonismo creativo. Eso bastó para no perdonarla nunca jamás. Un genio prefiere regalar una obra a tener que agradecer infinitamente el regalo de una idea.

James sabía lo mucho que había sufrido su amiga cuando Picasso rompió con ella, pero reconocía que lo que él consideraba una pedantería de artista, por parte de la mujer, había terminado con una maravillosa relación, de la que él mismo acabó beneficiándose.

—¡Pobre tonta! —espetó—. Ella sola se cavó la

tumba. Ella, por pretenciosa y pendenciera, lo alejó. Tendría que haberse conformado con lo que había conseguido, ser la mujer que inspira y no la que interrumpe el trance divino del Gran Genio. Dora nos separó, a ella y a mí, de Picasso. A mí, porque ¿cómo podía yo seguir amando a Picasso si ya él no la amaba a ella, sino a la idealización aterradora que se había figurado de ella?

Nada tan indeleble como la ilusión del silencio en los espejos. Venecia, 2008

Desayunábamos cuando se me ocurrió evocar mi proyecto de escribir una novela sobre tres mujeres surrealistas: una de ellas, Dora Maar; la otra, Remedios Varo...

—¿Y la tercera? —preguntó Roberto García York.

—Una cubana que, en realidad, fue surrealista sin saberlo. *El Monte* es una gran obra surrealista. Me refiero a Lydia Cabrera.

El hombre aprobó mientras se llevaba un trozo de jamón a la boca pinchado en un tenedor de plata.

—¿No has pensando en Leonora Carrington, en Leonor Fini? Ambas estupendas, grandiosas, únicas y muy productivas en varios campos del arte. Leonor Fini en el teatro...

—Sí, claro, pero lo que me interesa de estas mujeres no es solamente que hayan pertenecido al surrealismo, además de que hayan participado de él y de que su pintura sea surrealista, aun cuando han renegado de él, o de que no se hayan enterado de que lo fueron. Lo que me propongo es contar pequeños momentos de sus vidas, situaciones breves, aunque intensas, profundas.

García York se quedó pensativo, como dudoso. Al poco rato, reconoció que de todas ellas prefería a Leonora Carrington y a Remedios Varo, a ambas las había conocido, también a Leonor Fini. Su obra, su propia obra incluso, añadió, estaba muy permeada de la de estas artistas. Pero de Dora Maar apenas percibía misterio, entendí su postura: Picasso había terminado por oscurecer el fulgor de la obra de esta mujer.

—Ni siquiera sus fotos, sus dibujos, su pintura se encuentran entre los imprescindibles de la obra de los surrealistas, lo que es una injusticia... —Janine acercó la copa con jugo de naranja al pintor.

—No, no, qué va. Dora Maar es sumamente conocida...

—Como amante de Picasso —dejó caer Roberto. A Janine le tembló ligeramente la mano al oír al pintor decir tal salvedad—. Solamente los iniciados y avezados saben del inmenso legado que dejó, no en cantidad, sino en calidad... Pero, en verdad, su inmortalidad radica en los célebres retratos que Man Ray hizo de ella y en los de Picasso, que, por cierto, empezaron a cotizarse muy bien... y muy pronto. Es increíble lo que es el destino. Y saber que ella se encargó de que la obra de él quedara a buen recaudo... Sabrá Dios dónde andarán todas esas estupendas «dora maar» pintadas por Picasso. Con toda sinceridad, ella no fue una gran pintora, pero sí fue la mejor fotógrafa del surrealismo. Y eso sí que está por reivindicar.

Algo alejada, junto a la ventana, la niña se puso a tararear una canción infantil mientras dibujaba en el suelo con unos lápices y unas hojas que le había regalado Roberto. Ricardo se mostraba atento a nuestra conversación. Janine, escurridiza, sólo estaba pendiente de las demandas y exigencias del pintor. Ella había sido su modelo, ahora ya no era más que su compañera. Y aunque lo atendía, también le imponía muchos de sus gustos, que en la mayoría de los casos le desagradaban y lo fatigaban. No participaba del diálogo, aun cuando lo habíamos sostenido en francés con la intención de que no se sintiera marginada, ya que ella no hablaba ni una palabra de español, a pesar de que llevaba cuarenta años conviviendo con nuestro amigo.

—Siempre me ha sorprendido el poder de dominación que ejercen los artistas sobre las mujeres, y cómo ellas lo aceptan en el más absoluto estado de sumisión. Incluso hasta cuando intentan imponer sus criterios y disciplinas de amas de casa lo hacen de una manera falsa, en un acto más de sobrecogedora obediencia. ¿No sería más fácil que renunciaran a doblegarse y se largaran? —comenté con Ricardo una vez terminado el desayuno, mientras caminábamos a la altura del hotel Danieli.

—Lo maravilloso no es ser el «Gran Genio», como llamaban a Picasso. Lo extraordinariamente sublime es amar al Gran Genio, además de comprenderlo, y poseer la cándida certeza de que el sentido de la vida gira en torno a él. —Casi silabeó.

—Lo dices porque eres hombre.

—No, no tiene nada que ver... No porque sea hombre... —Hizo una pausa—. Sino porque soy un genio.

Nos echamos a reír. La niña empezó a preguntar por qué nos reíamos como dos locos.

—Mamá, ¿de qué tú te ríes con papá, tan locos? —La frase, organizada tal como ella lo hizo, mostraba la gracia sublime, muy especial y casi surrealista de los niños.

Dimos un paseo por las callecitas aledañas al Gran Canal. Ricardo se quedó jugando con la pequeña en la piazza San Marco, y yo busqué un sitio tranquilo para poder trabajar en mi cuaderno. Escogí uno de los muchos cafés que había al abandonar la plaza, *cozy, mignon,* gracioso.

Escribiría a mano, luego lo pasaría todo a la computadora. Pedí un Campari con limón y empecé a escribir. El camarero vino hacia mí con la bandeja y el Campari congelado, *que sudaba en la copa,* alcé los ojos y entonces advertí a una mujer muy parecida a Dora, con aquel vestido azul marino de florecillas y cuello alto y redondo con el que aparece en algunas fotos. Bebí un sorbo e hice como que contemplaba el paisaje. No la perdí de vista, la seguí a través del cristal del vaso.

No podía imaginar a Dora a la espera, con esa actitud tan poco ecuánime. Mucho menos a merced de los que siempre le tomarían ventaja, cosa que ella advertía con su aguda inteligencia: el hombre que ella amaba tendría que elegir entre su mujer y su hija y su amante, mucho más joven. Dora quedaba justo en el centro, inoportuna, molesta para los demás, sobre todo para quien manejaba todas esas tumultuosas vidas de mujeres enamoradas, como si de un simple titiritero se tratara.

Guernica, frente a la catástrofe

PERIODISTA: A usted le gusta mucho la palabra «amor», Pablo Picasso...[3]

PABLO PICASSO: Claro que sí, incluso a una muchacha que me entrevistó para el Notidiario le dije: «¿Sabe? Para mí no existe más que el amor.»

P.: ¿Usted ama mucho a la gente?

P.P.: Yo amo mucho a la gente, si no tuviera a la gente, me gustaría ser un pomo de puerta o un búcaro de habitación, cualquier cosa...

P.: ¿Le gusta la televisión?... No mucho [dudoso]...

P.P.: Tengo uno, un televisor. Comencé a ver la televisión un día porque daban la boda de Margaret. Alguien me prestó un aparato, así que vi el desfile de la princesa y, después, continué...

P.: ¿Sabe lo que sería formidable? Dejarlo solo, a su aire, libre, capaz de hacer cosas para el telespectador, usted se inventaría cada cosa...

3. Fragmento de la única entrevista que dio Picasso a la televisión francesa. Transcripción de los archivos del Institut National de l'Audiovisuel (INA).

P.P.: Probablemente. A veces encuentro cosas magníficas en la televisión, cosas muy lindas, que me gustan, que me interesan, y otras, otras es espantoso. Esto se lo digo porque estamos los dos solos... ¡Ah, no, no es verdad, todos nos escuchan!

P.: Si usted tuviera que elegir la época, la pintura, el lienzo que lo sobrevivirá, ¿cuál sería?

P.P.: No lo sé, es difícil. Todo está hecho con las intenciones del momento, la época, el estado en el que nos encontrábamos todos, yo mismo. Es muy difícil. En el momento de Guernica, hice *Guernica*. ¿No es cierto que fue una catástrofe y el comienzo de muchas otras que hemos sufrido? ¿No es cierto? Es así, es personal. En el fondo, son memorias que uno se escribe a sí mismo...

»En la pantalla: «Pinto como otros escriben sus biografías. Mis lienzos, terminados o no, son las páginas de mi diario.»

Marie-Thérèse llegó de improviso. El secretario, Jaume Sabartés, se frotaba las manos, divertido, vigilante, detrás de la puerta, espiaba la situación con aires de torero que corta orejas y rabo en una misma faena. Estaba absolutamente a favor de la madre de Maya, la que él consideraba La Buena. La otra era La Mala, la enemiga, la intrusa. La otra era Dora Maar.

—Tengo una hija con este hombre. Me corresponde a mí estar aquí con él, váyase. Usted no es más que *la otra*. —La Vestal maternal sentó las pautas.

—Yo tengo muchas más razones que usted para quedarme. —Dora se mostró altiva y huraña—. No tengo hijos con él, y no veo cuál es la diferencia entre tenerlos y no tenerlos.

Pudo haber dicho que sí, que aquella monumental obra que aparecía ante sus ojos era el hijo de ambos. Pero no lo consideró oportuno.

Picasso se quedó impávido, cualquiera diría que insensible, ante la escena de celos que se estrenaba frente a sus ojos, pero volvió la espalda y continuó pintando como si no fuera con él.

Ninguna de las dos se había visto antes, ni siquiera se habían cruzado por azar. Ambas pensaron lo mismo, que la rival era más bella que la otra. Pero Dora contaba con la ventaja de haber merodeado en múltiples ocasiones por la casa en la que Picasso había instalado a su mujer y a su hija en Tremblay, sabiendo que en el interior de aquella residencia se encontraba el pintor rodeado de su familia. Fueron noches en las que no se avergonzó de llorar patéticamente acompañada de un taxista, bajo aguaceros o nevadas, sin poder enfocar los rostros que en el interior sonreían al hombre que ella amaba más que a nadie en el mundo.

—¿Quién de las dos debe irse? —Marie-Thérèse puso al pintor entre la espada y *Guernica*.

—Es una situación difícil. Por razones diferentes, ambas me gustan. Marie-Thérèse porque es dulce y amable, y hace todo lo que le pido. Dora porque es inteligente. No tengo interés alguno en tomar una decisión. Prefiero dejar las cosas como están. Arréglense entre ustedes. —Picasso siguió tirando paletazos en el lienzo, sonreía tranquilo, satisfecho, incapaz de mirarlas, fingiendo que ninguna de ellas merecía su precioso tiempo ni la abnegada atención que sólo dedicaba al cuadro.

Dora sintió que se vaciaba entera, que su cuerpo no era más que una informe masa gelatinosa, y que las venas se le abrían solas, y la sangre brotaba y se encharcaba bajo sus pies.

Marie-Thérèse pegó primero, un puñetazo en el mentón, entonces ella la agarró por los cabellos rubios tan meticulosamente peinados en bucles *belle époque*. Ambas rodaron por el suelo dándose bofetadas.

Picasso repartía brochazos a diestro y siniestro, falsamente ajeno a lo que acontecía a sus espaldas, aunque en su interior bullía un frenesí maquiavélico. Sabartés lo notó más exultante que nunca.

¡Sus mujeres se debatían en el suelo, arañándose, arrancándose los mechones del cuero cabelludo, pellizcándose y mordiéndose los pechos, pateándose los traseros! ¿No era magnífico? Hubiera sido mejor que terminaran en la cama, haciendo el amor con él, pensaba cada vez más triunfante al ver a su mujer y a su amante ripiadas por su causa, por él, el trofeo, el talismán, el objeto lujurioso de ira entre ellas. Pero tendría que conformarse con la riña en vez de con el romance.

Ninguna volvería a parecerse a las modelos que habían sido inmortalizadas en los cuadros del Gran Genio, de tan bajo que habían caído. Dora había perdido toda la gracia, él le había extraído, chupado, hasta el último gramo de misterio y ya no quedaba nada de la inteligencia de la que se había prendado su Maestro en los retratos de Man Ray y que lo hicieron sucumbir, como un esclavo, ante aquella belleza deslumbrante.

De reojo, Picasso la observó gritar palabrotas, la boca desmesuradamente abierta, los ojos enrojecidos, desorbitados, despeinada, el vestido rasgado. Aquella imagen lo satisfizo más que las primeras fotografías tomadas por Man Ray, porque por fin descubría a la mujer rota, el alma desgarrada, la boca torcida en una mueca y el llanto fijo en las pupilas, la rabia prendida en sus abofadas carnes... Aquel soberbio espectáculo era el fin del enigma. Dora, herida, dejó de ser la mujer inteligente para convertirse en la amante torturada. Todo lo que amaba él en ella, su lado masculino, perdió poder ante aquel torrente de lágrimas y gimoteos. La seriedad se desvaneció de su rostro y se impuso la mueca melancólica. Surgió la mujer de agua natosa, podrida, desleída y sosa.

—Ella me gustaba como si hubiera sido un hombre —formuló Picasso en una ocasión— y, bien, aquel día en que ella y Marie-Thérèse decidieron fajarse por mí, la vi tan mujer que dejé de quererla.

Una vez quebrada la coraza masculina de la sabiduría que se pretende propiedad exclusiva de los hombres, apareció la fragilidad de la amante atacada y moribunda. Las burlas siguieron a los llantos histéricos. Picasso gozaba, se deleitaba haciéndola trizas.

—Dejé de amarla cuando se me apareció como una mujer común, luchando contra otra, por mí... Y es que eso yo ya lo había visto tantas veces... No me ofrecía nada nuevo. Por primera vez, Dora no me sorprendía —se lamentó el Gran Genio.

Coloqué el vaso encima de la mesa. La mujer que se parecía a Dora dirigió su mirada hacia mí y la sostuvo hasta que bajé los ojos y los clavé en el cuaderno. Cuando los levanté nuevamente, ya se había ido. Atardecía dorado en Venecia.

Parece inevitable que en esta ciudad siempre atardezca dorado. Yo estaba segura de que algún artista estaría embarrando un lienzo queriendo atrapar la sobriedad y elegancia entre ocre, nacarada y rojiza de la caída del sol.

«Toda aventura tiene que ver»... con marcharse de algún sitio, con la fuga. ¿Dónde habría yo leído esa frase? ¿En el libro de James Lord?

Toda aventura es la pérdida hacia un lugar con el que no hemos contado antes, en el que ni siquiera habíamos reparado en sueños.

La solemne frialdad de James. Venecia, 1958

Tendría que ser más amable con ella, aunque sea podría fingir mejor. Después de todo, le hemos regalado este viaje, la hemos invitado nosotros. Al principio, Bernard no se mostró tan entusiasmado como yo, pero ahora resulta que se ha vuelto loco con Dora y no cesa de llamarme la atención acerca de que debería ser menos ríspido.

Picasso nunca la amó y la trataba peor que a una vaca. Es sabido por todos que ni él ni nadie, nadie, la amó, y mucho menos él. No estoy seguro de que ningún otro hombre la haya amado, ni siquiera los que yo no conocí y pretendían cortejarla con la idea de apartarme a mí de su camino. Ninguno le hubiera dado el amor que ella le dio a Picasso. Tampoco Georges Bataille. Tal vez Tanguy sí. Entonces ¿por qué debería quererla yo? No es más que una mujer. O peor, es mucho más que una mujer. Aterrador.

Pero me contradigo, no puedo evitarlo, la quiero porque sólo a través de ella podría asir a Picasso y no le encuentro una buena explicación a eso. Tal vez me tenga que dar la misma que se daba el propio pintor: la amo porque ella es mucho hombre. Su alma es masculina, enteramente masculina, aunque su envoltura sea la de una mujer, frágil y un poco tosca, sólo en apariencia. La amo porque ella es tan hombre como Picasso. Es como él. Es él.

No cabe duda de que es un ángel esculpido en fango con las alas serruchadas. O un duende. Como Max Jacob.

Picasso la pintó tantas veces llorando porque pensó que tras cortarle las alas había quedado destrozada de dolor para el resto de su vida. Pero ella resistió, ¿sabe alguien por qué? Yo lo sé... Porque es una guerrera. Invencible, jamás será derrotada.

Y que yo recuerde, sólo la he visto gimotear algunas veces, y llorar casi nunca... Debería hacer memoria... No, nunca. Jamás la he visto llorar.

Muerde sus labios cuando se siente despechada, humillada, pero no llora. Sus párpados caen pesados, como si no fuera a abrirlos nunca más, pero no llora.

No es una mujer que llora. Es una mujer quebrada. Rota, sí, deshecha. A punto de la evanescencia, como si fuera a evaporarse, a difuminarse, de repente, multiplicada en mil esquirlas. Es una mujer seca como un vidrio.

Cuando la observo, en el restaurante, mientras pide unos camarones al ajillo, me dan ganas de sostenerla entre mis brazos y besarle las mejillas. No puedo evitar sentir ternura o compasión, me apena la vida que lleva. Compasión es lo que siento, ésa es la palabra. Su vida transcurre sin esperar más que un día suceda al siguiente, sin recibir ya nada. O tal vez sí. Quizá todavía añora y se ilusiona con el retorno de su verdugo, o de cualquier otro que pueda suplantarle.

Mientras cenamos, ella evita mirarme de frente, y sus palabras van siempre dirigidas a Bernard, lo contempla sonriente, abnegada. Bernard levanta la copa, brinda delicado, primero con ella y después conmigo, pero he notado que él también me evita, vuelve los ojos a los de ella, paladea cada sorbo y no le aparta la vista ni un segundo. Yo bebo, tranquilo, mi vino tinto, o hago como que todo me es indiferente, sobre todo los regaños por mi modo de paladear el vino, que Bernard encuentra vulgar. A Bernard le molesta que brinde con vino, lo considera cosa del populacho, muy americano. Dora y él prefieren el champán italiano. ¡Que les aproveche! Exclamo no sin cierta ironía y enciendo mi cigarrillo número ya no sé cuál. Sí, también fumo de manera atroz.

Anoche pedí varias copas de chianti, bebí sin control. Nunca me acostumbraré a beber como un cosaco, unas copas bastaron para que la cabeza se me pusiera como un globo de Cantoya y anduviera diciendo barbaridades. Me puse muy reticente y sonsacador y le exigí a Dora que me explicara cómo hacía el amor con Picasso. ¿Cómo lo hacía? ¿Cómo la penetraba? ¿Vaginal o analmente? ¿O de las dos maneras?

Puedo imaginarlo con facilidad, susurré en su oído, la penetraba haciendo uso de una cuota importante de crueldad física. Era un sádico delicioso, un bruto, un auténtico bastardo. No puedo negar que debido a esas cualidades también ejercía una poderosa fascinación en mí.

Anoche me porté mal, muy mal, fui un tonto, lo admito, con ella sobre todo, pero también con Bernard, que no podía entender por qué me dedicaba a mostrar lo peor de mí mismo. Yo tampoco puedo comprender qué fue lo que pasó por mi cabeza, estaba bastante borracho y por eso no puedo admitir que fue intencional. Llevo días agotado, es verdad, cansado de todo, y es que presiento que ya hemos vivido todo lo importante que íbamos a vivir. Ya estamos casi muertos.

Para no morirnos estoy aquí, para no pudrirnos en solitario la he invitado a hacer este viaje a Venecia. Intento que conozca la ciudad, que se entretenga lo más que pueda antes de regresar de nuevo a París, antes de que vuelva a encerrarse, entonces será para siempre, con los cuadros de Picasso, con las pertenencias de su ídolo, con los trastos de su Dios, y padezca, al final, irremediablemente, los remordimientos torturantes. No sé qué hacer con Dora, no lo sé...

Tal vez si le compro algunos regalos, podría hacerla un poco más feliz, o si la invito al teatro... Su presencia es tan agresivamente intensa... ¿Cómo deshacerme de ella? ¡No quiero hacerlo!

No, Dora nunca más será feliz, por una sencilla razón: nunca lo fue. Nunca ha sabido serlo. Jamás le interesó.

Llevo dos noches sucumbiendo a esos malditos sueños eróticos con Picasso. Se lo cuento a ella mientras desayunamos, pone los ojos en blanco y responde, sublime y diría que hasta deleitosa:

—Yo soñé con él todas y cada una de las noches durante más de diez años. Hubo instantes en que me daba terror irme a la cama. Hubo noches en que hubiera preferido morir a dormir.

¿Para qué querría yo estar alegre? Venecia, 1958

James fue vulgar anoche, tal vez yo lo provoqué y no me di cuenta de que lo hacía. Puedo entenderlo, no he sido amable con él estos días.

¿Por qué siempre necesitaré justificar a los hombres?

No, esta vez no lo haré. James se comportó de forma realmente grosera, estuvo inaguantable, y no voy a perdonarlo con facilidad. No merece siquiera que piense un segundo más en ello. De nuevo, su actitud sembró dudas en mí, acerca de la verdadera relación sexual que mantuve con Picasso.

Al principio de nuestra relación, pese al agriado sabor de sus besos, Picasso me hacía sentir muy mujer. Tiempo después, cayó en la rudeza y la rutina bestial.

Que uno de los amantes se vuelva nimio e insolente es lo peor que se puede dar en el sexo compartido entre dos artistas, dos perfeccionistas. La mayor parte del tiempo, yo no sentía nada especial con él, y él sólo sentía placer haciéndome daño.

El primer síntoma que noté fue que dejaba caer las

cosas, mis manos no podían sostener ni un vaso. Temblequeaba interiormente o, por el contrario, mi cuerpo se tensaba hasta el espasmo.

¿Y si verdaderamente enloquecí aquel mediodía en el que Lacan y Picasso decidieron ingresarme en el hospital Sainte Anne y someterme a los electrochoques? Lacan fue quien me prescribió el tratamiento y firmó la orden de ingreso, es cierto, pero Picasso no hizo nada para impedirlo. Y Paul Éluard estuvo también allí, apoyándolos a ambos. Soy consciente de que Lacan piensa que yo tuve que elegir entre el confesionario y la camisa de fuerza. Pero eso sólo demuestra que no sabe nada de mí, que no me conoce; hubo un tiempo en que me sometí a los deseos salvajes de los otros, a sus aspiraciones con respecto a mí, sin que contaran conmigo. «No más», me juré a mí misma.

La habitación, muy parecida a una celda, estaba pintada de negro y no tenía ventanas. La oscuridad se tragaba el más mínimo espacio. ¿O, por el contrario, era muy blanca? ¿Era oscura o demasiado luminosa? ¿Cuántos días estuve encerrada, cuántos años? Mi frente y mis sienes se hunden en ese hueco negro absorbido por la memoria, aspirada por una claridad cegadora.

Dejé de hablar, de comer, de soñar. Dejé de amar. Y de vivir.

Me impusieron intercambiar mi nombre. Era algo que todos debíamos hacer en aquel grupo de surrealistas, amigos de tantos años. Confortaba la confianza entre todos, pero... yo ya no era yo. Ni ellos eran ellos. Picasso nos obligaba a jugar a intercambiar identidades, y sexo. Nosotros obedecíamos porque él era el Gran Genio, *Cher et Beau*, «Querido y bello», el Maestro, Dios. Cuando alguien tenía que transformarse en mí, ese alguien, bajo mi nombre, no podía ser otro, no era nadie más que Picasso, lo que significaba acostarse con él, poseerme poseyéndose.

Los hombres, torso desnudo, se quitaban los calzones. Las mujeres, también con los senos al aire, abrían las piernas y reían a carcajadas. Las parejas se intercambiaban, entretejiéndose en un arriesgado enjambre erótico-surrealista. Picasso intentaba que yo no me mezclara. Me reservaba para él solo. Sin embargo, él podía acostarse con todas las demás mujeres, y ellas con todos los hombres. Entre todos, se amaban y se penetraban. Yo fotografiaba los gemidos de placer, los senos puntiagudos, los labios abiertos, los pubis espléndidos, los penes goteando leche y las bocas a la espera de que el maná celestial del goce las inundara.

Debía contentarme con mirar, con sólo mirar. «*Mirá, mirá*, Dora...», murmuraba el Gran Genio. Sólo tenía derecho a contemplar los cuerpos soleados, en ocasiones estrellados. Debía fotografiar y obedecer, amaestrada por Picasso, quien disfrutaba sin límites, lo mismo de mujeres que de hombres. Si aquello hubiera sido un ruedo, por primera vez el toro hubiera dejado exhaustos y moribundos a los picadores, a los ganaderos, al público y al mismísimo torero. Mi amante no sentía ni una pizca de ternura, ni compasión, sólo crueldad y avidez. Se le notaba incansable, olvidaba que yo me hallaba observando minuciosamente a través del lente. Omitía que yo estaba allí, viéndolo hacer el amor con nuestras amistades. O tal vez no, tal vez lo hacía a propósito, para enloquecerme aún más. No, no se le olvidaba, más bien era mi presencia la que lo convertía en la fiera sedienta que devoraba sexos, empalaba agujeros, chupaba pezones, clítoris y anos, y permitía también que le hicieran lo mismo a él. Más bien se desbocaba en un remolino de reminiscencias que me excluían porque yo nunca había pertenecido a ellas, sujetas al caleidoscopio de su antigua vida sexual con Fernande, con Eva, con Olga, con Marie-Thérèse y tantas otras.

Man Ray participaba, sólo como espectador, en el juego malévolo y esquivo de la fotografía, junto a mí, sin apenas rozarme. Ahora bien, cuando le tocaba llamarse «Roland Ray» debía atrapar a la bailarina martiniqueña Ady Fideline y hacerle el amor sin descanso, imitando a un adolescente que se estrena desvergonzado. Me entregaba su cámara, y yo debía convertirme en la depositaria de su goce, entonces, sin remilgos, fotografiaba su rostro jadeante. Al rato, echaba espuma por la boca, babeaba y los ojos se le inyectaban, amarillos, como en yema de huevo.

Sí, verdaderamente creí enloquecer durante aquellos mediodías, sufría demasiado el desamor de Picasso, su pasión por los demás, pero fue mucho peor aún cuando empecé a padecer su displicencia, el desdén de su codicia, cuando empezó a inventar excusas para apartarme y excluirme de su roñoso apetito sexual.

Nush venía hacia mí, intentaba quitarme la cámara para que yo me mezclara con ellos y sumara mi apetito a la orgía, pero entonces Picasso se interponía entre ambas. Y yo, sincera y desdichadamente, por aquel entonces ya había perdido la avidez. A Nush le encantaba que Picasso la acaparara, era una especie de ardid para huir del tísico de su marido, para escapar del acucioso Paul Éluard, que empezaba a salivar a menudo y a respirar ruidosamente, desacoplándose del resto.

Picasso colocaba a Nush junto a Valentine Penrose, por el suelo, las besaba en alternancia, pero entonces era Alice Paalen quien se introducía entre ellos, aislaba a Valentine y se adueñaba de su lechoso y lánguido cuerpo. Valentine era una mujer que cortaba la respiración, de tan sensual y deseosa...

Los hombres, como auténticos niños, jugaban a darse almohadazos. Cansada de tanta fútil enajenación, hice ademán de unirme a ellos, aunque sólo fuera para que volvieran a acariciarse, pero Picasso hizo un gesto, como si fuera a darme un manotazo, que me paralizó en el acto. Un recién llegado filmó la secuencia. Finalmente, Man Ray le dejó la cámara y le preguntó, molesto, por qué me trataba como si fuera su hija y no como lo que era, su mujer.

—No tiene ningún derecho a aparecer en esas películas y mucho menos a acostarse con nadie. No es mi hija, pero como si lo fuera, es mi amante, y ya me canso de explicarlo... Sólo está autorizada a mirar.

Mis ojos, humedecidos, brincaron de un cuerpo a otro, ambicionando abarcar esa libertad que los enlazaba. Pero ese baile jubiloso nunca me estuvo permitido.

Apreté las mandíbulas, furiosa, quería gritar y mostrar mi ira, pero al mismo tiempo temía perder a Picasso. Me habría expulsado con sólo sospechar que me recomían los celos y que me moría por poder desatar mis sentidos. Y esa avaricia no respondía a otra perentoriedad que no fueran los celos, no podía llamarlo de otro modo. Era inenarrable, horrendo, me roían desde las tripas y me congelaban el alma. Estaba a punto de estallar, colérica, de echarle en cara que hacía semanas que no hacíamos el amor y que cuando lo hacíamos, no se preocupaba de que yo sintiera la más mínima fruición.

—Tú no tienes que sentir nada, soy yo el que debe hacerlo. —Ésas fueron sus palabras cuando, en una ocasión, me quejé de su falta de interés en que yo me solazara.

—Pero, Picasso, soy una mujer... —Quise explicarme.

—No, tú no eres una mujer. Eres una Reina, con mayúscula, y las reinas no necesitan de esa tontería del placer, ni de nada. Tú sólo dame satisfacción quedándote tal como estás, incólume, perseverante en tu trono de Reina. Deberías comportarte como Paul Éluard..., que me deja hacer con Nush y también se hace el loco cuando Man Ray disfruta de ella... Tú eres una Reina, mi Reina, y ya está, sanseacabó... ¡Sió!

No supe qué contestar, creí presentir un amor muy egoísta y distinto en sus palabras, frustrante, como si de verdad yo fuera su Reina, y mi sitio estuviera muy por encima de los demás, en una especie de mirador, desde donde pudiera contemplar las encandilaciones ajenas del eros, oír los quejidos de los cuerpos desnudos que clamaban por el mío y, en absoluta inexpresividad, apartarme y entregarme al onanismo desde un ámbito celestial.

Debería haber estallado mil veces de rabia. Tal vez, si lo hubiera hecho, no me habría vuelto loca. Pero no lo hice. Picasso exigía que demostrara impasibilidad, que fuera capaz de mostrar amplitud de espíritu y que si los celos retorcían mis entrañas (nunca se refería al corazón, lo consideraba vulgar), que entonces fotografiara, filmara, que ofrendara mi voracidad de una manera más solemne, artística y grandiosa, distante y perpetua, como cuando una Reina, desde su trono, marca con el cetro el límite que la separa de sus súbditos.

La tibieza de aquellos cuerpos dejó de cautivarme, fotografiaba desde una absoluta frialdad; además, para mí era doblemente incómodo porque debía permanecer vestida. Tampoco me apetecía desnudarme. Mi cuerpo, demasiado macizo, me fastidiaba y colocaba a Picasso en una posición de inferioridad, ya me lo había hecho notar: «Estás gorda, y no quiero, de ninguna manera, que te vean así.» Mientras que aquellos hombres bastante flacuchentos exhibían mujeres también muy desnutridas, lo que convenía y seguía la moda impuesta, tanto él como yo poseíamos complexiones aparatosamente robustas. A las mujeres les fascinaba el cuerpo de Picasso, pero él sabía que yo empezaba a acedar entre aquellos hombres que, abandonada la moda de la mujer rolliza de los años veinte, comenzaban a sentirse sometidos a la visión adictiva de las mujeres enfermizas y quebradizas con aire infantil y desnutrido, requeridas por una parte de los surrealistas. Un nuevo estilo impuesto por las penurias alimentarias y la escasez de vestimenta provocadas por la Gran Guerra. Picasso prefería que mi cuerpo quedara escondido bajo el manto del misterio. De este modo, sus amigos sólo podrían imaginarme enmascarada tras una enigmática exuberancia que rozaba lo incógnito, como en un cuadro de Gala pintado por Salvador Dalí.

Podía desvestirme y reunirme con ellos, única y exclusivamente, cuando nos encontrábamos en parejas y a poder ser, sólo cuando estábamos con Nush y Éluard.

El poeta intuía la incomodidad de mi situación, percibía mi amargura, podía palpar mi desconsuelo, pero no podía hacer mucho por mí. No podía enfrentarse a su amigo Pablo Picasso, así que se limitó a escribirme un poema, apropiado y pueril, acorde con la amistad que mantenía con el pintor. Una tarde, Nush lo colocó en mis manos, un papel de arroz enrollado y perfumado con unas gotas de colonia de Guerlain. Lo guardé en un antiguo bargueño durante mucho tiempo, después viajó conmigo en el fondo de mi bolso, hasta que, por miedo a que el sobre y el papel se deshicieran, lo añadí a un cartapacio de viejos documentos, y regresó al bargueño:

Figura de fuerza quemante y rebelde,
cabellos negros por donde corre el oro hacia el Sur.
Intratable desmesurada.
Inútil.
Esa salud edifica una prisión.

En Mougins, en los tempranos años de mi vida con Picasso, posaba constantemente para ellos en la playa.

Paul Éluard sugirió que me dejara crecer el pelo y que me peinara con las puntas hacia arriba. Me parecía un poco a Gala, algo que yo detestaba, pero le hice caso y me dejé crecer la melena. Entonces Picasso, eufórico, empezó a pintarme como un loco. Yo tenía que soportar largas horas frente a su caballete, y cuando algo no le salía como él quería, me insultaba:

—Tú no eres una mujer hermosa. Aunque te lo creas, nada es bello en ti. La prueba es que no consigo pintarte cuando estás normal. Si lloras, sí, porque cuando lo haces te pones cómica, y eso me divierte, me alegra y se me suelta la mano. Pero no eres una mujer que suela inspirar a alguien a recrear la belleza, porque de ti no puedo sacar nada digno de lo sublime. Nada en ti es sublime, sólo insólito, eres una mujer cuyos trazos resultan inusitados. Además, ¡qué poca armonía! Abultas todo el lienzo. ¡Y esas puntas espantosas del pelo...!

Éluard escribía, callado, sobornado por su propio silencio y avergonzado por los reproches que su amigo me consagraba.

Por eso, en todos los retratos que hizo de mí aquellos días aparezco llorando. Yo era la mujer que lloraba en los lienzos, pero no me ocurría a menudo en la vida. Mi melancolía no era un hecho real, y a él le importaba poco la realidad. Él revelaba mi rostro al óleo en el lienzo y exclamaba, orgulloso, a los visitantes:

—¡Miren cómo llora para mí!

Yo no tenía nada que ver con lo inaudito, pero sí que estaba llena de rabia. Rabiosa insólita, sí. Presentía que me iba a volver odiosa o que iba a enloquecer. Rabiosa, colérica, adolorida, atormentada, se me resecaron los labios de tanto vomitar y mordérmelos, airada. Pero Picasso no sabía descifrar esa rabia, por mucho que yo ansiara que lo hiciera, para poder, por fin, perdonarlo. Picasso no podía entender por qué mi ceño se fruncía cuando él jugaba a hacerse el fotógrafo, retrataba a Jacqueline Lamba, junto a mí, y nos comparaba. Yo sabía que ella iba a quedar mejor que yo, porque yo no me sentía bella, pero él se encargaba de hacérmelo notar:

—¿No te da vergüenza? No eres como ella, no tienes nada que ver.

Yo ya no sabía cómo era yo, perdí toda perspectiva de mí misma. Recurría al espejo, y el azogue me devolvía una imagen chata, oscura, plena de significados ininteligibles, de códigos y cifras cuya ecuación apenas podía calcular y mucho menos sopesar. Por su culpa, debido a su insistencia en la corporeidad invisible, me convertí en una mujer jeroglífico. De mi cuerpo ya no fluía buena energía. Tampoco yo le entregaba emanaciones perdurables y positivas. Todo lo que de mí fluía lo hacía de a poquito y se evaporaba pronto, sin dejar rastro de mi esencia. Él quiso marchitar mis ansias, triturar mis aspiraciones. Yo acepté, porque yo lo anhelé. Lo permití más caprichosa que enamorada. Mi enamoramiento con Picasso empezó por un capricho, por un experimento surrealista: ansiaba hallar al hombre, al dios, que hiciera de mí una diosa.

Y él lo consiguió.

Con todos los inconvenientes que eso conlleva, fui su diosa. Me utilizó hasta que supuso que ya no quedaba nada de mí que él pudiera explotar y sojuzgar, hasta que me hubo hecho centenares de retratos y hubo decretado con todos ellos que, más que una persona, yo era una figura de su propiedad que debía ser, ad infinítum, altamente valorada.

PARTE III

—

EXTRACTO DE TODOS ESOS SILENCIOS

Bernard cobijado en mi secreto. Primavera del 2011

El amigo que Bernard y yo tenemos en común me comunicó esta mañana que el pobre hombre se encontraba inmovilizado en la cama, con una computadora encima de las piernas con la que jugaba la mayor parte del tiempo a mirar webs pornos. Bernard le preguntó si podía darle noticias mías y si yo todavía tenía la intención de escribir sobre aquel viaje a Venecia que James y él hicieron con Dora Maar.

—Deberías llamarlo —comentó Ramón Leandro.

—No me atrevo —musité al teléfono.

No es que no me atreviera, es que había transcurrido mucho tiempo, y el resultado tal vez no iba a ser el que él esperaba de mí, aclaré. Aparte, finalmente había asumido su vejez, o sea, se notaba bastante que había envejecido. No le iba a agradar para nada que yo lo volviera a ver, más cambiado, y mucho menos que lo molestase con una novela que no reflejaba la verdad de lo sucedido, porque iba a ser sólo eso, una novela, no un mero testimonio.

«Esperaré un tiempo —le aseguré—, pero tampoco tenemos demasiado.» Dora estaba en lo cierto: los escritores somos unos traidores jactanciosos.

Sonó el timbre, arrastré los pies hasta el saloncito recibidor. Era el cartero. Entre el fajo de la correspondencia pesqué una invitación de la Maison de l'Amérique Latine. Se trataba de la presentación del próximo libro de Alicia Dujovne Ortiz, una biografía de Santa Teresa de Ávila.

Llevaba años acompañada de la biografía que Dujovne Ortiz escribió de Dora Maar, imaginando a la autora, soñando con conocerla, y aquí se me presentaba la posibilidad de hacerlo. Busqué la fecha en el cartoncillo, el encuentro de la autora, de origen argentino, con sus lectores tendría lugar el 20 de junio. Me resultaba imposible asistir, pues para esa fecha yo iba a estar en Arras. Tal vez consiguiera dejarle una carta en la institución. ¿Una carta? ¡Qué ocurrencia! ¿Para contarle qué? Pues muy sencillo, que estaba escribiendo sobre Dora Maar, que me refería a esos cinco, o más bien ocho, días de su vida en Venecia, en los que nadie pudo nunca saber qué sucedió y por los que ella misma se interrogaba, dado que tras ese viaje Dora Maar decidió aislarse del mundo, para siempre. Y que fueron ella, la pregunta que se hizo sobre esa breve estancia y la conducta de Dora Maar hasta su muerte, su aislamiento provocado por ese viaje, lo que me inspiró a reinventar esas cinco u ocho jornadas (contando el trayecto de vuelta) de la existencia de la artista en compañía de James y Bernard, bajo el hechizo o embrujo veneciano.

Me di cuenta de que jamás había visto el rostro de Alicia Dujovne Ortiz en la prensa, que ni me había preocupado por buscarla en internet. Lo hice entonces. Encendí la computadora. Maniobré velozmente, busqué en las fotos de Google, qué fácil es fichar a alguien en la actualidad. La tuve delante, su rostro me decía algo, era posible que nos conociéramos, sí, debí de tropezarme con ella en algún evento. Pero no, es otra sensación. Tuve la impresión de que había estado con esa mujer en alguna ocasión muy especial, que había sido su amiga y que, en algún sitio remoto, nos habíamos dado cita para conversar de nuestra heroína. Di varias vueltas, tomé notas, finalmente, me olvidé del asunto.

Al rato, me puse a cocinar, dejé la cena en el horno y me senté frente al televisor a ver las noticias. De súbito, di un brinco en el asiento. ¡Ya sabía dónde nos habíamos visto! Me apresuré a mi despacho, hurgué en el cajón de las viejas fotos.

Ella era la mujer que estaba sentada a la mesa de aquel café veneciano, justo al lado de la nuestra, esperando, inquieta, a alguien, retocándose el maquillaje, atenta al más mínimo defecto que apareciera en el espejo del *vánite*.

Volvía a salir en una foto que nos había hecho Ricardo a mí y a la niña, mientras yo la tenía cargada en los muslos y la pequeña dormía. La escritora, cuyo rostro había sido hasta ahora un enigma, emergió desde el fondo de la instantánea. Dirigía su mirada hacia la bruma empantanada en las aguas ennegrecidas del Gran Canal. Aquella tarde, lucía muy atractiva, engalanada con un vestido azul estampado con florecillas amarillas.

La vida es un cúmulo de coincidencias, y la literatura se aprovecha al máximo de ellas y las convierte en azares concurrentes y ocurrentes. Al final, las lanza a la laguna ennatada de los recuerdos. Sólo pescándolas y lustrándolas, hasta que queden bien pulidas, se convertirán en un único suceso con un extraordinario sentido común hilado por las palabras.

Santa María del Milagro. A la manera de una jugada *zugzwang*. Venecia, 2008

Descubrí en solitario esta pequeña iglesia cubierta de mármoles nacarados, semejante a un cofre de joyas agrandado a dimensiones asombrosas, inabarcables. Iba paseando, y el portón entreabierto, así como la sencillez del pórtico, llamaron poderosamente mi atención.

Arrobada ante el encanto del lugar, crucé el umbral y me encontré con que allí dentro no había nadie más aparte de mí. Ni un solo visitante.

Reinaba el abandono, la bóveda se estaba restaurando, y desde un vitral, el sol dibujaba un cono de luz sobre uno de los bancos que atravesaba el salón y rebotaba, juguetón, contra el dintel. Una capa gruesa y blancuzca de polvo cubría los muebles y los altares. Di una vuelta por el interior del templo. ¿Habría visitado Dora esta pequeña iglesia? Eché mano del cuaderno de notas que Bernard había fotocopiado para mí, busqué alguna referencia a ella entre sus anotaciones. Sí, en efecto, habían estado juntos en este lugar.

Imaginé cómo los tres habían entrado y cómo, después de haber merodeado, deteniéndose frente a cada nicho, habían decidido tomar asiento, dispersos o juntos en un mismo banco, para disfrutar de un momento de recogimiento espiritual mientras contemplaban cada detalle de la arquitectura y de los adornos y las prendas religiosas acumuladas en el recinto.

Con toda probabilidad, Dora había rezado allí. Se había vuelto sensiblemente católica, aunque todavía no había llegado a la extrema ofuscación religiosa que la transformó en un ser repudiable. No obstante, ya entonces, al igual que Max Jacob, se había adentrado en el camino hacia la beatitud a través de la astrología, sobre todo debido a la soledad en la que vivía sumida tras separarse de aquel hombre tan añorado, el que le había provocado una profunda y perturbadora disección entre el alma y la carne.

Le había resultado sumamente duro admitir que ni siquiera podía darle hijos al hombre que amaba, su esterilidad impuesta se lo impedía. Y fue aún peor corroborar que no tendría lo que tuvo Marie-Thérèse Walter: una hija o un hijo fruto del amor con el artista —aunque ni siquiera eso le sirvió a la rolliza rubia de consuelo por la pérdida del amor del marido ausente, el que siempre le prometió matrimonio pero jamás cumplió su promesa—. Marie-Thérèse se suicidó cuatro años después de la muerte de Picasso. Dora comprendió esa desesperación, entendía el terrible e inmenso abismo que quedaba después de renunciar a la existencia de Picasso, tras su completa desaparición. Porque también ella se había asomado peligrosamente al borde de ese precipicio.

Jacqueline Roque, su última mujer, tampoco pudo resistirlo y se negó a seguir con vida tras la muerte del

Gran Genio. Ella fue un extraño accidente en la vida de Picasso. Y dicho accidente sólo podía terminar de una manera: provocando otro mayor.

Dora había amado tanto la vida..., y él le había matado ese amor.

Aunque Picasso nunca le preguntó a Dora si deseaba tener hijos, ella tampoco lo intentó ni lo condujo, domesticado, a vivir pendiente de tal inquietud. Hasta que, al final, ella supo que no iba a poder tenerlos. Aun así, guardó la esperanza de que él se lo pidiera, se lo rogara: «Quiero que me des hijos.» Si hubiera podido concebir, tal vez se los hubiera dado, aunque sólo habría sido para retenerlo un poco más, porque Dora, tan cerebral, no era mujer de dar a luz ni de criar hijos. Para colmo, dudaba de si, de haberlos tenido, Picasso les habría dedicado el tiempo que exigen. ¿Cómo habrían sido sus hijos con Picasso? Se preguntaba a menudo. «Hijos para destruir» era la conclusión a la que Dora había llegado en el pasado.

En diversas ocasiones, sonreía sarcástica, a solas, e ironizaba divertida y en silencio sobre las situaciones de aparente desamor que había tenido que soportar. Como, por ejemplo, cuando el Gran Genio comentaba con sus amigos que su amante, ella, obedecía más rápido que su perro *Kazbek*, un labrador afgano que, de tan haragán que era, apenas se movía cuando él le ordenaba algo. Mientras que el perro le hacía el caso del «perro», Dora, por el contrario, salía corriendo al más mínimo reclamo, le obedecía más que el animal, y eso lo colmaba de un regocijo incalculable. «Ella no es más que una niñita, como una perrita, un animalejo... Le lanzas un hueso y sale corriendo a buscarlo, para traértelo», alardeaba sin ruborizarse, perversamente maravillado.

Cuando hacían el amor y él estaba encima de ella, se burlaba de sus gestos, le pellizcaba, rabioso, la piel del cuello, del pecho, y le dejaba unos moretones lacerantes. Cuanto más saciaba su libido, cuanto más se acercaba al deleite del orgasmo, mayor era su acritud y, entonces, en lugar de dar rienda suelta a la lujuria, en lo que tampoco tenía que implicarse amorosamente, la violaba. Él era más amante de la violencia como presunción artística que del amor en sí, como arte.

Lo malhumoraba que ella hiciera tantas muecas idiotas —según sus sarcasmos soltados en medio del acto sexual—, aunque también deploraba que estuviese siempre rígida, mirándolo fría como el hielo, clavándole las pupilas.

¿Era capaz de eyacular y vaciarse en ella así, estudiándola de ese modo, criticándola con semejante crueldad en el instante tan especial del acto amoroso? Costaba imaginar una respuesta afirmativa. Él se demoraba, se demoraba, y cuanto más se demoraba más crueles se hacían sus vaivenes encima de ella. Ella se secaba y sangraba, su corazón se convertía en una pelota de hierro.

A Dora, esos pocos días en Venecia le sirvieron para entender en qué momento había dejado de ser la artista con el corazón en un pálpito, abierta a la exploración artística y pasional; se dio cuenta de que desde el instante en que había iniciado su aventura con aquel hombre, especial, recóndita, en la que ella misma había querido mutar en ídolo, su vida se había reducido a una secuencia de estados desequilibrados de ebriedad. Se sentía ebria de él, de su pasión por él, del trabajo de él, y ausente y hastiada del suyo y de todo lo que tuviera que ver con ella misma. Ebria y acorralada. Por eso sólo con él, con su patético juego, aprendió lo que era el desamor, experimentó el peligro de que la sumisión consentida se convirtiera en perpetuación del terror, el miedo a desasirse de sí misma, de la vida. La dependencia del otro, absoluta, persistente, cruel, sin que ella decidiera en nada.

Sabía que no podía caer enferma, no podía permitírselo, no por ella, sino por él. Aguardaba y observaba cualquier decaimiento del pintor con el ánimo de ofrecerle toda su energía y de poder cuidarlo con la entrega y la devoción que él se merecía, o que, en un principio, ella creyó que se merecía. Pero las veces que se puso enfermo, él no quiso saber nada de ella, reclamaba sobre todo a su secretario, al imprescindible y refunfuñón Sabartés. En esos momentos de fragilidad, ninguna mujer debía estar a su lado, ninguna amante debía ser testigo de su deterioro febril. Y mucho menos ella, tan inconsistente. Nunca le explicó qué había querido decir cuando la llamó «inconsistente».

James había señalado en una ocasión que Picasso hablaba con frecuencia con *Kazbek*, el labrador afgano, luego seguía el hilo de la conversación con su secretario y al final, cuando se percataba de que James estaba también presente en la charla, lo hacía tomar parte. Pero cuando llegaba Dora y quería dar su opinión, Picasso escuchaba, atento, para sellar el tema de manera despótica, abrupta, y sin tener en cuenta lo que había dicho su amante. Para él significaba mucho más la atención de *Kazbek* que la de Dora. Su opinión le importaba un comino, o al menos eso era lo que pretendía dar a entender al público que asistía a esos espectáculos de reafirmación que el artista clasificaba de «varoniles» y «viriles».

Quizá en estos bancos de la iglesia de Santa María del

Milagro, ella y James, con Bernard como testigo, pudieron recordar triste o alegremente algunos fragmentos de un pasado pleno de vericuetos insoportables o, por el contrario, de momentos agradables, como cuando se unían para hacer frente a la furia del Gran Genio, el *Cher et Beau*, cuya palabra casi siempre sonaba a sagrada oratoria.

Recorrí de nuevo el lugar y al poco rato salí apresuradamente hacia el hotel. Llovía a cántaros. Llevaba las zapatillas de cuero empapadas, y una extraña melancolía embargaba mi espíritu. Mi mayor temor era no llegar a interpretar el enigma y la pasión que Dora Maar sintió por Picasso ni la revelación que presintió o acató en este último viaje de su vida, en el que se trazó la férrea voluntad de retirarse del mundo y salir, exclusivamente, para ir de su casa a la catedral de Notre Dame. Tras asistir a la misa, regresaba a su hogar para enclaustrarse nuevamente, rodeada de los cuadros de Picasso, que colgaban de manera imprecisa, sin un cuidado especial, sin un orden exhaustivo, ni un ansia por hacer resaltar su extraordinario valor, tal como él se los había dejado, en las mustias paredes de su polvoriento apartamento, cual personajes con vida que unas veces se acercaban a ella para animarla y otras, la repelían fieros e impenetrables.

En el ajedrez existe esa jugada llamada *zugzwang*, es como un golpe obligado. Estar en *zugzwang* quiere decir que un jugador está obligado a jugar aunque su caballo pierda. Si no tuviera que jugar, no se hallaría en una posición tan frágil. Siempre es una jugada de final de partida, una jugada que sella una verdad, la de la pérdida obligada. No la aprendí precisamente jugando al ajedrez, sino leyendo a Guillermo Cabrera Infante. Allí, en sus palabras, se me reveló el sentido real de la obediencia que no es sumisión asumida y anhelada. El que obedece está obligado a perder tras una jugada. El que acepta la sumisión como táctica de juego está obligando al otro a ser obediente, a jugar sin opciones y a perder. Dora cambió su estado liberal de sumisión por la obediencia ciega.

Apacible. 1958

James preguntó si no deseaban ir a ninguna otra parte, pues les quedaba ya muy poco tiempo, pronto deberían dejar Venecia, y debido a la brevedad con la que se habían propuesto la estancia no habían podido visitarlo todo. Él habría querido regresar al palacete de Peggy Guggenheim, pero Bernard y Dora se oponían. Quedaban tantos museos y obras de arte por ver que lo lógico era salir y deambular por las callejuelas, descubrir sitios, entrar en ellos al azar, comentó Bernard un poco impaciente.

Abandonaron el hotel y marcharon, al principio, juntos, pero fue Dora quien, al poco rato, se quedó rezagada, pegada al cristal de una llamativa aunque estrecha tienda, estudiando unas máscaras. El vendedor salió y se las propuso, la atrajo hacia el interior y ella aceptó probarse algunas de esas joyas. Entusiasmada, también se echó por encima de los hombros una capa de terciopelo rojo. Conversó divertida y risueña con el vendedor durante unos minutos y le contó su pasión por los ajuares teatrales.

—¡Ah, a la *signora* le privan los disfraces! —canturreó el veneciano.

—No, señor, los ajuares teatrales, es distinto... —subrayó ahora, muy seria.

Recorrió con la mirada la atestada tienda una última vez, estaba llena de dorados, brocados, repujados, encajes, telas cuya suavidad invitaba al tacto, a la caricia, lámparas sopladas en fino cristal de Murano, joyas también del mismo material, graciosos bibelots. «Todo esto es tan distinto de lo que me rodea cotidianamente...», pensó.

—Por fin hemos logrado distraerla. Creo que este viaje la ha cambiado bastante, la noto más dulce. —Bernard quiso esperanzar a James con respecto a los problemas de personalidad de su amiga. Habían avanzado un buen trecho, y ella no podía oírlos hablar de la preocupación que desviaba cualquiera de sus conversaciones hacia la complejidad de su carácter.

—Es temporal, es un cambio momentáneo —musitó James.

La mujer se despidió del comerciante y apresuró el paso hasta alcanzar a los jóvenes.

—Me gustaría pasear sola, perderme por ahí, sin ustedes... —Los miró de hito en hito, a la espera de un reproche.

—Claro que sí, Dora, pero ten cuidado, no te pierdas. De todos modos, ten, un mapa de la ciudad... —James le extendió el desplegable.

—¿Seguro que quieres andar a tu aire, Dora? —inquirió Bernard, más precavido.

Ella asintió. Hizo un gesto infantil de adiós con la

mano y, sin titubeos, se fue alejando hasta internarse en una callejuela que giraba a la derecha. Sus amigos la perdieron de vista.

Acarició la húmeda pared con las yemas de los dedos. De súbito, la invadió una rara sensación, muy agradable y nunca antes experimentada, como si de la piel despellejada de las yemas de los dedos goteara sangre y ella se fuera hundiendo lentamente en un estado luminoso y apacible que caldeaba su espalda. «La sangre limpia de todo, de todo», le decía Picasso.

«Dame, niña, tu sangre caliente.» Y ella reía a carcajadas, se cortaba con la cuchilla y vertía el líquido rojo sobre la hoja. El pincel hacía el resto.

La calle humeaba desde el irregular empedrado, fantasmagóricamente vacía. Apresuró la marcha, de lejos se aproximaba la figura alargada de un hombre. ¿Era un hombre o su sombra? Cuando lo tuvo bien cerca se percató del inmenso parecido que este nuevo desconocido, alto, delgado, mulato, tenía con el pintor Wifredo Lam.

Intensidad creciente de los murmullos. Venecia, 1958

La mujer decidió regresar a la piazza San Marco, caminó tan de prisa que apenas alcanzó a situarse y, mareada, casi perdió el equilibrio. Tuvo que recostarse en una pared desconchada, echar la cabeza hacia atrás, respirar hondo, recuperar el eje de su cuerpo.

Abrió el mapa estirándolo con ambas manos de manera torpe, fijó la vista en la geografía de las calles, alzó los ojos, buscó el nombre de la calle en la pared. Se había perdido, era lo que ansiaba, perderse en la ciudad, a solas. Solitaria y enigmática. Pero al mismo tiempo se había perdido en su cabeza, de súbito olvidó quién era. Había extraviado su pensamiento y sus recuerdos al rozar la figura del hombre que le evocó a Wifredo Lam. Temió regresar al punto de no retorno en su trastornada mente. Temió volver a enfermar, perder la memoria, enloquecer.

Sentada en el quicio de la entrada de una casa encogió las piernas hacia el vientre y bajó la cabeza haciéndola descansar encima de las rodillas.

Lam acudió por primera vez al *atelier* de la rue Grands Augustins procedente de España para entregarle una carta a Picasso de parte de su viejo amigo Manolo Hugué, el mismo con el que habían compartido juventud y pobreza en el *atelier* Le Bateau-Lavoir. A Picasso le agradó aquel joven mulato, de pasa hirsuta, achinado, sonriente, tan bien proporcionado, con un cuerpo semejante al de un rústico bailarín que todavía no se ha entrenado como tal, salvaje y preñado de inquietudes.

—Una parte de mis antepasados emigraron a Cuba y allí echaron raíces —comentó Picasso después de recibir la epístola y las noticias de primera mano de su amigo Hugué.

—¿A Cuba? ¿Tus antepasados? —el cubano lo tuteó no más conocerlo con una confianza que denotaba hermandad.

La figura larguirucha de Lam se enseñoreó de la pieza y empezó a describir el paisaje isleño, los árboles, el monte, los pájaros, el color del cielo, el resplandeciente azul del mar. El anfitrión estudió aquellos brazos delgados y largos, sus piernas como trazos exquisitos, el rostro huesudo y los labios abultados, los ojos de una línea asiática perfecta, el pelo como los hierbajos de la selva, los surcos de un campo agreste en su piel lisa y achocolatada. Todo en aquel hombre evocaba ternura, familiaridad y grandeza.

«Es un príncipe —se dijo—, un príncipe indómito.»

Desde que vio la pintura de Lam, Picasso sabía que, si bien el mulato reconocía humildemente ser su discípulo, también él tendría mucho que aprender de las formas cubanas y africanas que proponía y aportaba el universo de aquel joven que contaba treinta y siete años, pero que ya era un sabio, un inmenso artista. Picasso no vaciló en apadrinar la exposición de Lam en la galería Pierre Loeb de París.

—Tienes mi misma sangre, eres como un primo. ¿Por qué no apadrinarte a ti y a tu obra? —subrayó Picasso.

Lam sonrió satisfecho y abrazó efusivo al malagueño. En eso llegó ella y, sorprendida por aquel abrazo y por la euforia, preguntó que qué se festejaba.

—¡Se festeja la exposición de Wifredo Lam en París! —Picasso sonó más efusivo de lo habitual.

—¡Mi hermano, mi hermano! —canturreaba Lam bailando alrededor de aquella estancia perfumado con la resina, el óleo, la tinta y el aguarrás.

Los tres hablaron en su idioma, el castellano, con acentos diferentes. Por supuesto, el del cubano fluía más suave. Dora intentó marcar más las «zetas» y ablandar las «ye», para no destacar con su acento argentino por encima del andaluz y el cubano de Sagua la Grande. Picasso abrió una botella de Anís del Mono, la única bebida que podía ofrecer, y brindaron con pequeños sorbos ahorrativos.

—¿Por qué no vamos al restaurante de la calle Bonaparte? —invitó Picasso, los dos aceptaron animados.

Volaron, más que corrieron, hasta el restaurante, estaban hambrientos, sobre todo Lam. Picasso quedó unos segundos rezagado, a medio camino, observaba embriagado a aquellos dos, al joven talentoso y a la mujer que tan azarosamente lo amaba y a la que él ya comenzaba a repeler de forma nociva. Entonces, sintió el miedo que siempre se apoderaba de su espíritu cuando se le agolpaban los presentimientos entorpeciéndole los pensamientos y el análisis. Se preguntó, temeroso, qué pasaría si con el tiempo esos dos se convirtieran en sus rivales, en sus peores enemigos... Dora se volvió hacia él, la asustó divisar aquel rostro desdibujado, flácido, envejecido de golpe. Adivinó que algo hondo lo había hecho pedazos, viejas sombras perturbadoras... Lam, sin percibir ningún cambio, lo tomó de la mano y lo obligó a bailotear con él, agarrados, pisando los charcos cristalizados del neblinoso trayecto. Justo en ese momento, Picasso reaccionó y soltó su tremebunda y relinchona carcajada.

En el restaurante, Lam devoró la cena, se le veía comer con un hambre ancestral; no podía evitarlo. Dora apenas probó bocado, y Picasso reía a carcajadas:

—¡Miren esto, este muchacho es capaz de comerse hasta la pata de la mesa! No hay nada más cruel que el hambre, yo la conocí, sé de lo que hablo. Dicho lo dicho, nadie me lo negará, se pinta mejor con hambre que con el estómago repleto de manjares. —Y el Gran Genio volvió a reír, atronador.

Lam se limpió las comisuras de los labios con la servilleta blanca, bebió abundante vino tinto. Dora le preguntó, con un remilgo curioso, cómo era Cuba.

—¡Surrealista, Cuba es surrealista! —exclamó Lam.

—No puede ser, ningún país lo es... —Suspiró ella.

—Sí, sí lo es, dentro de lo absurdo hay una buena dosis de surrealismo —afirmó él.

Picasso preguntó adónde podrían ir después de cenar. Dora se encogió de hombros, Lam encendió un cigarrillo.

—Ya sé, podríamos ir a bailar. ¡Eso es, iremos a bailar!

Terminaron la noche en un pequeño cabaret de la rue Vavin, allí se encontraron con dos jovencitas que, cada una por su lado, habían sido invitadas a aquella *soirée* española: la pintora Remedios Varo, acompañada esta vez por un ebrio Óscar Domínguez y, una vez más, la etnóloga Lydia Cabrera, que asistió con una muchacha sumamente callada y elegante, ataviada con una vaporosa toga teñida de marfil o color hueso.

Lam y Lydia se abrazaron, reconociéndose en el amor hacia la isla lejana. Picasso los contemplaba, celoso de no poseer una isla, aquella isla de la que tanto había escuchado hablar.

Mientras avanzaba ahora por las callejuelas venecianas, sus ojos treparon por las fachadas...

Las fachadas iban derritiéndose, detrás de ellas apareció un monte tupido de árboles, y pudo escuchar el repiquetear de los tambores, melodiosos cantos yorubas. Entonces, la espesura de los árboles fue cerrándose, estrechándose, la maleza creció en todas direcciones. Intrépida, corrió con los pies descalzos, estrenaba la inédita sensación de introducirse solitaria en la manigua. Se le antojó como un bautizo ritual. La vegetación culminaba abrazada a una colorida jungla donde los juncos se enredaban en los troncos anchísimos de las ceibas. Oyó cálidos murmullos, como un abejeo adormecedor, y, al final, el lírico canto de un ave hasta entonces desconocida.

Dora había caminado sin detenerse por el vasto y laberíntico empedrado, hasta llegar a un callejón sin salida, o en el que más bien la única salida era el mar, y enfrentarse a la cortina de una neblina vaporosa que emergía de las aguas del Gran Canal.

Atardecía. Nunca antes —salvo cuando estuvo enferma— había conseguido alejarse de manera tan insondable de la realidad, para vivir conscientemente en el espacio brumoso e irreal de los mundos inventados en un estado de letargo que no conseguía controlar.

El hombre que se parecía a Wifredo Lam, con el que se había cruzado en la callejuela, se hallaba ahora a sus espaldas, iba a tocarle el hombro. Ella se volvió:

—Creo que ninguno sabemos adónde ir. Propongo que nos acompañemos mutuamente —silabeó.

—Señora, no me queda otro remedio que acompañarla, usted me ha elegido como su sombra —balbuceó el doble del pintor.

Dora sonrió con timidez. He aquí el porqué a su regreso a París sólo podía esperarla el aislamiento, o lo que los otros creían que era la soledad. Una soledad demasiado poblada de fantasmas. Con ellos, Dora tenía suficiente para poder mantener el equilibrio en la frontera entre la infinitud desasosegada y el desapego a la eternidad, ese concepto tan manoseado.

En ese límite había resistido a duras penas, reguindada del cable imaginario, sostenida por el viento, durante su ingreso en el hospital Sainte-Anne, sin saber exactamente por cuánto tiempo, con otro nombre, abandonada y olvidada.

Lo único que lograba recordar, avizorar en una especie de nebulosa, era la cuerda en lo alto, ella pendiendo y el viento que la balanceaba, ayudándola a sostenerse. También veía pasillos anchos que se iban estrechando, corredores interminables, puertas que se abrían y se cerraban, y caras de gente muerta, muertos en vida, que reconocían en ella a otra moribunda, como una más entre todos ellos.

Su rostro amoratado brillaba cubierto de esponjosas gotas de sudor. Podía adivinarlo por los dolores agudos en las mejillas, se le habían aflojado los dientes y las rodillas le temblaban a todas horas. Su cuerpo parecía un mapa, marcado por los cardenales, estropeado por las magulladuras y agujereado por las agujas que le desgarraban la piel, pues, arrebatada, se zafaba de los brazos del enfermero y corría con la intención de atravesar las paredes y se rompía el cuerpo contra los muros.

Sin embargo, cada una de aquellas noches soñaba con jardines soleados, un campo inundado de naranjas doradas, un caballo que respondía al nombre de *Jade*, un hombre vestido de blanco, una andaluza que cantaba en un tablao. Pero, por la mañana, la despertaba el pestilente olor a meados mezclados con lejía.

Episodio del desconcierto. Venecia, 1958

No me gusta soñar despierta, lo encuentro bastante desagradable, antipático y absurdo, muy perjudicial para mi salud mental. No se trata sólo de que me provoque pavor, es que pierdo el control de mí misma. Precisamente, fue lo que me sucedió hace un rato. Iba caminando y me puse a recordar el día en que encontré a Wifredo Lam, uno de los más grandes artistas que he conocido y he admirado. Para mí existían Pablo Picasso, Max Jacob y Wifredo Lam. Si pudiera reconocerme en uno de los artistas de mi época, afirmaría que me habría gustado construir la fortaleza de la obra de Lam. Posee el peso señorial de sus ancestros, es poética en las formas y exquisita y potente en el contenido; por el contenido, además, es histórica, profundamente antropológica y adivinatoria, y no se parece a ninguna otra porque narra un mundo que aún no se ha explorado lo suficiente a través del ansia del adivino. Supo desprenderse de la influencia picassiana y del surrealismo escrito a destiempo. Lam no tuvo paralelos, era un sabio natural. Sólo dos personas igualaron su grandeza en la escritura: Lydia Cabrera y Henri Michaux. Me hubiera gustado cambiarme por uno de ellos. Picasso me hubiera admirado y amado mucho más si yo hubiera llegado a ser como ellos. Si Picasso fue considerado el genio del siglo XX, Lydia, Lam y Michaux deberían ser descritos como «los duendes del siglo XXI». Aunque mi doble masculino —creo que lo he explicitado con anterioridad— es Max Jacob. Max Jacob, a mi juicio, fue el más grande de todos. Ni un ángel, ni un duende. Un hombre, un poeta.

Trastornada por estos pensamientos, me dirijo hacia la piazza San Marco, la ciudad luce desierta, llovizna ese cernido angustioso. A veces, cruzo mis pasos con desconocidos que marchan protegidos por paraguas de diversos colores, todos corren como si fueran a llegar tarde a una cita, agitados, sin reparar en los demás, que ya no disponemos de más tiempo que de esa migaja que pende sobre nuestras cabezas como el filo de una espada. Yo debería apresurarme, al igual que ellos, pues James y Bernard me esperan y no saben siquiera por dónde ando.

Por fin, desemboco de mi caminata en este descomunal espacio, he olvidado el nombre de esta plaza tan famosa. El empedrado brilla como la piel de un cocodrilo. Mis pies están empapados, podría exprimir mis zapatillas.

Entro en el café Florian a buscarlos, recorro los diversos salones, mis amigos no están aquí. Sí, ahora lo sé, es la piazza San Marco. Mi camarero preferido se llama igual: Marcos. La memoria se me dispersa por los despeñaderos más inauditos, la recupero parcialmente, como cuando nos detenemos a recoger una flor, y sus pétalos y su aroma nos retrotraen por paraderos por los que nunca hemos transitado. Salgo del Florian y revisito y husmeo en diferentes sitios: cafés, boutiques, hotelitos, pero en ninguno de ellos consigo hallarlos. Regreso, entonces, al hotel. La llave de su habitación no se encuentra en recepción. El joven que atiende a los huéspedes no tiene noticias de ellos, o no quiere dármelas.

—No han llegado aún —anuncia el gerente desde su pequeña oficina. Recojo mi llave, subo a mi habitación.

Me desvisto y tomo un baño tibio.

Sentada en el borde de la cama, me doy cuenta de cuán sola estoy. No tengo a nadie. Este viaje no me pertenece. Es su viaje. Ellos me han traído, y yo sobro, estoy de más. A partir de ahora, siempre estaré de más en todas partes. Porque soy vieja y estoy sola, y cada vez tengo más lagunas en la cabeza. Soy una mujer a la que Picasso abandonó a un amargo y ambiguo destino, por eso todavía valgo algo. Aunque James y Bernard me digan lo contrario y se empeñen en hacerme creer que para ellos soy mucho más, solamente porque en los mejores retratos del Gran Genio sigo siendo su amante, inmortalizada como una *pauvre Dora*, «¡pobre Dora!», como a él le gustaba llamarme, humillarme, así, delante de los amigos y los enemigos. Sé que todo se ha acabado. Punto final. No, yo ya no soy nadie, estoy sola, ya no soy su mujer, no represento nada más en la vida de Picasso. Y ya no tengo ningún interés para aquellos para quienes el único y excelso valor se llama «Pablo Picasso».

Los ojos me pican, ardientes, intento llorar y no lo consigo. Tengo los lagrimales secos y sombríos, polvorientos, agrietados. Empiezo a devenir indescifrable hasta para mí misma. Nadie me quiere, no quiero a nadie. Tanto mejor. Plena libertad. Puedo morir sin herirlos. Apuesto a que podría morir, y todos seguirían divirtiéndose sin mí, en la más absoluta impasibilidad. ¿No es a eso a lo que he aspirado toda la vida, a la neutralidad, a la indiferencia, sin el dramatismo idiota de tener que confesármelo a mí misma? A desaparecer sin hacer ruido, a eso aspiraba con mi andariego y juvenil cuerpo de antaño.

Estos últimos días me han servido para entender mejor lo que he padecido. Mi doble exilio con mis padres, la insoportable severidad de mis orígenes y la creación como destino, aprehendida en el rumbo hacia el mestizaje, un mestizaje inacabado e impuesto. La rareza de mi mundo artístico, surrealista y erótico ha maltrecho finalmente el verdadero y sincero deseo a causa del desconsuelo inextricable en el que me fui sumiendo. Mi encuentro con Pablo Picasso, el hombre al que yo esperaba para que hiciera de mí lo que soy, un desconcierto. Y ya no tan lejano, me encuentro ahora en el sendero hacia lo desconocido, hacia Dios, que es desconocimiento, por fin: la nada, pura y opalina. ¿Dios es conocimiento? Eso piensan algunos, tan seguros de poder apropiarse de lo divino y de fastidiarlo. De la misma manera, tan impropia y vulgar, lo han hecho con lo humano.

Sueño. Me veo arropada con un vestido azul marino y los zapatos a juego. Unas manos abren los botones del camisero, pero apenas puedo vislumbrar el perfil masculino inundado de luz. Me tumba en el colchón, estoy desnuda, y sus manos recorren mi cuerpo. Sus dedos entran en mi vulva, gozo con la masturbación, lenta, profunda, deliciosa. El hombre besa mis labios, su boca sabe a ciruela, y adivino que su mirada es verde... Ahí, justo en ese instante, despierto por culpa de una melodía zumbona. Pero el hombre era de verdad, y lo dejé escapar, aunque su sombra, falsamente fantasmal, todavía pesa encima de mi cuerpo, otra vez palpitante.

Estoy un rato tumbada en el colchón, después voy hasta la silla donde había colocado mi cartera, introduzco la mano y busco en el bolsillito interior donde guardé esa especie de amuleto: el primer regalo de James, un anillo egipcio, encontrado en Deir el-Bahari, según le contó el vendedor, llamado Molattam, con una forma muy peculiar, de cerámica y con una turquesa fabulosa. El anillo no debía ser usado, le aconsejó el anticuario, pues su estructura era en extremo delicada. Constituye, sencillamente, una especie de talismán espiritual, una joya destinada a alimentar el espíritu de quien la conserve y observe en el centro de su lirismo. Nunca me separo de este objeto, incluso después de que un imprudente me estrechara la mano de manera tan ruda que lo hiciera añicos, temo perderlo. Guardo sus fragmentos en esta bolsita. Ese anillo es quizá el culpable de todo este malentendido. Tal vez yo quise darle un significado que iba más allá del que poseía. Es probable que recibiera el anillo haciéndome falsas ilusiones, que todo esto no sea más que un lamentable embrollo sentimental que yo misma me he armado, y que, en verdad, me fuera entregado con vanas y efímeras intenciones. Puede que todo en mi vida, incluso mi relación con Picasso, no haya sido más que una secuencia de incomprensiones, de pésimas interpretaciones de mi mente, tan veloz y soñadora.

Yo era su monstruo inteligente, brillante, al que a él le convenía citar perseverante: «Dora dijo esto, Dora dijo lo otro.» Sólo en ese momento yo le servía, sólo en ese instante dejaba de ser la bestia para convertirme en la mujer *a-dora-da*. Al poco tiempo, volvía a pintarme aquellos pies gigantescos, descomunales, a representarme en sus dibujos y lienzos como una bestia informe, ridícula, pavorosa y tan melosa que hasta parecía estúpida. Ojos aburridamente melancólicos, caídos como dos desgarraduras a cada lado del rostro. Boca repintada de un rojo desbordado por las comisuras de los labios, en una mueca implorante. Una sonrisa que inspira piedad porque por entre el hueco de los labios se advierten gusanos y hormigas que me destrozan la lengua.

«¡Vete, vete sola al campo!», me decía, en plena guerra, y yo debía marcharme con mi nombre tan complicado, un nombre tan peligroso que si caía en manos de los nazis podría haber desaparecido, haber sido deportada, haber muerto. Así y todo, debía partir sola en tren. «Vete tú sola», insistía aburrido.

Pero yo lo amaba, y lo amo, sí, tal vez todavía lo ame, lo amaré siempre. Y no podía hacer otra cosa que marcharme atolondrada, que partir desolada, correr hacia la estación, tomar el tren en un hilo y asumir con ligereza que los controles de identidad podían arruinar mi vida, que me arriesgaba a acabar con mis huesos en un campo de concentración. Pero él no lo veía, no quería verlo. Tampoco dudó un instante en enviar a Marie-Thérèse y a su hija a un apartamento que estuviera bien alejado del suyo, del de la rue Grands Augustins, y en instalarlas en el bulevar Henri IV. ¡Qué iba a importarle a él, el gran señor, el Gran Genio, que la madre de su hija tuviera que ir a verlo en metro o a pie, en plena ocupación, para implorarle lo mínimo para vivir, suplicarle lo poco que él le había asignado, el poco espacio de tiempo y los escasos recursos! ¡Daba igual que yo tuviera que esperar, ansiosa, a que me visitara el resto de la semana, que él había reducido a dos días, y que lo hiciera sin anunciarse! Los demás días era ella, la Vestal maternal, quien obtenía el permiso del pintor para visitar el *atelier* del que ella todavía consideraba su marido, el padre de la niña.

Vuelvo a escuchar mi pobre frase, empequeñecida frente a la fuerza devastadora de la presencia de la madre de su hija Maya: «¡Pero es a mí a quien amas!» Y aquella inesperada respuesta, ¿o no era tan inesperado para mí que me acallara como lo hizo? «Dora Maar, tú sabes que Marie-Thérèse Walter es la única mujer a la que amo.» Y la respuesta de la única mujer a la que él amaba: «Ya lo oyó. ¡Váyase de aquí!» Repetida en letanía, martilladora, en mi sien: «¡Váyase de aquí!»

Venecia es una ciudad donde se venden papeles para escribir, plumas de vidrio y cristales por doquier. Estos productos lujosos, papel repujado, pintado, elegante, y vidrio soplado, coloreado con las vetas del arco iris, me encumbran y alegran el alma. Detenida frente a otra vitrina, puedo encantarme, hechizarme durante largos minutos con esos diversos tipos de papeles fascinantes y con los adornitos de cristal de Murano.

La mañana del 14 de febrero de 1938 recibí el papel más hermoso de mi vida, en aquella carta venía escrito mi nombre, veintiuna veces, con la letra y la tinta azul de Picasso. ¿Cómo no podía amarme? Después, me dedicó un cuento surrealista en el que aparecía también mi nombre en una especie de caligrafía que se asemejaba a una casa: ADORA, en mayúsculas. También llenó una esquina de la pared de mi cuarto de insectos pintados a lápiz, arácnidos. Así, dibujando diminutos animalejos, estuvo entretenido durante horas, días, meses... ¿Significaba eso que no me amaba?

Picasso me abandonó igual que se desentendió de Max Jacob; o quizá ni Max ni yo nunca lo poseímos, ni él nos poseyó a nosotros, de la manera en la que se posee el trofeo amado.

—Te amó, Dora, te amó —aseguró James en una ocasión—, pero no sabía cómo demostrártelo. Te amó tanto que sólo te lo confesaba dañándote.

A James le agrada recordar aquella célebre frase que le soltó a un alemán que le preguntó si era él quien había hecho *Guernica*. Su contestación fue como un fuetazo, sin titubeos: «No, fueron ustedes quienes lo hicieron.» Picasso tampoco podría desligarse de los horrores que había cometido. Max Jacob y yo somos dos de esos ejemplos a los que nadie da importancia. ¿Qué importa todo esto? ¿Qué importancia tenían nuestras vidas al lado de la del Gran Genio? Ninguna.

«Todo este tiempo, yo tenía de mi presencia en el mundo la siguiente visión, que me revenía con frecuencia: Estoy sola en el borde la tierra. Encima de mi cabeza, un cielo nocturno. Debajo, también el cielo. Y la eternidad frente a mí cae como una catarata negra.»

Tengo una idea vaga de haber escrito esta reflexión en alguna parte, pero seguramente tendrá que ver con Max Jacob. No conmigo.

O conmigo, de cuando yo era una muerta en vida, en aquel sucio hospital en el que me despedazaron la mitad del cerebro.

Discusión entre ídolos vencidos. Venecia, 1958

—¿Con quién dejó al final a su gata *Moumoune*? —Bernard preguntó a James.

James se encogió de hombros, entonces lo incitó a que le preguntara él mismo por *Moumoune* si tanto le interesaba el lío de la gata. James, a veces, se ponía demasiado pesado. Debería preguntarle también cómo fue aquel día que estalló en un llanto enloquecido, dijo, y protagonizó tal tremenda perreta que provocó que Picasso, acompañado de Lacan, la encerrara en el hospital psiquiátrico, aprobado sobre todo por su amigo Paul Éluard. Bernard le ripostó que él estaba en mejor posición que la suya para preguntarle acerca de aquel desgarrador pasaje de su más sombría intimidad.

La locura es algo con lo que la gente no quiere lidiar, ni de lejos. Ella estuvo loca, o no lo estuvo pero algo sucedió, algo extraño, o hicieron ver que lo estaba, o la volvieron loca. Y allí la llevaron, a la fuerza. En el hospital Sainte-Anne la sometieron a numerosas sesiones de electrochoques, seguidas de un tratamiento bastante extremo.

—¿Fue Picasso quien la volvió loca? Es lo que podíamos haber intuido hace rato, pero nadie se atreve a confirmarlo —Bernard insistió.

—No, él la sacó de su mundo artístico para introducirla en el mundo exclusivo de Pablo Picasso, la hizo esclava de su obra y de su amor. Fue Lacan quien la fragilizó con los electrochoques. No lo digo yo, lo han dicho otros. Está claro que el desamor de la ruptura la depauperó y que los potentes tratamientos a un mal que Dora no padecía acabaron con su psiquis. —James encendió un cigarrillo.

—¿Sigue loca o ya se ha curado? —Bernard deslizó por encima de los brazos un pulóver ligero de algodón.

—Creo que Dora, la artista, nunca estuvo loca. En cambio, Dora, la amante de Picasso, sí lo estuvo, y mucho, incluso permaneció al borde de la muerte a causa de tanto delirio contenido primero y, luego, vomitando a todo lo que le evocaban sus entrañas. Sólo vivió momentos de lucidez cuando volvía a ser la artista. Por eso la ingresaron con el nombre de Lucienne Tecta y la mutaron en un fantasma que borraría cualquier huella de culpabilidad. Lacan la hizo uno de sus objetos de estudio. Ella agrupaba todo lo que a él le interesaba: la bisexualidad, la homosexualidad, la culpabilidad, el castigo, la paranoia, la autoflagelación, la arrogancia, la mezquindad, la torpeza de la amante; pero, sobre todo, el misterio de ser una gran artista, con una asombrosa inteligencia, una inteligencia de sofocados pensamientos.

—¡Pobre Dora! Lucienne Tecta... —La voz de Bernard filtró una estela de ecos a través del balconcillo que daba al canal. Asomado a la terraza, distinguió en el tejado de enfrente a dos gatos que jugueteaban entre ellos, suspiró—. ¡Cuánta inocencia!

Sí, cuánta inocencia. Y cuánta indecencia. James se recostó en la cama a escribir en su diario. Su amigo disfrutaba con la vista que Venecia le ofrecía desde el balcón, aquella callejuela por la que transitaban personas ajenas a la historia que ellos estaban viviendo, quizá sin darse cuenta de la importancia que realmente tenía, tal vez tomándosela demasiado a la ligera. Una hermosa historia de amistad con la gran Dora Maar, la ex amante de Pablo Picasso. La sublime fotógrafa, la pintora incomprendida e inconclusa.

—¿Te gusta su obra pictórica?

James siguió escribiendo en el cuaderno y optó por no contestar a la pregunta.

—A mí sí, y mucho. Aunque, por supuesto, prefiero a Leonor Fini... —arremetió, persuadido, Bernard.

—Como pintora —respondió James de inmediato, seguía visiblemente molesto— y como fotógrafa, Dora es una de las grandes artistas del surrealismo. No le digas «pobre Dora», de ese modo la llama él cuando quiere burlarse de ella.

—James, ¿he hecho o he dicho yo algo que te haya disgustado?

Otro silencio pesaroso.

Bernard cerró los postigos de la ventana. Fue a acomodarse junto a su amigo en la cama. Sus manos se enlazaron. Bernard amaba esa amistad, aunque hacía tiempo que su relación amorosa había terminado. Así, entrelazados, supo que la amistad con James duraría para toda la vida y que lo querría siempre, pese a su malhumorado carácter.

—¡Eres un cascarrabias!

—Y tú no dejas de hacer preguntas que no me conciernen. Es que parece que te hayas enamorado de Dora...

—¿Estás celoso?

—Bah... —James se volvió del otro lado y se hizo el dormido.

Desde la calle, subía el rumor de los comensales de un restaurante cercano, el ruido de los cubiertos y el alboroto habitual de los camareros venecianos.

—¿Crees que ella espera algo extraordinario de mí? —preguntó James súbitamente.

—Ella lo espera todo de ti. Sin embargo, se ha resignado a esperar y a vivir en esa confusa incertidumbre.

—¿Sabías que durante un tiempo, en el pasado, ella se vio bastante con Balthus? Siguen siendo amigos íntimos, claro. Le daremos un auténtico gusto si, de verdad, tal como prometimos, pasamos a visitarlo de regreso a París.

—Ahora eres tú quien estás celoso de Balthus...

—No, de veras, ya no, pero lo estuve, claro que lo estuve... Otro gran artista en su vida, figúrate, Balthus, Picasso... Picasso sí que se celaba y se cela todavía de Balthus, aun sabiendo que Balthus sólo se siente atraído por las adolescentes.

La penumbra azulosa fue bajando en intensidad y dejó en tinieblas la habitación. Bernard encendió otro cigarrillo. La punta lumínica se desplazaba en la oscuridad hacia su boca. El pequeño círculo encendido recorría entonces las formas del otro cuerpo masculino silueteado por la humareda.

—James, ¿qué es Dora para ti?

—¡Una diosa! —exclamó sin pensar, pero en seguida reflexionó, vacilante—: Una niña.

La Reina del Tíbet. París, 2010

Arrinconada en una mesa del café Sully, situado en la rue Saint-Antoine, escribo en mi pequeño cuaderno y luego lo transcribo en el *laptop*. Gozo transcribiendo del cuaderno al teclado, porque soy de las que todavía piensa que escribir a mano en una libreta enlaza espiritualmente con los grandes escritores de otros tiempos. Escribir a lápiz forma parte ya de un lenguaje antiguo, y traducirlo al teclado representa para mí, aún, un lenguaje más complejo y moderno, menos insinuante y poco misterioso. Veo mejor el texto cuando está impreso, escrito en el papel. Todavía no me acostumbro a leer en la pantalla, ni a corregir la escritura directamente en la computadora.

Mientras escribo pienso en Dora —llevo años pensando en ella, soñando con ella, hablando con ella— y mientras pienso en ella observo de manera oblicua a los que entran y salen del café... En este preciso instante veo a una mujer altiva, elegante, de pelo negro y tez nacarada, se acomoda en la mesa contigua a la mía, sonríe al camarero y después a mí, luego se vuelve hacia el primero y pide un vodka con jugo de naranja puro. No es muy alta, pero lo parece. En su antebrazo lleva múltiples pulseras tibetanas, va toda enjoyada, como si fuera la Reina del Tíbet. Es la primera imagen que asalta mi mente.

«La Reina del Tíbet», repito la frase en letanía. Así empezó a llamarse Dora Maar cuando intuía, sin querer confesárselo, que perdería a Picasso. Además, y para colmo de males, perdió la razón. Esta mujer se parece a Dora Maar y... también posee algunos rasgos de Alicia Dujovne Ortiz, pero no es ninguna de ellas, aunque consiga ser una mezcla de ambas. Ahora, la que ya he bautizado como «la Extraña» abre un libro de fotos surrealistas, vaya casualidad. Es un álbum precioso, que se vendió muy bien en el momento de su publicación. Ella lo hojea, apacible, y estudia minuciosamente cada foto bajo una diminuta lámpara lupa que extrae de un bolsillo lateral de su amplia falda.

A la Reina del Tíbet la hallaron una tarde desnuda en el pasillo, en otra ocasión se encueró frente a unos vecinos, en el zaguán del inmueble, en la rue de Savoie, donde habitaba con su gata *Moumoune*, un regalo que Picasso le había hecho después de que le robaran a su perrita.

Más tarde, anduvo descalza por la calle y hasta declaró a la Policía que también le habían robado la bicicleta, cuando, en verdad, la había abandonado ella misma junto al Sena. La Reina del Tíbet empezó a hablar en verso, como en incoherentes preceptos moralistas, soltaba mensajes ininteligibles, frases tintineantes y absurdas: «Los árboles se asemejaban a globos a punto de salir volando», musitó. «Todo es simple, y admiro la fatalidad total de los objetos», recalcó en un hosco pronunciamiento.

Sus ojos vidriosos se cerraban apesadumbrados, los párpados le caían lentos e insinuaban con aquel inusitado y letal movimiento un cansancio más psicológico que físico. La boca se le había desguindado de las mejillas, los labios perdieron el frescor y hasta los mohïnes vibrátiles de antaño.

Sólo contaba treinta y ocho años, los electrochoques sólo se podían aplicar a partir de los cuarenta, precisó entonces Lacan.

—No importa —dijo el Gran Genio al psicoanalista, camino del hospital psiquiátrico—, es absolutamente necesario que ella olvide. ¡Que me olvide!

La Reina del Tíbet olvidó tanto que hasta olvidó su verdadero nombre, ahora se hacía llamar «la Reina del Tíbet» y podía acordarse, por fragmentos, de que había amado a alguien muy importante. Lo podía adivinar por aquella preciosa protuberancia que tenía en la frente, invisible para los ojos de los demás, menos para aquel hombre calvo, barrigón, de cabeza cuadrada y ojos abofados con grandes pupilas prietas, similares a unos coágulos secos, que no lograba apartar de sus más cáusticas pesadillas. Él era el único que sabía apreciar aquel voluminoso cuerno en su frente, así lo había pintado, como la cornamenta de un unicornio.

Como un pene erecto, para los ojos de James.

La Reina del Tíbet intuía que James la quería porque gracias a ella podía saciar su contenida pasión homosexual por Picasso. James se sentía atraído por su endiosada presencia a través también de la obra de Picasso. A donde quiera que ella se dirigiera ya no era ella la que caminaba, sino la obra viviente del Gran Genio del Siglo, de la que colgaba una etiqueta con un precio todavía considerado barato. En aquel instante, se la valoraba demasiado poco en comparación con lo que valdría después.

—Soy la Reina del Tíbet, y me debes respeto y sumisión. Todas tus pertenencias y tu dinero serán míos —preceptuaba ella obligando a que el joven de treinta y un años se arrodillara en posición de obediencia ante la mujer de cuarenta y seis.

El joven la contemplaba con los ojos llenos de lágrimas.

El viejo enano y feo de ojos enloquecidos la había dominado en el pasado. Ahora le tocaba a ella someter al joven altísimo y esbelto, de piel primorosa y labios carnosos, con aquel cabello abundante que caía en forma de mota sobre sus cejas y una mirada soñadora de profeta y alquimista. También le dio por contar cosas desagradables de sí misma, se describió como una reina avariciosa cuyo mayor tesoro era aquella gota de sangre perteneciente al Gran Genio que tenía impregnada en un papel.

Dejó de comer, apenas mordisqueaba algo cuando se encontraba sola. Salía poco, se encontraba con algunos amigos en el restaurante. Si le preguntaban si había comido, si se alimentaba bien, aseguraba que sí, pero entonces descubrían que no era verdad porque, al menor descuido, pedía prestado el tenedor del comensal vecino y picoteaba de los platos ajenos. Esto le valió el mote de Picassette, un juego de palabras entre *pique-assiette* («pica plato») y el femenino burlón del apellido «Picasso».

Su amiga Leonor Fini intentaba animarla, tomándola entre sus brazos, arrullándola en su pecho. La cabeza de Dora recostada sobre su hombro se hundía en el seno de la artista como un hueso con el que juguetean los perros en un mullido cojín. Parecía una niña desorientada, abstraída de todo, y Leonor fingía que podía reemplazar a la madre muerta. Tal vez fue la única en reparar en que, a su salida del sanatorio, Dora no estaba realmente curada del todo.

Eso sí, nunca lloraba. Jamás. Se reafirmaba frente a los amigos con una gestualidad impecable, admirablemente incisiva, con aquellos gestos diabólicos que le proporcionaban el don de poseer una soberana inteligencia.

A la Reina del Tíbet le diagnosticaron delírium trémens, manía persecutoria, esquizofrenia y ultraparanoia. Un buen cóctel de pastillas, electrochoques y encierros harían el resto. No podía acordarse del momento en que la liberaron, o sea, de cuándo le dieron el alta y la pusieron de nuevo sobre el escenario original en el que había consumado y consumido su enfermedad. Pero allí estaba ella, de vuelta, por mucho tiempo, más de lo previsto.

Sentada en el peldaño de la entrada, bajo el dintel de su habitación en Venecia, en el año 1958, Dora podía respirar y retrotraerse al olor arrobador del éter. Con trocitos de algodón, le secaban las sienes para aplicarle las descargas eléctricas a cada lado de la cabeza. Mordía con rabia impulsiva un trozo de goma, su cuerpo se contraía en un nudo, desde el tronco pasando por cada músculo de la cara. El rayo fulgurante y letal recorría sus miembros, la cintura se arqueaba, y ella casi se partía en dos, los huesos le traqueaban, como si de un tajo rompieran una muñeca de porcelana justo por la mitad. Aquello daba horror verlo. Pavor e impotencia soportarlo.

El rollo de algodón evitaba que se mordiera la lengua o que se le fracturaran las mandíbulas. Pero a veces no le servía de nada, y sangraba abundantemente por la boca. Se suponía que este tratamiento sólo podía aplicarse a pacientes de más de cuarenta años, oía que recalcaban a su alrededor las enfermeras. Nadie tuvo a bien reparar en su edad. Salvo Lacan, que reiteró:

—Ella sólo tiene treinta y ocho —recordó el psicoanalista.

Y el Gran Genio del siglo XX profirió la frase que acabó con la vida sexual y espiritual de Dora, y con su vida sentimental, con la vida *tout court*:

—Me da igual, *je m'en fous!* Te repito que necesita olvidar. Además, ella ya no le importará a nadie más. No me sirve, no me vale. No servirá a nadie más, ni valdrá para nada.

Sin embargo, la Reina del Tíbet reaparecería mucho más tarde aparentemente curada. Digo aparentemente porque no lo estaba del todo, pero ella no lo sabía todavía. En sus pesadillas un puño le golpeaba con fuerza la tráquea, la nuca o entre las cejas, o de un tirón la volteaba y le destrozaba los huesecillos de la rabadilla.

En el pasado, en el café Francis, había tenido que aceptar la ruptura definitiva con el hombre de su vida frente a la jovencita que la reemplazaría: Françoise Gilot.

Sucedió, en apariencia, de un modo sencillo: ella repitió como una autómata frente a su joven rival que todo entre ella y aquel hombre había terminado, tal como exigía la táctica del domador. Fingió destreza a la hora de exigir los platos más caros y tragó en seco su dolor aderezándolo con buen champán, caviar y *foie-gras*. Había dejado de ser la fierecilla esclavizada. Y siguió un brillante guión.

Al finalizar la comedia, se marchó sola, pero antes de eso tuvo que soportar la desdeñosa burla de su *Maître*, de su domador:

—A tu edad ya no necesitas que nadie te acompañe —le soltó con cierta socarronería que ella reconoció de un pasado no muy remoto.

Respondió no menos irónica:

—A la tuya necesitas apoyarte en la juventud, como si de un bastón se tratara, para poder dirigirte a cualquier parte.

Llevaba guardado en el bolsillo el cenicero que Picasso le había deslizado después de haberlo hurtado en Chez Francis. Lo apretó, airada, con la mano hundida entre la seda y la lana del abrigo.

La Reina del Tíbet anduvo torpemente, como si fuera a derrumbarse de un momento a otro, mientras recordaba las palabras de Paul Éluard, uno de sus pocos amigos: «Les ha vendido demasiados cuadros a los alemanes para confiar en él como un militante comunista.» ¿Y para qué diablos servía ser comunista? Se preguntó ella mordiéndose furiosamente los labios. Si ni siquiera sirve para ser hombre...

Todo eso y más escribí mientras estuve en el café La Fontaine Sully, tan entretenida y enfocada en la escritura que no advertí que la mujer sentada a la mesa vecina se había marchado discretamente.

—¿En qué momento partió la señora? —pregunté al camarero—. Ni cuenta me di de que se ausentara.

—Hará una hora, mi querida *petite dame*, hará una hora.

¿Cuánto tiempo llevaba yo escribiendo en el café? Varias, muchas horas, no quise calcularlas. Empezaba a sentirme mal y no sabía por qué. Pagué y decidí regresar a casa, ya era de noche.

El café La Fontaine Sully no cierra nunca.

Ofrendas recíprocas entre divinidades. Venecia, 1958

Dios le había regalado este viaje, definitivamente. Ya casi habían llegado al final del mismo y no podía echarlo a perder, debía comportarse bien y ser buena, comprometerse a ser educada y amable con James y Bernard. Pero para ser sincera, prefería ser como siempre había intentado aparentar: dura, estricta, exigente. Aunque por dentro estuviera desmoronándose de fragilidad. Había bebido unas copas en la habitación y se sentía feliz y mareada. Dios le había hecho también tres regalos horrendos: Picasso, una silla donde él acostumbraba a pintarla y un reclinatorio de iglesia. Los dos últimos regalos los envió Dios a través del pintor. Los recibió cuando ya vivían separados, y ella estaba segura de que tanto la pesada silla de tortura como el reclinatorio de iglesia se los había mandado para reafirmarla en la idea de que ella era y seguiría siendo de por vida su víctima y él su verdugo, y de que ahora sólo le quedaba el fervor a Dios. Dios la había moldeado tal y como era en la actualidad, con sus cincuenta años a cuestas: por dentro de miel, por fuera de excelsa y dura roca.

A cambio de los horripilantes obsequios, ella le respondió a Picasso con una pala mohosa, carcomida y rota, que James tuvo a bien llevarle. Picasso se murió de la risa con aquel regalo y aseguró a James que aquella mujer, aquella loca, era la única que podía entender sus mensajes y responderle de igual manera.

Dios nunca dejó de ponerla a prueba, pero durante su juventud ella no supo escucharlo, porque lo que le atraía era la sonata fascinante del arte, su ferviente melodía, su transcendental significación y, como todos los jóvenes, había sido egoísta, avariciosa de todo lo terrenal que la edad exige.

Primero, Dios la hizo amante de Georges Bataille, la convirtió en su musa sadomasoquista, pervertida y sectaria; después de Bataille vinieron otros, en su gran mayoría artistas de gran envergadura surrealista; finalmente, la mayor y peor prueba: Pablo Picasso. El Gran Genio cubista del siglo XX. Y no satisfecho con su obra, Dios la empujó desde lo más alto, obligándola a caer y a descalabrarse en el vacío más remoto y escabroso. ¿Sería James su salvador, el que la ataparía en el último segundo, tal como ocurría en las películas?

Ella debía recobrar fuerzas, alzarse, ascender por los innombrables caminos de la vergüenza y la amargura, llegar de nuevo a la cima, si es que le quedaba tiempo, acurrucarse en un rescoldo del camino, esperar y acostumbrarse, aceptar la idea, ser consciente de que sólo le restaba la alternativa de entregarse por completo a él, al verdadero, único y auténtico Señor de su soledad. Dios entonces no es más que abandono, extrañeza, aislamiento.

Dentro de un rato dejarían Venecia, tomarían el automóvil y harían el viaje de regreso a París por carretera,

James le había prometido visitar a Balthus. Al cabo de unas pocas horas, o días, todo acabaría, el viaje culminaría. El viaje de su vida y el viaje de la vida.

En el secreto de mí misma a mi mismo secreto
viviendo me haces vivir.
Este cuarto donde viví la locura, el miedo y la desazón
es el nacimiento sencillo de un día de verano.
El exilio es vasto pero es el verano,
el silencio a pleno sol.
Un enclave de paz donde el alma no inventa más que la
                                                    [felicidad.
Un niño en la carretera de su casa.

Esos versos aparecieron ahora en su memoria de manera súbita, extraña, imprecisa. Sin embargo, si bien los visualizó abierta y nítidamente, no pudo acordarse de cuándo los escribió, ni en qué contexto. Tampoco eso era ya importante para ella, lo único importante era la esencia de los versos, púdicos, pobres, exentos de la malicia estridente producto del absurdo y belicoso egoísmo de los poetas mediocres.

No sucedió nada que valiera la pena en este viaje, pero al menos había recuperado una relación apacible con James. Había sido un paseo más a su lado, aunque más largo y más lejos que los anteriores; otro recorrido junto a él por entre la vasta sociedad solitaria en la que se ha convertido el mundo. Los dos hombres que la acompañaron intentaron ser amables, y ella lo agradecía profunda y sinceramente. Sin embargo, esperaba mucho más de su joven amigo, una entrega más delicada. Aunque sospechaba que en él no habría nada más que el interés de poseer su amistad, igual que ambicionaba poseer las obras que Picasso había pintado para ella. Tal vez era injusta, lo suponía sin alterarse demasiado, pero debía buscar una justificación para alejarse y había dado tanto ya que sólo esperaba la elegancia de que le permitieran ser injusta en el último instante, en el de la despedida.

La amistad que mantenía con James Lord se fue reduciendo a eso, a un estricto intercambio informativo acerca de la obra de Picasso, y sabía que los otros, sus amigos, no cesaban de comadrear sobre el asunto. No negaba que James la amaba, claro que la quería, a su manera, una manera bastante poco comprometida socialmente, ni siquiera podía contar con el poderoso tesoro de haber compartido momentos íntimos de amor físico. Ella no lo había admitido, y él no se mostró con la disposición requerida. Habría podido suceder, aquella noche en que él se acostó junto a ella, en su cama, en Ménerbes, bajo la luz sofocante y socorrida de una vela. Le tomó la mano y se la colocó encima de su pecho, y la mano de él aprisionó la suya, pero ella la retiró, y cuando él le preguntó si debía hacer algo que ella anhelara, ella respondió que no. Que todo estaba mejor así.

Hicieron el equipaje aquella misma tarde. Partieron del hotel Europa, en apariencia divertidos, entre las fingidas y ácidas bromas que Dora dirigía a la pareja que la acompañaba y las exageradas respuestas de ellos, que también falseaban sus estados de ánimo, bastante bajos.

Subieron al vehículo. Llovía a cántaros. En el coche, Dora y James discutieron por nada, por tonterías que ella prefería olvidar o que, sencillamente, borró de su memoria. Bernard intermediaba sin éxito, intentaba cada vez invertir la situación a favor de la mujer, y de paso a su favor, con la misma ingeniosidad con la que tuvo que salir del coche a revisarlo y arreglarlo en varias ocasiones, bajo el tupido aguacero, pero, por suerte, con éxito. James también intentó en varias ocasiones reparar el mecanismo del coche pero no lo logró, no sabía nada de mecanicismos ni de esas tonterías.

Al final, decidieron ir a Milán, visitaron varios museos y, de ahí, atravesaron las montañas y llegaron a Zúrich. Contemplaron ampliamente el bellísimo paisaje, admiraron los lagos, pero sobre todo aquellas laderas desbordantes de coníferas que tanto deleitaron a Dora. Basilea la entristeció, últimamente le llagaba el espíritu ver tanta pintura de golpe. Allí se maravillaron con unos cuantos Holbein y, como era de esperar, con unos magníficos picassos.

No estaba segura de que la pintura siguiera siendo un arte que evolucionaba hacia otras formas de pintura. De pintura y no de sucesivos engaños.

Emprendieron el viaje nuevamente.

Hacia la medianoche, llegaron al castillo de Nièvre, donde vivía Balthus. El pintor no los esperaba, por supuesto.

Bernard y Dora se quedaron en la Renault, y fue James quien, tras comprobar que las puertas del castillo estaban abiertas, penetró en él totalmente a oscuras, encendió las luces y llamó al artista.

Balthus surgió del cuarto de Frédérique, a medio vestir, algo ebrio; bastante malhumorado, insinuó que aquéllas no eran horas para recibir invitados. Acodado sobre la mesa, sus ojos extraviados sólo se fijaron en un punto: el rostro de Dora, y sus pupilas se iluminaron para en seguida apagarse. En cuanto vio a su amiga, empezó a susurrar palabras silbantes e incoherentes refiriéndose a ella e ignorando, sin piedad, a sus acompañantes. La extrañaba tanto, tanto, no cesaba de repetir.

—¡Debí haberte llamado, debí llamarte! ¡Te extrañé tanto, mi pequeña amiga, tanto, mi Dora! —Y con su larga y delgada mano le acariciaba el rostro.

Dora se mantuvo rígida, sin mostrar el más leve relajamiento sentimental. Estoica y en apariencia indiferente, oyó las lamentaciones del artista y hasta enjugó las lágrimas del hombre con la punta de un pañuelo arrugado que extrajo de su bolso.

—¡No seas niño! —susurró al oído del más niño de los pintores.

Decidieron ir a acostarse, y a la mañana siguiente, el hombre se portó de una manera menos arisca con Bernard y James, pero sí distinguida, como si el reposo le hubiera aportado consejo y paz.

Aceptaron almorzar con él. Afortunadamente, durante el convite el ambiente se distendió. Bernard no paraba de forzar la situación dando muestras de querer parecer más delicado y reverente con Dora que los demás. Balthus, entonces, retiraba su cuerpo, reticente, acomodándose al respaldar de la silla, bajaba los párpados y por el filo que quedaba entreabierto estudiaba de soslayo a Bernard, quien a su vez se mostraba complacido de que la alfombra de su abuela, que él le había regalado en el pasado a Balthus, se hallara tendida en el centro del salón. Aunque Balthus apreciaba a Bernard, había empezado a desconfiar hasta de su sombra.

Daba la impresión de que Dora no deseaba despegarse de Balthus, como si en su compañía atesorara lo último auténticamente valioso de sus recuerdos de juventud.

Pero debían marcharse, se hacía tarde, «se hace irremediablemente tarde», acentuó uno de ellos. Y se marcharon.

Lo que quedaba de viaje no tuvo mayor trascendencia. Durante el resto del trayecto reinó el silencio.

El 8 de mayo, James y Bernard condujeron a Dora a la puerta de su casa, allí la despidieron apresurados. Aunque quedaron en verse en los días siguientes, no lo hicieron. Transcurrieron trece años antes de que ella y el joven soldado estadounidense, convertido desde hacía ya cierto tiempo en un hombre de mediana edad, deslumbrante y mundanal, se volvieran a ver las caras.

Bernard Minoret, por su parte, me confesó que no sabía cómo había dejado pasar el tiempo, así de sencillo, y hoy se pregunta cómo pudo ser posible que nunca más ansiara visitarla, que nunca más volviera a acordarse de ella.

Por el contrario, a su regreso de Nueva York, James intentó encontrarla. Después de varias llamadas, se empecinó en ir a verla, pero Dora rehusó darle una cita. No lo hizo de manera directa y maleducada, no. Todo lo contrario, siempre traía a colación un pretexto banal o significativo, su salud. James desistió. Ella ya era otra, una más en el umbral de la letanía que conduce a la ancianidad. Había caído en la emboscada de toda esa retahíla de recuerdos amontonados, tumultuosos. Y, a todas luces, prefería replegarse en su soledad.

No obstante, a pesar de sus constantes subterfugios, pasado un largo período y de manera sorpresiva, decidieron, por fin, reunirse en diversas ocasiones. Pocas y breves, en el breve beso imaginario de la espera.

6-18, rue de Savoie. Enero, 1995. Diciembre, 1997

Acababa de llegar como exiliada a París. Mi hija no había cumplido el año y medio, y a mi marido le faltaba un año para los treinta. Yo iba a hacer treinta y cinco el 2 de mayo de ese año, 1995. Los números, en ocasiones, poseen más misterio que las palabras; me refiero al enigma cuántico de las coincidencias del destino. Nacida en 1959, consideraba mi exilio en 1995 (nótense los dos números finales invertidos) como un segundo nacimiento.

Esa mañana me levanté muy temprano, no escribí nada. Me costaba recobrar el impulso matinal de la escritura.

Pensé que habíamos tenido la suerte de llegar y poder vivir en el Marais, aunque no precisamente como inquilinos. Al principio, estuvimos como agregados en la casa de un amigo pintor. Nuestro anfitrión se encontraba viajando, y aunque podíamos disfrutar del pequeño apartamento, exclusivo para nosotros tres, nos autorizamos mínimamente a ocupar el reducido espacio del salón de la entrada, para no invadir demasiado un lugar que no debíamos considerar nuestro, pese a la insistencia de su inquilino formal en que así lo hiciéramos. Dormíamos en un canapé negro de IKEA, viejo y usado, mi marido y yo a cada lado, la niña en el medio; debíamos cuidar de no levantarnos los dos al mismo tiempo porque si lo hacíamos, la chiquilla podía quedar atrapada en el centro, puesto que al sofá le faltaba un muelle y se cerraba, arriesgadamente, de un tirón.

Me erguí con cuidado y, tratando de no hacer ruido, di unos pasos hacia el incómodo y estrecho baño. Terminé de asearme y de vestirme, me abrigué quizá más de la cuenta. En la atascada y grasosa cocina tomé un café amargo y, al rato, me enrollé la bufanda alrededor del cuello y enfundada en el grueso y pesado abrigo, salí a la calle.

Hacía un frío que pelaba, pero el sol teñía con un matiz nacarado al invierno, le prestaba un repentino y peregrino júbilo. Respiré hondo y se me congelaron los pulmones, tuve la sensación de que una navajita de afeitar rusa de la marca Astra, de las que usábamos en Cuba provenientes de los soviéticos, se me colaba por la nariz y hacía el recorrido hiriente hasta mis membranas pulmonares y las rajaba de forma despiadada con su mohoso filo. No obstante, respiré hondo e instantáneamente me sentí optimista y feliz porque era libre, y no pensaba con pavor y retorcimiento en el futuro. Si me dedicaba a pensar, entonces me entraría más miedo... Un miedo que podría convertirse en entrañable y, de ahí, en dañino, que me bloqueara.

No tenía un céntimo, ni para comprar un ticket de metro, así que caminé por el borde del Sena en dirección al Pont Neuf, a esa altura descendí hasta la rue de Savoie, hasta el número 18, donde el editor me había dado cita también junto a un fotógrafo, puesto que debían hacerme algunos retratos que utilizarían cuando se publicara la novela.

Al llegar a la editorial, saludé a todos tímidamente, y la encargada de prensa me ofreció un té de Mariage Frères, la casa de tés que quedaba a pocos metros de allí; me lo prometió bien caliente, pues había advertido el temblor de mis manos y la contracción de mis mandíbulas, debido al intenso frío. Natalie siempre fue muy amable conmigo, al poco rato puso entre mis manos un tazón hirviente y unas galletitas en un plato aparte.

El fotógrafo estaba listo y prefirió salir a la calle para buscar una ubicación. A los pocos minutos, regresó a reclamar mi presencia con la intención de tomar las fotos en el exterior, ya que el espacio interior de la editorial era sumamente reducido y no conseguía desplazarse con holgura. Nos colocamos en la misma esquina de la rue Grands Augustins y la rue de Savoie, el sol bañó mis mejillas, el viento gélido que subió desde el Sena batió y despeinó mi pelo.

Por la acera de enfrente pasó la única transeúnte que compartía en ese minuto la solitaria calle con nosotros: una anciana encorvada, con una acentuada giba. Se detuvo un instante para estudiar nuestro trabajo, no tardó mucho. Hizo un gesto con la joroba, como hastiada de lo que abarcaban sus pupilas, se encogió de hombros y, apresurada, dirigió sus lentos pasos hacia los números descendientes de la rue de Savoie; desapareció exactamente en el número 6. Supe que era el número 6 no sólo porque calculé a la altura en la que se detuvo, sino porque una joven editora que residía en Arles y que se encontraba de paso en la ciudad se encargó de comentárnoslo:

—Esa dama que se ha detenido a observarnos no es otra que Dora Maar, habita en el número seis de esta calle... —susurró temerosa, como si la mujer todavía pudiera oírla.

Di un salto, impresionada, no podía ser verdad, ¿Dora Maar vivía en esa casa, ahí al lado? ¡Oh, por favor, no podía creérmelo, había estado tan cerca de Dora Maar..., de uno de mis ídolos! Y recordé aquella tarde habanera en la que intenté comportarme con valentía, junto a Lena, Apple Pie, el Zurdo Sotera, cuando asistimos a una manifestación improvisada en contra del régimen; ese día les mostré el libro de fotos de Dora Maar.

—Y, aquí, al doblar, se encuentra el *atelier* donde Picasso pintó *Guernica* y donde ella fotografió esa extraordinaria obra de arte —añadió Aline, la editora.

—¿Crees que podría volver a verla? Sólo verla... —inquirí de manera tonta y añadí, a modo de justificación y excusa—: Aprecio enormemente su trabajo.

—¿El *Guernica*, dices? Ah..., no, perdón. Sí, claro, entiendo, has querido decir ver a Dora Maar. Bueno, por supuesto que podrías cruzártela otra vez. Acostumbra a ir a misa muy temprano, a Notre Dame, pero te advierto que suele comportarse de manera bastante arisca, aunque siempre responde a los saludos, tiene mucha educación, como la gran dama que es... Pero en una ocasión intenté entablar una conversación con ella, y evadió mi presencia arguyendo que estaba demasiado apurada para poder admitirme en su vida, me dijo que no pretendiera que ella se pagara el lujo de perder su tiempo en banalidades, puesto que la esperaban sus cuadros. Eso fue todo lo que conversamos. En fin, yo no tuve tiempo de añadir ni una palabra, así que más bien se trató de un monólogo.

Terminamos la sesión de fotos, y regresé lo más temprano que pude a casa, de prisa y con la mente embebida de Dora Maar y de las tareas que me esperaban: tenía que cocinar, pues en breve sería la hora de almorzar, y terminar una traducción por la que me pagarían quinientos francos, se trataba de un prefacio de varias páginas para un catálogo. Prepararía algo ligero de comer —de todos modos, la falta de dinero no me daba para más— y dedicaría el resto del tiempo al trabajo.

Sin embargo, apenas pude concentrarme. Todo el santo día estuve pensando en aquella viejecita jorobada, de rostro apergaminado por los años y mirada traslúcida, vestida de negro y en el hombro una cartera casi más grande que ella que le colgaba en bandolera. Así se me apareció la gran Dora Maar, ¿quién lo habría podido predecir?

A la mañana siguiente volví a la misma hora, con el único objetivo de tropezármela de nuevo. Al salir del vetusto *hotel particular* donde residía temporalmente, me topé de frente con otro amigo pintor, cubano también, intercambiamos impresiones de nuestro bautizo en el exilio y él me dio algunos consejos. Le pregunté por Yendi, aquella chiquita que había sido su novia en La Habana de los ochenta. Hizo un repentino gesto de hastío: «¡Oh, ella, sí, una verdadera mitómana, por nada me echa a perder el viaje y la vida!» Lo lamenté, y quedamos en reunirnos para cenar cualquier noche.

Corrí a mi cita imaginaria, temía llegar tarde.

Situada a corta distancia de la puerta principal de aquel inmueble, pude distinguir el interior del edificio cuando la *gardienne*, la «conserje», salió a recoger los latones vacíos de basura. La mujer me preguntó, estudiándome desconfiada de arriba abajo, si esperaba a algún vecino. Por el acento, me di cuenta de que era española o portuguesa. Estuve a punto de preguntarle por la fotógrafa y pintora, pero me retuve, pues sospeché que me espantaría de allí con la escoba que llevaba en la mano y que alzaba en ristre.

—Espero a alguien de la editorial...

—La editorial queda en el dieciocho, y éste es el seis... —refunfuñó.

Pedí disculpas, fingí que me había equivocado e hice como que me alejaba.

Al rato, no dejé pasar más de diez minutos, divisé a la viejecita, que se disponía a regresar al edificio, con toda seguridad a su apartamento. Tomé el sentido contrario y casi corrí hacia ella, que apenas había reparado en mí, de tan ensimismada que iba, quizá más preocupada por no caerse y lastimarse que por cruzarse con alguien como yo.

Cuando estuve casi encima de ella, levantó los ojos, y sus hermosas pupilas que cambian de color según el tiempo se posaron sobre las mías, con una mirada recóndita, triste, pero para nada apagada, más bien resplandeciente, muy vivaz.

Quise pronunciar una frase y presentarme, pero ella rehuyó, abrió la puerta y entró en el inmueble, más veloz de lo que yo pude calcular. Mientras las hojas de las puertas se iban cerrando lentamente detrás de su huidiza figura, alcancé a divisar, no sin honda aflicción, aquel bulto escuálido de mujer que atravesaba, temeroso, el patio y se perdía en una escalera que conducía hacia un piso de descomunales ventanales acristalados. Cerró la puerta que daba a la calle a cal y canto.

Me dije que me habría gustado mucho vivir en un edificio como ése y ser la envidiada vecina de Dora Maar, poder entrevistarla sobre su vida y su creación, y convertirme en su amiga; sí, incluso empecé a sentir la insospechada y peculiar necesidad de devenir su amiga. Entonces volvió a apresarme la nostalgia, imposible que aconteciera algo así, ante mi todavía breve separación de la isla y el inexistente deseo de un regreso imperativo. Pero la nostalgia que me embargó no tenía que ver con mi pasado, sino con el de ella, era nostalgia por haber compartido época y juventud con aquella gran mujer.

Tras este suceso, y durante dos años, estuve cruzándome con Dora Maar —porque así me lo propuse—. Y ya hacia el final de nuestros furtivos tropiezos, ella me saludaba, sonriente, con un elegante gesto reverencial de cabeza, y a mí siempre me invadía ese frenesí, apenas irrefrenable, de abrazarla, de confesarle cuánto la admiraba, y de declararle que hasta había empezado a quererla, con una ternura indescriptible, constante y desconsolada.

Una mañana de primavera, compré unos claveles que quise ofrendarle. Le tendí el ramo cuando nos saludamos, y ella lo aceptó ceremoniosa, deseándome únicamente con una turbada vocecilla, rajada por demás, en la que todavía se podía adivinar el brío de antaño, un feliz verano. Sin embargo, jamás rompimos nuestro protocolario código de respetuosa distancia.

Otra mañana de 1997 —en la que yo llegué fatalmente con retraso—, Dora salió en dirección a la catedral, pero no llegó hasta ella. Cayó fulminada en medio de la solemne explanada de Notre Dame. Supongo que allí las manos de unos desconocidos la recogieron muerta.

Ese día, como era habitual, yo habría estado aguardándola, pero debido a mi imperdonable retraso y al ver que ella no volvía, y desde luego sin poder imaginar lo peor, decidí regresar a casa para reanudar mi trabajo con las traducciones y revisiones de textos que tenía atrasados.

Supe de su muerte al día siguiente. Muy temprano, recibí la llamada de un amigo periodista que conocía de mi veneración por la artista. Fue un duro golpe del que me costó recuperarme. El primer golpe seco de mi exilio. La primera pérdida.

En todos estos años no he cesado ni un día de pensar en ella, de leer sobre su existencia y sobre su obra, aunque bastante poco se ha escrito en comparación con la majestuosidad que la habita; lo he hecho de manera callada y triste, sin osar compartirlo con nadie.

Cuando paso frente a una librería y distingo libros de Man Ray, en cuyas portadas, la mayoría de las veces, aparece la hermosa foto de Dora Maar, no me queda más remedio que lamentar no haber tenido el coraje de abordarla y conversar con ella más de lo poco que lo hice acerca de cualquier asunto que la entretuviera, quizá de ella misma, de sus cuadros, de sus fotografías, de la época en la que vivió. De Picasso. El tema lo hubiera impuesto ella al fin y al cabo.

Sí, fue una pena no haberme atrevido; cuánto me habría ayudado por aquellos tiempos, durante los primeros meses del irremediable distanciamiento de mi país, haber podido contar con su apoyo, como amiga, como extranjera que había sido, en caso de que ella hubiera aceptado mi amistad. Porque aunque pareciera que un inmenso abismo histórico nos separaba, en verdad, ese barranco donde se empezaban a desbordar los rastrojos del siglo, más bien nos unía.

Apuntes de la última letanía sobre más allá del fin.
París, 2011

Nunca comprenderé del todo por qué una mujer como Dora Maar amó a Picasso, más allá del arte, pero tampoco me interesa indagar en ello con profundidad. No es su unión con el pintor lo que me atrae de su vida —al contrario de lo que le sucedió a James Lord—; sinceramente, prefiero investigar las razones que la obligaron a mantener una amistad, también sumamente ambigua y perjudicial para la artista que llegó a ser, con el propio Lord, y su lado más irracional, me interesa el porqué de su empeño en hacer aquel último viaje a Italia, lo que provocó que echara un candado definitivo a su vida social.

Tal vez, en medio de la barahúnda de recuerdos que agredían su soledad, soñó y anheló que «la putrefacta escenografía de Venecia —citando a Terenci Moix—, permitiría conjurar los espectros» de su vida con Picasso y, posteriormente, con Lord, y que aquel periplo la alejaría de las antiguas extravagancias parisinas.

No obstante, esa sagaz añoranza de borrar con un viaje toda una vida y el intento de refugiarse en la soledad a través de una ordinaria relación con un homosexual antes que seguir presa del amor de un genio son poco creíbles y, sin embargo, suceden a menudo. Me parece más plausible a que continuara con el ogro roñoso, como se comportó Picasso con ella, pues se empeñó en destruirla como mujer y en desdeñarla como artista. Pero, naturalmente, las mujeres, en la mayoría de los casos, nos decantamos por el ogro.

Si bien alcanzo a interpretar la fascinación de la artista por el Maestro, por el Genio, y la transferencia de esa admiración a un amor satánico y posesivo, se me escapa la dependencia fatal, que tuvo hasta el final de su existencia. Supongo que entregarse a un amor platónico —en lugar de a una amistad sencilla— y no menos complejo, como el que tuvo con James Lord, le supuso una aliviadora liberación y cierta ilusión —y decisión corajuda— que perduraron más de lo que ella había imaginado.

Además, no es que se quedara prendada de James Lord sino que el sentido real de su enamoramiento con el joven tuvo un origen visual estético: aquella imagen en la enorme habitación abarrotada de esculturas donde trabajaba el Gran Genio, exuberante de toda suerte de objetos, algunos eran auténticas obras maestras, otros no pasaban de ser vulgares baratijas, en la que el soldado apareció como un efebo de la Grecia antigua, semejante a un objeto más que debía ser preservado y adorado.

El polvo se enseñoreaba de aquel sitio, ecléctico hasta la fatiga ocular, donde apenas se percibía el viejo sofá forrado de crepé rojo, manchado y raído, o a *Kazbek*, el atontado perro, arrellanado encima de la parte más hundida.

Aquella tarde en la que ella descubrió al muchacho, medio desnudo, hacía un calor espeluznante, el vaho de los cojines se mezclaba con el sudor de James (y otros sudores acumulados de anteriores invitados), que dormía o simulaba dormir, reposado encima del color chillón del forro del canapé que le hacía tan escandalosamente seductor. Su rostro brillaba como si lo bañara una pátina análoga al mármol, lucía penetrante y sereno, así como el tiempo en su extrema lentitud se asemejaba a una piedra taína pulida por la calma y el silencio. Picasso pintaba, no muy lejos. Se fue acercando al durmiente cuando vio llegar a Dora. Hizo un gesto versallesco con la mano sugiriéndole que cuidara de no molestarlo, rió por lo bajo.

—Pon atención, no lo despiertes, Dora. Mira que este soldadito americano es mi trofeo de guerra...

El Maestro se alejó escurridizo, dando saltitos, divertido. Al rato regresó, siempre sonriente, musitando piropos al visitante. Dora todavía contemplaba, atónita, aquel amasijo de carne fresca, sabrosa, apetecible, tan bien ordenada, como en un puzle. Picasso, entonces, empezó a mostrar a otros visitantes que fueron llegando al que él llamó el «Combatiente libertario dormido», como un objeto más de su colección personal.

—¡Miren, miren! ¿No es sorprendente? ¿No es de una belleza asombrosamente saludable? —susurraba.

A los admiradores de Picasso no les quedaba más remedio que cuchichear elogiosos entre ellos, también fingidamente impresionados, ante aquella obra de arte viviente que —según el genio del cubismo— bien hubiera podido titularse: *El soldado durmiente.* En apariencia, la rendición absoluta del joven hacía del artista un observador pasivo elegido por el objeto de observación, halagado y complacido en su ego más profundo, puesto que todo indicaba que aquel muchacho le obsequiaba su sueño con exclusiva e imperecedera entrega.

De esa visión, de esos recuerdos, de esos hechos, quedó prendada Dora, más que del personaje real que los provocó. Y por eso apreció a James Lord desde aquel mismo día, por su audacia y su ingenioso don de hacer de su propia persona un Picasso.

Años más tarde, cuando, abandonada por el pintor, Lord empezó a cortejarla, advirtió que Picasso, sin saberlo, le había puesto en su camino a alguien que iba a hacer hasta lo imposible para curarla de su irreparable pérdida. Otra cosa era que lo consiguiera.

Mientras ella deambulaba por aquellas empedradas y herrumbrosas callejuelas venecianas, desde la Laguna ascendía un olor a podrido que le rompía la visión dorada de las mansiones de cuyas entradas sobresalían blasones de antiguas familias del Novecento venidas a menos, o a más. La mayoría desaparecidas ya por aquella fecha en su añoranza y empeño por amasar mayores riquezas y títulos o, por el contrario, perfectamente asentadas en el amargo rictus implacable del fin de los ringorrangos y el triunfo de la *burguecracia*.

En uno de esos paseos, advirtió —como en un aviso llegado del pasado— que la primera vez que su cuerpo había vibrado de manera erótica pensando en James había sido cuando Picasso le contó que había besado al apuesto soldado. Ella no lo había presenciado, pero sí había sido testigo del instante en que el muchacho despertó de aquel largo y simulado letargo y se irguió de los cojines del sofá para desplazarse hacia la sala, siempre seguido por la espeluznante sombra del perro afgano, enfermizo, esquelético, apestoso a llagas, que respondía haraganamente a ese estúpido nombre de *Kazbek*.

Los invitados no hicieron ningún caso del perro, mucho menos de James. El joven anunció con voz soñolienta que se marcharía en unos minutos. Dora retornó a la otra pieza, con el séquito de asistentes detrás. Y fue entonces cuando Picasso, aprovechando que se quedaba solo con James, lo tomó por los brazos, al tiempo que aproximaba sus labios, posándolos en las sonrojadas mejillas del joven. Los besos del ídolo subyugaron al norteamericano, que se dejó hacer, estático, inmovilizado por la emoción y el deseo.

No obstante, no pudo responder, porque no supo si debía corresponderle devolviéndole el beso y, al mismo tiempo, lo invadió un cosquilleo interno, gozoso, aunque demasiado perturbador y pulcro para su gusto. Él había deseado ese beso y lo aceptaba satisfecho, aunque sin lascivia, más bien de un modo un tanto pueril. James le confesaría a Dora más adelante que para él esa prueba exacerbada de cariño había sido algo tremendamente inesperado, paralizante e inaudito, puesto que en su país no se veía nada igual entre hombres y que aunque, por supuesto, se había erotizado de pies a cabeza, como cuando un adolescente es tocado y acariciado en exceso por primera vez, peor había sido el pavor que lo había entumecido.

Mucho tiempo después, rememorando otra vez el suceso con Dora, ella le comentó:

—En Francia, esos besos no significan nada sexual,

suelen ser el equivalente a un apretón de manos. Claro, vete tú a saber con qué intenciones Picasso te abrazó y te besó tan ardientemente. Con él nunca se sabe... ¿Te digo? Le fascinaba jalarme el pelo para oírme chillar, eso decía, y lo hacía con tanta bestialidad que hasta el cráneo me traqueaba, y cuando yo gritaba él no podía esconder el inmenso delirio y la contentura que mi dolor le proporcionaba.

Ahora la mujer ya podía sonreír mientras escuchaba a James contarle en qué términos Picasso se refería a ella cuando ella se ausentaba, aunque podía suponer las ironías que se gastaba en su contra, con la intención de dejarla malparada, burlándose hasta la saciedad de su persona. Sí, claro, afirmaba que se trataba de una experta fotógrafa, para en seguida añadir que jamás había tocado los pinceles hasta que no lo había conocido a él. Que, por supuesto, ella era un genio de la fotografía y que, claro, cómo no, nada más conocerse, Dora le había echado centenares de fotos y que no se sentiría muy feliz si alguien como James le usurpaba el *preponderante lugar* de retratista de Picasso que ella llevaba ocupando desde siempre.

Mientras, alejada de ambos, apuntaba con la cámara para hacerles la histórica foto, un vanidoso Picasso compartía esos cotilleos con el que todavía era un recién llegado, al que consideraría más tarde como un advenedizo.

—Dora, tómate tu tiempo, éste será un retrato único, nunca más posaré junto a otro atractivo soldado *americain* —farfullaba divertido, carcajeándose a mandíbula batiente.

Clic. Dora consiguió un soberbio retrato de ambos. De esos dos hombres tan distintos y que, sin embargo, serían para ella tan complementarios en el porvenir.

La mujer arrastraba sus pies por la densidad de las anochecidas calles venecianas, palpaba la humedad decadente de sus piedras, se preguntaba si alguna vez volvería a esa ciudad con James y Bernard, o tal vez con el primero... ¿Y si Picasso le pedía algún día rehacer este viaje? ¿Aceptaría ella? No, nunca. Jamás lo harían. Era demasiado tarde para volver a traer a Picasso a su vida, y tampoco podría ser seducida de nuevo por alguien a quien prefería tratar ahora con prudencia. La vida de una mujer es una perfecta letanía, similar a una fuga de Bach, esencialmente invariable y que se escapa in crescendo hacia ninguna parte, hasta que en un punto todo se desmorona, y nada vuelve a ser como era antes. Nada en esa partitura infinita que se supone que es la vida, ninguna melodía, se repite, ni siquiera una sola y vacilante nota.

Espontáneamente, le entró un ataque de risa nerviosa. En una ocasión, James le contó que en el pasado se había hecho pasar por el hijo de Picasso y que con esa engañifa molestó a más de una desabrida galerista «de las de antaño», dijo, de las que detestaban al malagueño por su «malograda» pintura, sus insoportables saltos de humor y su incontenible verborrea.

—Se puso peor cuando decidió afiliarse al Partido Comunista. Fueron Louis Aragon y Paul Éluard quienes lo entusiasmaron e influyeron en su aceptación de convertirse en un bolchevique.

—¡En todo un *bolche*, sí, señor! ¡Vaya padre que tiene usted! —le espetó una de esas galeristas chapadas a la antigua que consideraban que la pintura de Picasso era horrorosa y que nunca creyeron del todo a monsieur Lord *l'americain* cuando confesaba la paternidad del Gran Genio—. Aragon podía, y puede, ser muy convincente, porque no sólo se viste de forma adecuada, con elegancia, además resulta atractivo, tiene la mano suelta para los regalos y la boca obsequiosa para los piropos. En fin, es lo que comentan las damas que lo frecuentan —terminó aclarando la «vendedora de artesanía baratucha», que era como llamaba Picasso a ese tipo de galerista.

James nunca soportó a Aragon, era demasiado taimado y sinuoso, un verdadero reptil, igualito a una serpiente, empleaba todos sus recursos en hechizar y complacer a quienes caían fascinados ante sus contorneos sibilinos. Con Paul Éluard fue otra cosa, James lo apreció desde el inicio, pues lo trató con delicadeza. A él, que no era nadie, Éluard se lo llevaba a solas y lo escuchaba atento. Simpático sí que le pareció, además, no sabía cómo se las arreglaba, pero siempre conseguía atraparlo con su intrincada conversación, llena de un sinfín de palabras huesudas que él denominaba: «pistilo», «limbo», *nonchalance*, «demonio», «rinoceronte», «alquitrán»...

La mujer sintió que los pies se le empapaban de un líquido viscoso, un riachuelo rojizo empezó a rellenar las grietas del empedrado y cubrió las suelas de sus zapatos. El cielo encapotado ofrecía una visión aplastante de la ciudad, como si con todo su peso plomizo fuera a caerle encima. Tuvo la impresión de que las paredes se estrechaban hacia ella, como las calles, apretujándola entre los muros. Acorralada, apenas podía respirar.

James le había dicho que «toda aventura tiene que ver con ir a algún sitio, llegar a un destino, ya sea real o espiritual, normalmente a cierta distancia del punto de partida, que en cualquier caso es irrecuperable en el tiempo. También interviene la posibilidad de una búsqueda, aunque sólo sea la búsqueda de uno mismo». ¿Por qué siempre se acordaba de lo que le había dicho James Lord y apenas de las palabras de Picasso? ¿Acaso Picasso sólo tuvo con ella palabras poco factibles de convertirse en frases inmemoriales e imperecederas? Podía resucitar cada sensación de cada minuto vivido con Picasso, pero sus lecciones expresadas en palabras habían sido escasas y mucho menos interesantes. Tan poco sabias que no añadió ninguna al álbum de citas célebres que guardaba celosamente en lo más recóndito de su mente.

Los muros volvieron a distanciarse, tanto que, de pronto, se halló en el centro de un espacio descomunal, con aquella nube negra encima de su cabeza, y no hacía más que brincotear pisando charquitos de una gelatina con una textura muy parecida a la de la sangre congelada y coagulada.

Frente a ella aparecieron dos figuras fantasmagóricas, silueteadas como por una punta de lápiz, repujadas con el polvillo del grafiti, espejismos subordinados de sus longuilíneos movimientos. Una de ellas era el pintor, la otra era el joven soldado. Picasso se acostó encima de unos almohadones, desde allí le hizo señas para que el hombre atravesara el umbral (también delineado como en unos dibujos animados). James se recostó junto a Picasso, que lo atrajo hacia él y lo besó en los labios, luego se separó, extrañado, mirándolo fijamente a los ojos, soltando una sonora carcajada.

—¡Eres un milagro, un milagro! —exclamaba ansioso.

La visión desapareció igual que vino, y Dora volvió a sentirse apresada entre los antiguos palacetes y el vapor inmundo de la Laguna. Después de aquel delirio, reapareció otro Picasso contenidamente furioso.

La guerra con Picasso se había acabado hacía mucho tiempo, pero, como él mismo había confiado a Lord en una ocasión, las hostilidades serían eternas. Cualquier encuentro que tuvieran, aunque fuera solamente de manera fantasmal, provocaba en ambos, sobre todo en ella, una ira incontrolable que le cortaba el aliento, la asfixiaba y la enfermaba. No quería eso, no quería enfermar, y tampoco necesitaba para nada pasar el resto de sus días rememorándolo con odio.

Allá abajo, la bruma del opaco atardecer, la fina llovizna, y ella, allí arriba, con sus diminutos gemelos observando desde un puente, como si contemplara a Assia, su antigua modelo, lanzarse hacia las aguas veteadas por un sol demasiado concentrado en la forma. Todo aparecía enmarcado como en una de sus primeras fotografías de un París lluvioso, o soleado, en plano contrapicado, de las que hizo junto a Kéfer a principios de los años treinta. El agua de la Laguna borboteaba de un color verde botella, poco refinado, turbia, maloliente. Ella sabía fotografiar el agua como nadie, y nadie como ella creaba impresiones líquidas, de falso y encrespado oleaje, en la cabellera de una modelo o en un cuerpo cuyos poros podían asemejarse, gracias a la magia del lente, a unas crestas espumosas o a unos cráteres de un nuevo planeta hidráulico, licuado, en fase de investigación.

Sabía que sus últimos años los viviría enajenada y atrapada por un cúmulo de recuerdos, entre los que predominaba aquel viaje a Venecia, donde hizo uno de los últimos intentos por revivir a la mujer de agua que, cálida, bullía en su interior, la que siempre batallaba por ganarle la partida a la mujer de barro que lloraba destrozada, esforzada en rescatar a la artista y ansiosa por borrar a la amante. Tal vez lo que sucedía era que la memoria le jugaba malas pasadas, que se mezclaban sus aciertos como fotógrafa surrealista con aquel paseo veneciano y que, además, la presencia quimérica de Picasso acudía con la intención de volver a romperle en pedazos las últimas ilusiones esperanzadoras que le reavivaban el pasado. Por eso, con la intención de compensar aquellas invasiones turbulentas en su ser de la memoria llana y plácida, huía de su casa, de la soledad, con el opresivo deseo de refugiarse en el interior de la desnaturalización icónica más banal y furtiva de un templo.

Sentada en uno de los bancos, debajo de la bóveda de Notre Dame, lograba apaciguar su espíritu y redirigirlo hacia una única figura: Dios. Pero al emerger a la superficie, nuevamente hacia la calle, el pasado se apoderaba de sus latidos interiores y, entonces, como hipnotizada, desandaba los pasos por los que su antiguo espíritu había transitado.

En medio de la populosa calle, imaginaba que veía a James venir hacia ella, con un ramo de orquídeas de color marrón, moteadas de un verde esmeralda, y ella lo conducía hacia el rellano de la escalera, no sin antes haberse cobijado gustosa en su abrazo.

Gracias al cartoncillo de presentación que la vendedora había cuidadosamente prendido, reparó en que el ramo lo había comprado en la rue Royale, en la floristería Lechaume, un lugar caro, retuvo el dato, y entonces apreció el obsequio más por el precio que por la belleza del mismo. Es que su idea de belleza, sobre todo en relación con el arte, solía ser menos práctica que la idea que se hacía de la belleza en la vida real; si era caro, era bueno, más que bello, lo que había provocado no pocos malentendidos, o sea, que la gente creyera que era más interesada y egoísta que sensible a los gestos de entrega, o de lucidez poética. Ella amaba la poesía, pero era una mujer práctica y odiaba a las personas que usan el género poético como un medio para alcanzar un fin cualquiera. Detestaba los malabares de lirismo trasnochado para hacerse pasar por el intelectual de moda o la perla hallada en la cochiquera.

Esas mismas maniobras de falso lirismo eran muy propias de la personalidad de Picasso, con él las había aprendido y también a través de él las había rechazado; aunque es cierto que *Cher et Beau* —ése era el seudónimo que usaban ella y James para nombrar a Picasso, «Querido y bello», «Caro y bello»— solía sacárselas de la manga para poder dar en los momentos imprevistos respuestas ingeniosas ligadas más con la política que con el arte. Nunca nadie pudo ponerle una zancadilla en ese género de conversación en que se subestima el arte a favor de la política, Picasso siempre se salía con la suya. A la pregunta del millón de por qué se había afiliado al Partido Comunista, respondía que porque vivían en una época en la que todo el mundo debía mostrar su simpatía por una causa y no por una causa cualquiera, lo que lo obligaba a pertenecer a algo, y ese vínculo, que lo situaba en el rol de un individuo leal, lo había adoptado con agrado porque apreciaba comprometerse con una lealtad, lo que sin duda había sido muy beneficioso para muchos. ¿Por qué no iba a ser provechoso para él?

—Como un partido es tan bueno como cualquier otro —señaló divertido—, pues me uní al partido de mis amigos, que son comunistas; de todos modos, sólo lo hice por amistad.

Sí, desde luego, al hacerlo por amistad le daba una categoría apolítica que era la que él necesitaba para pretextar colocarse muy por encima de las ideologías. Dora había comprendido también que aquel comportamiento evasivo era el que convenía más a un genio, que era el equivalente de responder con una actuación veraz en el arte. Francamente, era preferible ser evasivo antes que rendirse afanado y fanático a los pies de la política, porque la política no conducía a los artistas más que al odio, al resentimiento y a la esclavitud.

En las horas que James y ella pasaron en Ménerbes dedicaron la mayor parte del tiempo a desentrañar la personalidad social y política del pintor.

Sin embargo, en la actualidad, repelía aquellas visiones tan ardientes y las tomas de posición que cuestionaban a Picasso, entre ellas siempre se interponían las opiniones atractivas de James, magistralmente hilvanadas en sus lánguidas e inteligentes conversaciones, además de aquellos cuentos fabulosos y envolventes de cuando regresaba de América, de Egipto o de algún periplo subyugante.

En Nueva York, James se había encontrado con Thomas Mann, y a aquel encuentro le habían seguido una sucesión de cartas muy precisas, dichosas y bellas.

«El don de sentir admiración es lo que he procurado cultivar toda mi vida», escribió el autor de *La montaña mágica* en una carta. Y, efectivamente, eso era lo único que había quedado en ella después de que se le agotó la capacidad de amar: admiración por todos aquellos grandes artistas que, de una manera u otra, destrozaron su vida. Como amantes los detestaba, pero como artistas los admiraría y veneraría hasta el final de sus días. El más grande: Pablo Picasso.

A esa capacidad de separación de los sentimientos y las autenticidades como valores artísticos no llegó de la noche a la mañana. Su convivencia con James Lord la ayudó a aclararse y a desbrozar el camino hacia la contemplación inerme y analítica.

James era un hombre cultivado, refinado, nunca demostraría ser el gran escritor que pretendía ser y gracias a ello, a su incapacidad para demostrarlo, tampoco era un poeta ni un artista *à part entière*, aunque él se lo propusiera y soñara con serlo. Por eso, hiciera lo que hiciera, incluso cuando la fastidiara, lo mimaría como a un amigo fiel, el más devoto y leal. Si conservó su amistad tanto tiempo, sin sexo ni compromisos de otro estilo de por medio, había sido porque James nunca fue lo suficientemente egoísta para alcanzar el título de nobleza artística al que, sin embargo, aspiraba y por el que se desvivía.

Su egoísmo respondía a carencias o ambiciones demasiado terrenales; por ejemplo, el primer día que pisó la casa de Dora se detuvo a contar la cantidad de óleos de Picasso visibles en el salón: ocho en total. Y ya con el hecho de saberse en el salón de la casa de Dora Maar, junto a ocho picassos escoltándolo, podía estar más que satisfecho, en la gloria. Ya podía considerarse el dueño del mundo. Su egoísmo artístico podía ser saciado por ósmosis, por la aventura del otro que se apoderaba de su sueño. Y cuando la ilusión de la aventura ajena acapara el sueño individual, una parte importante de la batalla del talento se pierde.

Viajar todavía era posible, sin tantas aparentes nimiedades transformadas en crípticas fatigas; los desplazamientos se hacían de manera reposada, sin que visitar un sitio lejano (todo era lejano entonces) deviniera el horror de lo que es hoy: una especie de trote de un lado para otro, sin otro sentido que el de husmear en la existencia de los demás.

Lo que se observa de refilón no se aprecia lo suficiente ni en profundidad, porque todo se contempla con liviandad a través del lente de lo superfluo. Para colmo, detrás de uno andan los japoneses, con sus flashazos y sus pies engorrosos, jorobados, envueltos en trapitos; a un lado los norteamericanos, con sus bermudas y sus piernas de pelos ralos; por otra parte, los españoles, gritando convulsos, perdidos en sus disímiles formas de expresar nacionalismos autoexigidos, traficados, y más allá los ricachones saudíes, sobornando a diestro y siniestro —más a siniestro— con el petróleo concentrado en lingotes de oro guardados en saquitos de lentejuelas doradas o en cajas fuertes a escala de monederos de marca. Son capaces de dejar lingotes de propina al recepcionista del hotel, como quien deja monedas, para que les reserven las mejores plazas en los teatros, los mejores asientos en los restaurantes, las más apetecibles putas rusas, aunque sea en pleno ramadán, o sobre todo porque es en pleno ramadán. Todo se ha convertido en un auténtico y resolutivo error humano, devenido horror científico. Lo mismo que en la Antigüedad, cuando la gente todavía hacía referencia y echaba mano del latín como un rasgo de distinción y cultura, era conocido como *horror vacui*.

Viajar a Venecia en la época en la que Dora, Bernard y James lo hicieron todavía significaba enfrentarse al inexplorado y misterioso mundo con un imperioso carácter aventurero, y hasta se podía enarbolar una noción romántica del alejamiento, un fervor por la distancia consumida. Para qué viajar hoy en día a Egipto si de sólo visitar las pirámides vía internet ya nos han salido callos, no en los pies, en las pupilas y en el dedo que maneja el ratón de la computadora.

James Lord tenía razón cuando le confesó que le aterraba la idea de que los años venideros destruyeran, mediante su obsesión de un futuro de marcado igualitarismo y confort ideológico, de avaricia y puritanismo enmascarado tras un falso espectáculo de goce e impudor, y de la posesión enloquecida y pretenciosa de obtusas y presumidas riquezas, aquel presente en el que ellos todavía valoraban el deseo de escuchar a los que sabían expresarse y en el que la permanencia de los otros importaba; la necesidad de conocer a los demás, y a su vez de ser conocidos, poseía un halo de honda sabiduría que siempre se imponía a la dosis, también exacerbada por necesaria, de grato excentricismo. La cultura todavía se hallaba muy lejos de ser espectáculo a secas. Y la música era realmente música, melodía, y no ruido ensordecedor.

Era cierto que el dinero existía aún como manejador de destinos, que muchos de ellos lo poseían contante y sonante, antes, durante, y después de la guerra, y que siempre ha sido la solución frente a cualquier tipo de carencia, sobre todo la moral. Porque no le irían a negar a él que aferrarse a la idea de que el dinero todo lo ensucia no resulta de una inmoralidad y de un cretinismo pasmosos. Con la desaparición del dinero en metálico y la aparición de los bancos, se extendió el mediocre y provinciano espejismo de que todo el mundo podía ser rico, brillante y, para colmo de insensateces, poderoso. ¡Vaya cinismo!

Totalizadora estupidez. El totalitarismo se convirtió en un sentimiento, abrumadoramente imbécil. Y se puede luchar frente a una idea, repetía el novelista cubano Guillermo Cabrera Infante, pero jamás frente a un sentimiento arraigado, intrínseco, inmaduro y, por eso, fácilmente aglutinador de una ideología.

Quiso apartar todos esos angustiosos pensamientos, hizo un gesto despreciativo con su mano y entonces se percató de la ligereza del ademán. Su mano ya no era la pesada mano arrugada, artrítica y manchada de lunares gruesos y abultados que la vejez le había deparado. Su mano había adquirido un resplandor inesperado, lisa y juvenil, lucía ahora unas uñas pintadas de rojo y parecía que sobresalía de manera inaudita de un cobo, que nacía de una caracola luminosa con un fondo de nubes perfectamente ordenadas detrás, como en aquella foto surrealista que ella había manipulado en un fotomontaje allá por los años treinta y pico.

Los truenos la sacudieron y la sacaron de su ensoñación, y tuvo que correr hacia los ventanales de la entrada del hotel que entrechocaban estruendosamente, al ser empujados y abiertos con violencia por el viento. La tormenta se había desatado de improviso, en uno de esos imprevistos afinados por el instrumento magistral que es la naturaleza. Todos dormían, menos ella y un gato barcino que merodeaba por el tejado aledaño.

PARTE IV
—

LA ÚLTIMA PALABRA Y EL ÚLTIMO REZO

El tiempo cual asidero

Escribía posesa del texto, ávida de deshacerse de lo que sabía, de borrarlo de su mente a través de la escritura misma, retornando al punto de partida, otra vez, una vez más, como en una pesada letanía; los pensamientos compilados en diarios la conducían laberínticamente por los túneles que se iban haciendo más estrechos, por los vericuetos finos y delicadamente bordados por el resentimiento de la memoria. Volvía a revisarlo, iba y venía sobre él, para no equivocarse en nada, para no obviar ningún detalle, concebía cada repetición como una retahíla de sucesos hechizados y melodiosos en los que se entremezclaban las figuras de sus fotografías, los paisajes retratados o pintados, y las anécdotas revividas. Corregía, reescribía, tachaba, entretejía e hilaba con minuciosidad lo escrito como si de un tapiz medieval se tratara. Como si una mano ajena e invisible tomara la suya, y la dirigiera con una fogosidad inhabitual y la obligara a verter lo que hasta ese instante había deseado ocultar. Ella obedecía, y el acto de obediencia, de renuncia, y también de sumisión, la anegaba de un deseo y un goce nunca antes tan enteramente satisfechos como ahora.

Retomó el pasaje de la cita en el restaurante: hacía años, aquella noche en La Mediterranée ella sonreía, y su voz resonaba cantarina. James la observaba intrigado, no, ésa no era la Dora impenetrable y morbosamente melancólica con la que él estaba acostumbrado a tratar. En ese momento se mostró como una extraña, como una misteriosa e irreconocible compañía, perfectamente ilusa y reinventada. Sus ojos poseían otro brillo, y fumaba absorbiendo el humo por la boquilla atrompetada, moviéndose con una gestualidad tan expresiva y sensual que lo hacía sonrojar de vergüenza. La ceniza resbalaba por la seda de su blusa, el montoncito acumulado subía y bajaba encima de sus palpitantes pechos. Dora se mostraba deliciosa, apetecible. James nunca la olvidaría en aquel momento y hasta le había dicho, pegando sus labios a su hombro perfumado con una exótica esencia oriental, que si él hubiera querido describir el universo, no habría encontrado nada más parecido a ella para definirlo.

Douglas Cooper fue el primero en romper el encanto al querer averiguar los precios de algunos cuadros de Picasso. Dora respondió con un ligero cambio en sus rasgos que denotó ansiedad.

—Ah, yo hubiera preferido hablar del cine o del tiempo, pero he aquí que tengo que volver a ocuparme de Picasso y de sus precios. Lo entiendo, es lo que la gente espera de mí, nadie lo conoce tanto como yo, pero es que los precios..., ¡qué aburrido puede llegar a ser, qué amargura me da, por favor, tengan piedad de mí!

—Éste es el siglo de Picasso, no podrás escapar a esa evidencia, tú formas parte de ello, del fabuloso fatalismo, eres pieza clave en esa trama. No es sólo que Picasso sea el personaje más importante del siglo, por encima de Einstein y Freud, sino que, además, su obra se encarece cada día que pasa... —Douglas Cooper hizo una pausa como para reafirmarse en lo que decía, las manos revolotearon en el aire acompañadas de un mohín arrogante—. Sí, no dudaría ni un segundo en afirmar que éste es el siglo de Picasso.

—¡Pobre siglo! —exclamó ella y sintió un amargo sabor corrosivo que le quemaba la garganta.

Su rostro demudado se agrietó en una mueca de confusión, y dejó de ser la encantadora mujer que hacía unos minutos flirteaba con un hombre mucho más joven que ella.

—Sin embargo, Douglas, has dudado un poco, o sea, te lo has tenido que pensar antes de soltar semejante confirmación... —subrayó James tratando de salvar la situación y de recuperar a la mujer que le había hecho comparar el brillo de su mirada con el titilar de las estrellas, así, de manera tan insoportablemente cursi, si bien muy sincera de su parte.

—Dora, dejemos las cosas superfluas a un lado. ¿Me das los precios? —insistió Douglas Cooper haciendo como que ignoraba la opinión de Lord.

—No, déjenme tranquila, les ruego por misericordia, no tengo nada que ver con esos precios, lo siento, no estoy para hablar de ventas de Picasso.

—Pero tú has vendido..., has vendido —subrayó el otro hundiendo el dedo en la llaga.

—He vendido alguna obra de menor importancia para mí, eso lo sabes porque te la he vendido a ti, querido Douglas, pero jamás volvería a vender otra y mucho menos especularía con «mis recuerdos de amor perdido».

Así llamaba Dora a los cuadros que representaban la pasión y el profundo amor malogrado que —según ella, para darse importancia frente a sus amigos— habían sido recíprocos y que, más tarde, devinieron aburrimiento y desidia.

Los cuadros temblaron en las paredes, o al menos eso creyó advertir en medio de la penumbra. Ahora era una anciana y recibía todas esas revelaciones como avisos o pruebas de que ya estaba adentrándose en una especie de antesala del viaje al más allá. Como en aquella foto de 1935 titulada *Juegos prohibidos*, donde el más mínimo detalle indicaba un más allá, un nunca jamás, poseso y poseído. No lograba ni siquiera recordar por qué había titulado la foto de aquel modo, dado que allí sólo se observaba a un niño debajo de un escritorio espiando a una pareja en pleno apogeo erótico: el hombre iba vestido con traje oscuro, parecía responder a la categoría de todo un señor, plegado sobre su vientre hacía de borriquillo, y la bailarina, medio desnuda, lo cabalgaba. La mujer llevaba los senos al descubierto y su actitud no era tan lasciva, ni siquiera provocadora, más bien aparentaba seriedad y un contagioso y pecador cansancio.

El mismo tema de la foto podía contemplarlo ahora, como si ella estuviera inmersa en aquel retrato, se movía hacia distintos ángulos, los cuadros de las paredes habían sido reemplazados por pinturas de Picasso, el fondo del espejo ya no lucía tan negro, y en él se reflejaba el rostro de James. De la pared forrada de una seda gastada a rayas, fluía un líquido viscoso, acentuado con un color miel, la misma baba pegajosa que hacía un rato le había empapado los talones y los tobillos, y cuyo rojo, de un púrpura resbaloso, se asemejaba al de los coágulos introducidos a la fuerza dentro de un bote de cristal de laboratorio.

Estudió aquel sitio encuadrado en un formato hexagonal, inventado por ella en un fotomontaje, inspirado no obstante en un apartamento parisino típicamente burgués de fin de siglo, y se sintió satisfecha al percibir su propio anacronismo, su figura que sobraba saturada dentro del desbarajuste ecléctico.

Apostar a penetrar en los lugares que su imaginación había creado le permitía reciclar su abulia. Con este nuevo juego se sentía menos sola e inútil, había conseguido acompañarse de sus obras, penetrar en ellas, diluirse en su fantasmagoría; a pesar de que para lograrlo debía, paradójicamente, distanciarse bastante más del mundo real y escuchar con atención la letanía burbujeante del tiempo dentro de su cabeza. La desasosegada cadencia rítmica que acompaña y acorrala a la mujer vieja.

Sí, debía resistir inmaculada, rechazar la mancha de marea humana que pululaba hosca en el exterior, alrededor de los débiles y execrables espíritus. Mantendría su resistencia intacta, se parecería cada vez más a cada uno de aquellos retratos en los que Picasso la pintó confinada, abochornada de sus lágrimas, amargada y cubierta de estigmas. Toda su soledad no sería más que fruto de la creación del Gran Genio. Sí, porque Picasso sólo había podido ser generoso con ella cuando la aisló y le ofrendó un amasijo de soledades. Soledades majestuosas, trituradas en un burujón informe de huellas imperecederas, que hicieron de la mujer una especie de diosa salvaje, tal como la describía James, colmada de cicatrices y tatuajes. Ya nadie vendría a buscar a la Dora verdadera, sino a la diosa creada por Picasso, la imagen fijada en los museos del mundo, encuadrada en marcos de madera preciosa. Toda su belleza, vista y revisitada por los ojos del Gran Genio, toda su magnificencia traducida por Picasso y obsequiada a los curiosos que asistirían a venerarla desde todas partes del planeta, absortos en el brillo húmedo y ausente de sus pupilas: puro jeroglífico, interesados más en su precio que en el puro valor artístico emanado de la creación y de la pintura.

La mujer que sería la más vista era ahora, sin embargo, la que estaba más escondida. La que en el futuro estaría más acompañada, por los curiosos que se posarían ante sus diversos retratos, era en la actualidad la más solitaria, abanicándose en el butacón del pequeño salón de su casa o impulsándose hacia delante y hacia atrás en la mecedora, en un movimiento reiterativo de prosaica inercia.

Picasso no hizo más que pintar su furia, y aunque ella no deseara que su ira pasara a la posteridad, tampoco había podido hacer nada para impedirlo. Aquel espectáculo era todo sacrificio y mentira, porque en verdad la furia le duraba muy poco tiempo, el mismo que el aguijonazo de un abejorro. Sí, es cierto que le daban esos prontos, pero en seguida se le pasaban, puesto que no era rencorosa y olvidaba con facilidad, quizá demasiado pronto y con demasiada facilidad. Sin embargo, él se había empeñado en inmortalizar aquellos ínfimos ataques airados. Y, a partir de entonces, para el resto de la gente sólo contaría lo que Picasso había visto y pintado, no lo que ella había sido o hecho, verdaderamente, y mucho menos lo que había sentido.

Pero para James sería diferente. Tal vez él conocía mucho más de ella, ya que la había sondeado hasta lo más profundo en su ansia de devenir escritor. Él rebuscaba en su interior las palabras que le faltaban, y ella sabía que con el paso del tiempo se había convertido en una fuente inagotable de palabras pendientes, de frases por escribir, y que todo lo que quiso llorar lo hubiera podido escribir. James lo haría, no tenía la menor duda. Y otros lo harían también. Aunque ella se opusiera firmemente en su testamento. La posteridad la sobrepasaría, y no podría decidir ni añadir nada, no se hallaría en condiciones, porque estaría muerta, como el pobre y mediocre ser humano que era, aunque, por el contrario, sí, lo sabía, tan inmortal, tan eterna en los retratos de Dora Maar firmados por Pablo Picasso. Asimismo, y aunque el mundo escribiera lo que escribiera, aunque James Lord se empeñara en hacerle justicia, nada cambiaría la visión que Picasso tuvo de ella a través de su obra.

Se quedaría con las manos atadas, como cuando le robaron el perro, que apareció y, sin decir ni anunciar nada, extrajo de su camisa aquella gata, aquella especie de diablillo engrifado. Se la llevó precisamente porque sabía que ella detestaba los gatos. Y justo entonces, para mortificarla, le regaló a *Moumoune*, y ella no pudo deshacerse nunca de aquel fastidioso animal, al que pasado el tiempo le cogió una especie de cariño morboso o de asco compasivo.

Tampoco podrá nunca deshacerse de la visión que otros tengan de ella, a través de Picasso, de James y de esos a los que su pasado, su vida, les diría y les dirá algo más o menos relevante.

A pesar de todos esos miedos y vacilaciones, contaba con la certeza de que James no la traicionaría. Sabía, estaba segura de que no podría. Picasso, por el contrario, ya lo había hecho, pintándola primero y abandonándola después. Borrándola de su obra más importante, o tratando de hacerlo: *Guernica*. Sin conseguirlo del todo. La evidencia de su presencia había sobrepasado la genialidad del Maestro. La obra estaría allí, con su rostro impasible y el gemido atragantado.

James no la traicionaría en el futuro. James escribiría exactamente lo que había sucedido entre ellos, e intuirlo la reconfortaba.

Empezaron a frecuentarse, a solas, cuando ella ya tenía cuarenta y seis años, y él treinta y uno. Otra letanía de números a la que no se atrevía a renunciar: el día en que conoció a Picasso, la edad de ella, la de él, el día en que conoció a James, su edad, la de ella y, así, otras cifras que anotaba por doquier, que acumulaba en agendas y en su maltrecho cerebro. Pese a todo, volvió a repetirse, James era de ley, incluso cuando a veces le fallaba la elegancia y lo traicionaba su tosquedad americana.

—¿En cuánto calculas los picassos que poseo, los de mi casa? —inquirió Dora, satisfecha, en una ocasión en que le dio por vanagloriarse de sus posesiones picassianas.

—Medio millón de dólares, tal vez más... —calculó él.

—Muchísimo más. —Sus brazos se agitaron alborotados, y su rostro enfatizó una mueca de altanería, fumaba y sacudía la boquilla, esparciendo cenizas a diestro y siniestro—. ¿Sabes por qué valen tanto? Te lo diré, en confianza: valen una enormidad porque son míos, me pertenecen, y mientras más los atesore más valor adquirirán. Es probable que en las paredes de una galería cuesten la ridícula cifra de medio millón, pero las paredes de la amante de Picasso les añaden un recargo. En las paredes de Dora Maar, adquieren el monto añadido de la historia de amor vivida y traicionada. Como si hubieran sido salvados de un fuego... Picasso me enseñó muchos ardides, con él aprendí lo que nadie supo enseñarme, y siempre ha dicho que el dinero no es importante, para nada, pero que debe ser considerado absolutamente vital para que no te destruya.

—Me gustaría poseer uno de esos cuadros —musitó James, ella simuló no oírlo.

Sus padres no le habían enseñado nada en relación con el dinero, lo que en los primeros años de su existencia adulta artística, aunque todavía siendo casi una adolescente, no supo controlar el manejo del dinero, gastaba, malgastaba en demasía lo poco que ganaba... Hay que reconocer, se dijo, que quien la inició en el saludable ejercicio de saber ahorrar y de administrarse, y quien, además, la convirtió en tacaña había sido él. Para colmo, y esto no era nada positivo, le había inoculado el vicio por los chismorreos. Está comprobado que cuando una pareja se compenetra profundamente, las virtudes y los defectos de uno empiezan a reproducirse y multiplicarse en el otro. Para bien y para mal.

Sin embargo, Picasso amaba a sus padres, los respetaba. Ella quería más a su padre que a su madre. La relación con su madre había sido siempre tensa, hubo momentos en que deseó que se muriera y hasta soñó que la mataba. La madre se inmiscuía demasiado en sus asuntos y lo enredaba todo con sus continuas broncas por cualquier tontería. Picasso no adquirió ese defecto de Dora, odiar a la madre, ni al revés, tampoco ella se ablandó ante su progenitora, como se rendía él ante la suya.

De ese modo, su madre murió de la manera más ridícula que se pudiera uno imaginar: discutiendo con Dora y ya ni recordaba por qué. Aquella noche disputaban violentamente al teléfono. Dora manoteaba, desplazándose de un lado a otro hasta donde el cable se lo permitía. Al cabo de un instante, percibió un estertor seguido de un abrumador y pesado silencio del otro lado del teléfono. Creyó que su madre había colgado, pero se extrañó al escuchar el vacío absoluto del sonido del silencio en la concavidad infinita de la línea.

Como se hallaban en plena ocupación nazi, el toque de queda le impidió trasladarse de inmediato. No pudo salir de su casa hasta la mañana siguiente, en la que, desesperada, corrió a la de su madre y la encontró muerta, tirada en el piso, aferrada al auricular. Se arrodilló ante ella, la observó largo tiempo, no quería que se le borrara ningún detalle de ese instante; «manía de fotógrafa», se dijo.

Al rato acudió Picasso y, ni corto ni perezoso, se dedicó a mostrar el cadáver a todo el que llegaba, como si se tratara de un circo, a todas luces vanidoso de ser el yerno de la mujer que había «cantado *El Manisero*» (expresión cubana que le había enseñado Wifredo Lam para afirmar que una persona había fallecido). ¡Había muerto mientras se acaloraba por teléfono con su hija, que era su amante!

Aquel incidente tan definitivo nunca habría ocurrido a la inversa, porque él jamás hubiera permitido a nadie que mostrara a su madre muerta como a una muñeca roída, vencida por la impotencia y la separación.

Dora soñaba a veces con su madre, y se le aparecía dormida, o difunta, con la cabellera revuelta encima de una almohadilla colocada encima de un ladrillo, los brazos a los lados del cuerpo, la boca abierta, tapada con una sábana grisácea. La mujer se encontraba recostada en el suelo, bajo una bóveda compuesta por arcos y columnas, muy parecidas a las arcadas de la place des Vosges, un oleaje de espuma blanca penetraba en lo que aparentaba ser su morada. No era más que una evocación de otra foto suya del año 1935, cuando se hallaba en plena gloria surrealista.

Su sueño se transformaba con frecuencia en un batiburrillo de pesadillas aleatorias.

Y en una de ellas, inacabable, la madre, erguida, le mostraba el encendedor Dunhill dorado, grabado con un pequeño rostro repujado semejante al de Dora, obra y regalo de Picasso. La amenazaba con tirarla al mar o a un abismo rocalloso y cumplía su promesa tras soltar una temible y nefasta carcajada. Despertaba afiebrada, entripada en sudor, el cráneo hirviendo, se daba un baño de agua fría, bebía grandes sorbos de vino blanco helado. Rodeada de los cuadros de Picasso, pasaba las madrugadas con la vista fija en un punto del lienzo. Al rato, se levantaba, deambulaba por el apartamento, rebuscaba, infructuosamente, la fosforera perdida por cada uno de los escondrijos y las hendijas con las manos temblorosas: en el fondo de las gavetas, en los bolsos, en los bolsillos de los vestidos, en el armario... Sin hallarla.

Regresaba a la cama. En el poco tiempo de sueño que le restaba la aturdían de nuevo las pesadillas: su mano bailoteaba mientras sostenía la muñequita de *biscuit*, como en la foto donde se apreciaba el mar refulgente y, a lo lejos, la Estatua de la Libertad. En primer plano, su mano de uñas pintadas con el *bibelot*, de porcelana perpendicular a la dama que simboliza el triunfo de la vida y del mundo libre.

En el sueño, en cambio, lo que ella apretaba entre sus dedos era una botella de cristal, de vidrio romano, con una forma bastante corriente aunque de un color muy raro: pátina púrpura y tonalidades entre azul pavo real y verde pompeyano. La botella había sido un regalo de James, y se le había roto a ella entre los dedos el mismo día que la recibió. En la pesadilla, se hacía añicos una y mil veces a cámara lenta. Entonces, para vengarse, James le robaba el pájaro que tanto había ansiado, un ave de alambre, madera y yeso que Picasso había fabricado especialmente para ella. Dora se lo había ofrecido cuando se le rompió la botella, pues estaba apenada por el hecho de haber roto su regalo, pero más tarde, en uno de sus arrebatos inaguantables, se lo quitó. James babeaba enamorado de aquel tesoro, pero ella supo cómo torturarlo y, hasta el final, impidió que lo poseyera.

Ahora la torturada era ella, porque no paraba de soñar con aquel pájaro, con cómo James se lo birlaba, y ella no podía correr detrás del hombre para recuperarlo, porque se caía, siempre se caía. Atormentada, buscaba entonces un número de teléfono, el de la policía, pero sólo lograba repetir en una ensordecedora letanía su propio número: ODE 18-55, ODE 18-55, ODE 18-55...

Daba vueltas por toda la casa, tomaba el abrigo y escapaba, angustiada, hacia Chez Georges, el restaurante donde se había dado cita con Marie-Laure de Noailles y Óscar Domínguez, en la rue Mazarine. El pintor, amante de Marie-Laure de Noailles, borracho como de costumbre, se daba a la desagradable tarea de hacer chistes bastante pesados para mofarse de ella y burlarse de su relación con Picasso, luego saltaba a Lord, ¿no era Lord marica? ¿Qué hacía ella con un *maricamericano*? El espectáculo subía de tono y se iba haciendo cada vez más lamentable. No podía soportarlo. Huyó de aquel lugar, sin despedirse de su amiga. Furiosa, impotente, doblemente vejada porque la mecenas ni siquiera se había molestado en detener las estupideces de su amante.

Entonces, se tropezaba con James Lord en medio de una calle muy parecida a la que ella había retratado antaño: a la izquierda, podía divisar los peldaños de una escalera; detrás, un pasadizo de ventanas con arcos redondos, mucha luz, columnas de piedra tallada, un niño en pantalones cortos y descamisado cargaba a otro con el torso desnudo, encima de su hombro. El joven se mostraba con el cuerpo completamente doblado, como si se tratara del saco de un estibador de los muelles. Al fondo, una mujer medio desnuda, rellenita, con un casco romano y una lanza se empecinaba en montar una especie de cómica guardia de honor. Y Lord resurgía en medio de todo eso. ¿Qué hacía Lord allí?

—Dora, necesito hablarte, no puedo tolerar más esta absurda situación que me está matando. Mira, te devuelvo el pájaro de Picasso... —Y le extendía la pequeña escultura, ella la atrapaba, zafia—. No sé si estaría dispuesto a ser tu amante, ¿no ves que no puedo competir con él? Tiene todas las de ganar; por muchas maldades que te haya hecho y torturas que te haya infligido, él siempre ganará. Y yo perderé, yo perdería.

—Sí, sí que puedes, James —susurró ella acariciándole la mejilla con la palma de la mano, demorándola un rato sobre su rostro, tomándole la temperatura del cuerpo—. Tú eres muy importante para mí.

—También yo podría satisfacer sexualmente a una mujer, lo sé, y me complacería enormemente hacerlo contigo, pero...

—¿Pero? ¿Le temes a la huella que Picasso ha dejado en mí? Nunca podrás borrar esa huella, te lo advertí entonces y te lo repito ahora. No se trata de que coloques tu huella encima de la suya, sólo tienes que aceptar que la tuya será muy pequeña comparada con la de Picasso, pero ahí estará y perdurará...

James se apartó de la mujer, apabullado, lastimado por sus palabras, entonces aparecía Bernard, al fondo de la escena, y reclamaba celoso a su amigo:

—No lo hagas, James, no te atrevas, no seas ambiguo. No la obligues a hacer el ridículo. No te lo perdonará nunca. No te juntes con una diosa hecha trizas, porque cuando le toque el turno, ella te hará polvo a ti.

La mujer retornó cansadísima del sueño, extenuada, el cuerpo afiebrado. Apenas había amanecido. Sentada en la cama, sonreía amargamente, pálida, melancólica. Su amigo, aunque más joven que ella, nunca le había dado verdadera importancia a la diferencia de edad, no se trataba de eso. Pero intuía que no sólo la «desigualdad existencial, intelectual y moral» los había separado, como él afirmaba, pues ella poseía una experiencia y una sabiduría muy superiores, además, él nunca había sido sincero con ella como ella lo había sido con él. Él tenía otros *bibelots* de amor, tuvo a Bernard y podía acostarse y desahogarse con sus amantes, hasta que llegó el momento en que Dora ya no poseía más que su ambigua presencia, su cada vez más escasa y formal comparecencia. Así que no toleró ni un minuto más seguir dependiendo de las migajas de los hombres, de los pedacitos de aquel hombre. A ellos dos, del mismo modo que los unió, los separó Picasso.

Frente al espejo, observó su rostro arrugado. Ya no se maquillaba como antes. De joven, acostumbraba a hacerlo a primera hora de la mañana, pero ya no, ya no valía la pena, su cara había dejado de ser la luz, el fulgor que iluminaba e inspiraba a Picasso, a James, a sus amigos. Ahora podía salir a la calle y contemplar tranquilamente a la gente, estudiaba a la juventud; por el contrario, nadie la veía a ella, muy pocos reparaban en su existencia. Era una vieja más entre tantos viejos cascarrabias y rabiosos abandonados, deambulando solitarios por la ciudad.

Por eso le sorprendió la presencia de aquella muchacha, extranjera, sí, por lo que pudo apreciar, por su acento, físico, por cómo caminaba, era extranjera, que la esperaba cada mañana en la rue de Savoie, a pocos pasos de su casa, la perseguía hasta Notre Dame y durante casi dos años anduvo siempre a una cierta distancia detrás de ella, aunque sin atreverse a dirigirle la palabra. Sí, le hacía gracia su timidez, pues mostraba como una especie de recogimiento monacal. Se dijo que mejor la saludaba, sin darle demasiada entrada ni confianza, porque desde el primer día que la vio le resultó simpática. Posaba para un fotógrafo, se moría de frío, pero continuaba allí, sonriendo, apocada y estoica, apenas resistente frente al lente del fotógrafo, amordazada por el deber. Esa muchacha perseverante le hizo recordar a Nush, y a Leonor Fini, y a ella misma.

Se dio cuenta de que, en realidad, era más atractiva cuando le obsequió un ramo de claveles, lo que le evocó aquella recogida de flores blancas en Ménerbes, junto a James...

James y ella llenaron el coche de decenas de ramos de aquellas flores blancas y pasaron el día y la tarde en medio de aquel campo regado por doquier de pétalos impolutos, distraídos y embargados por el aroma que todavía levitaba en la atmósfera de una llovizna pasajera.

Picasso era escorpión, ella capricornio. Su carta astrológica se asemejaba a un diamante triturado y observado de perfil, cortado en láminas. Era una capricornio de fuego, una cabra envuelta en llamas.

Guardaba ese dibujo de su carta astral debajo de la almohada, y a menudo se le aparecía en sueños como el atlas de su destino, flotando en tres dimensiones por encima de su cabeza, alternado con los retratos que le había hecho Picasso.

Así le ocurría ahora: acostada y en duermevela, contemplaba el dibujo. De súbito, oyó que alguien tocaba con los nudillos en la puerta, entreabrió los párpados y los golpes cesaron. No bien volvió a conciliar un breve y leve sueño, se reanudaron los toquecillos en la entrada. «¿Quién anda ahí?», preguntó adormilada. *Maman, c'est moi*», pero ella no tenía hijos. Era, con toda evidencia e insistencia, la voz de una chica que susurraba junto a la puerta: «*Maman, c'est moi*», la voz languideció ronca.

Se levantó trabajosamente, le pesaban los riñones, le costó elevar las piernas hinchadas, hizo un esfuerzo, se calzó las pantuflas y se dirigió a la entrada. No había nadie. Regresó a la cama. Estuvo un rato parada, detenida frente al lecho, contemplando un retrato que le había hecho Picasso y en el que aparecía desnuda, joven y pulposa, con las piernas abiertas, el sexo enmarañado en lo que se asemejaba a una especie de insecto bicéfalo y pérfido.

Al rato, se acostó y, apretando los párpados, se aferró de nuevo al sueño. En su mundo alucinado y de ensueño vivía mejor, más cómoda. Cuando despertaba, se internaba en todo aquel universo ordinariamente real y reiterativo que, cual una aguja de punta gastada y roma, tatuaba en sus sienes el poco tiempo que le restaba y le subrayaba, para colmo, que muy pronto moriría. Dormida podía soportarlo mejor, porque su existencia crecía en otra dimensión; dormida abarcaba una eternidad vasta y sin límites propiciada por la irrealidad impalpable y onírica.

Se vio sentada, años atrás, encima de aquel trozo cuadrado de cemento, con forma de columna, en medio de la playa, al fondo la foresta y la orilla reverberante. Ella tenía una pierna cruzada encima de la otra y recogía la punta del pie en una de sus manos, como si la acariciara aliviándose de un imperceptible escozor. Oteaba hacia el infinito, que en aquel instante podía parecer que fuese, según la perspectiva, el perfil de Picasso. Él, por el contrario, acomodado junto a ella, con una pierna recogida, fijaba sus pupilas al frente. Ambos se veían despreocupados, ella más amorosa y pendiente que él. Él seguía siendo un hombre libre, ella ya comenzaba a devenir su esclava guiada por un pacto obediente. Pero entre ellos todavía no existían los miedos, ni la lástima, ni el olvido, ni la ira. Eso sí, recordó que ya había estallado la guerra civil española y que a él se le notaba un punto entristecido, sin exageradas angustias, aunque intentara evitar lucir algo perdido y escondiera su preocupación.

«Roland Penrose, Roland Penrose...», musitó Dora en medio de la semivigilia. Penrose los había retratado, y ella se debatía por no perder aquella imagen congelada de los primeros síntomas de la abulia cruel y rutinaria; de todos modos, los malos recuerdos son los últimos que se evanescen, son los que perduran.

A media madrugada, sintió sed, tenía la garganta seca,

estiró el brazo para coger el vaso con agua; mientras bebía se fijó en que los muebles habían criado una especie de pezuñas y moho, y en que de las gavetas surgían descomunales matas de pelo largo, grueso, como colas y crines de caballos. ¡Oh, Dios, oh, virgen santísima! Unió sus manos en un rezo, pero no logró decir correctamente ninguna oración, ninguna le venía a los labios.

La habitación se llenó de caballos que iban al galope. Oyó en un murmullo la palabra «jade».

El agua cálida de una playa inundó el parquet de madera antigua y, a posteriori, el paisaje de Porquerolles invadió la estancia. «Posterior», «a posteriori», palabras de Picasso.

A lo lejos, James se entretenía en recoger pececitos con la cuenca de sus manos llenas de agua y los volvía a soltar. Catherine Dudley parloteaba junto a ella:

—Me han contado que hablas mal de Picasso. No deberías hacerlo, no te hará ningún bien, la gente ya se burla de ti a tus espaldas. Al fin y al cabo, se lo debes todo a él, todo se lo debes.

—Vaya, Catherine, ¿no podrías ser un poco menos idiota? ¡Qué tonterías, por favor, no hagas que me enfade! No le debo nada en absoluto. En verdad, es al revés. Él me usó, bestialmente. Me usó a mí para su arte, yo era la materia prima. Me usó de forma despiadada y me tiró cuando ya no le serví. No olvides los diversos y deformes retratos que hizo de mí. Esos que él dice que soy yo.

—Y que tú conservas como si fueran todo el oro del Perú —ironizó Catherine.

—¿Y qué quieres que haga? Son míos, soy yo, se trata de mí. Claro que los guardo como oro en paño. Él abusó de mí, socavó mi inteligencia. No le guardo rencor,

¿no crees que sólo eso es suficiente? Además, no son todos míos, él se quedó con la mayoría.

—Van a exponer más obras suyas, ¿te has enterado? Han hecho una tremenda selección en Rusia. Nadie en París ha visto esos cuadros, será la locura, se volverán locos con esas obras. El único inconveniente es que la exposición tendrá lugar en la Maison de la Pensée française, en ese antro comunista.

Catherine jugueteaba con una rama seca haciendo aros de espuma en la arena de la orilla.

—A mí... ¡ya ves! Nada de eso me importa, nada de nada, de verdad te lo digo. He visto picassos hasta aburrirme, me repugnan, podría embutir de picassos esta vida y otras cien mil más...

—Ni por un segundo me creo que no te importe.

Dora hizo una larga pausa antes de comentar:

—¿Ves a ese hombre joven de allí, a Lord? Tal vez lo quiera, y quizá él me ame... ¿No es ya suficientemente bueno para una mujer de mi edad? Bueno, claro que me importa Picasso, y su obra, pero tengo que fingir que no, simular que me importan un bledo. Resulta tan insoportablemente aburrido que todo el mundo esté enamorado de Picasso, incluso James, sobre todo James. —Señaló al hombre haciendo un gesto gracioso como si adelantara el mentón—. Ama a Picasso más que a mí, ése es el problema que nos separa, pero, por otra parte, es la ventaja que nos une. Mañana se largará tan campante a guataquearle y me dejará sola.

James las había alcanzado y había oído la última frase, a lo que se defendió:

—Pues sí, iré a visitarlo, pero le llevaré un regalo tuyo.

—Sí, esa cosa humillante, el trasto pervertido. —Dora

rió con una carcajada que culminó en un suspiro hondo—. Una pala oxidada en respuesta a una silla de tortura que me mandó él. Son claves siniestras que sólo nosotros comprendemos.

La mujer se tiró de la cama, no quiso que el sueño se alargara todavía más, como una rémora pesarosa de viejas y peligrosas obsesiones, bastante poco aconsejables para su salud mental.

Sentada en la mecedora, pensó que debería encontrar a alguien que la obligara a romper con la rutina.

¿Sería ese alguien la chica que la perseguía insistentemente? ¿Sería ella la solución para que se decidiera a romper momentáneamente con su soledad? Quizá atenderla de vez en cuando, sentarse con ella a conversar en un café, amigarse con una mujer joven le haría más bien que mal. Pero ¿qué podría contarle ella a esa mujer, qué temas compartirían? Ni siquiera estaba segura de que supiera quién era ella en realidad.

Sí, no cabía duda, no la vigilaba ni la seguía precisamente porque se tratara de una mujer cualquiera, lo hacía porque quería aproximársele con toda intención, seguro que sabía quién era Dora Maar, la gran fotógrafa surrealista, la pintora amante de... ¿O tal vez se interesaba en ella sólo porque había sido la amante de Pablo Picasso, como hacía el resto? En ese caso, ¿qué podría contarle para atraerla cada vez más hacia ella y para que no se aburriera con sus anécdotas y sus aventuras del pasado, mientras borraba a Picasso de su vida?

Sí, seguro que sí, lo haría y no excluiría al Gran Genio. Empezaría por aquella frase que un día le soltó, despreciativo, ese tipo de patadas verbales que no escatimaba con nadie: «Cuanto más feos son mis cuadros, más se desvive la gente por comprarlos.» Y es que mientras peor pintaba, más asequible se volvía a la vulgaridad, al vulgo burgués. En eso tenía razón, cuanto peor pintan los artistas, con mayor y más incomprensible furia ciega, la gente más les arrebata los cuadros.

También podría desvelarle la conversación que tuvieron Lord y Picasso, cuando se encontraron a solas, en la que Lord por fin declaró lo mejor y más hermoso que ningún hombre había afirmado sobre su persona: «No he conocido a nadie como ella.»

—Yo tampoco. —Por fin coincidían en algo, suspiró James, pero Picasso no supo retenerse—: Nunca he conocido a nadie tan..., ¿cómo describirlo? Tan práctico, Dora era todo lo que te empeñabas que fuera, un perro, un ratoncillo, un pájaro, una idea, una tormenta, una fórmula. Eso es una gran ventaja cuando te enamoras. ¿No te parece?

Y eso, sin duda, era lo más feo que alguien había dicho sobre ella. Irremediable, Picasso no tendría nunca escrúpulos para rebajarla. No, no repetiría a nadie esa anécdota que Lord había compartido, esquivo y apesadumbrado, con ella. Podrían interpretarlo de otro modo, podría volver a ser el objeto de humillación de tantos ignorantes.

Urgía, sí, tenía que conocer a esa joven cuanto antes. Mañana mismo aceptaría hablarle, y si la otra no se le aproximaba, porque por lo visto seguía siendo demasiado tímida, ya hallaría ella un pretexto para iniciar el diálogo. «Es muy posible que le interese el lado cómico de Picasso —se dijo irónica—, por ejemplo, cuando pintó el retrete de la casa de Ménerbes, solía burlarse afirmando que sólo había querido darle un aspecto pompeyano y que, de ese modo, la gran Dora Maar, o sea yo, gozaría de la posibilidad de defecar sentada en una obra suya, cagarse en él de una vez por todas, en toda su maldita genialidad, en su estremecedora solemnidad y en su putrefacta estampa.» ¡Puf, qué asco le daba el humor tan pujón del maldito malagueño! ¿Cómo pudo soportarlo tanto tiempo? ¿Cómo pudo ella desvirtuar sus impulsos esenciales y transformarlo a él en el único latido vital de su corazón?

Esa misma madrugada, empezó a escribir en un cuaderno ordinario de escuela algunas de las historias que le contaría a la desconocida cuando, por fin, la tuviera delante y ya se hubieran hecho amigas. No quería olvidar ni una sola de esas peripecias inconcebibles que conformaron su existencia, nada debería faltar, ni lo más mínimo, se dijo arrepentida de haber deseado obviar a Picasso. Sin embargo, no tenía la menor idea de cómo darle orden a todo aquel maremoto de pensamientos ligados a las más inesperadas evocaciones que afloraban insubordinadas, agolpándose caóticas en su mente.

Le contaría a la joven cómo en una ocasión le explicó a James el verdadero y único sentido del arte de Picasso, y lo haría igual, valiéndose de la significación de la sencillez de un árbol, de su aparente interpretación: un árbol es poca cosa si antes no ha sido reparado por la visión de un genio. Ningún árbol es importante si no lo ha visto Picasso, si no lo ha pintado. «Míralo bien, James, obsérvalo —le había dicho—, para ti es una planta común y corriente, con ese tronco apacible y esos arbustos que cuelgan, para ti sólo es un elemento vegetal a un lado de la carretera, de lo más ordinario y estrepitosamente trivial. Si lo pintara *Cher et Beau,* otro gallo cantaría, James. Él haría de ese árbol un objeto inigualable, un tesoro, una joya, un sujeto indiscutible de veneración. Para una persona que profesa la fe, ya es un milagro en sí mismo, puesto que es un árbol. Es pedestre, rústico, pero representa todo lo hermoso del mundo y de la tierra, porque nace de ella, está vivo, es visible y tangible, es el mensaje más explícito de todo ser vivo en este planeta. Nos representa a ti y a mí, y a todo el universo, imaginable e inimaginable. Picasso siempre iría más allá, porque él acapararía muchísimo más de cualquier mensaje natural; nos revelaría toda la majestuosidad del misterio encerrado en sus raíces, desde el fondo, desde el alma del árbol, porque él sería quien le brindaría alma al árbol, quien se la inventaría si no la tuviera.»

James pudo entenderlo con facilidad, porque aunque no era precisamente un genio, ni muchísimo menos, sí era una persona muy sensible, abierta a los misterios y anotó en su diario todo lo que ella le había dicho. Por esa razón James se le adelantó, y todo lo que ella quiso llorar él lo escribió antes de que ella lo escribiera y antes de que terminara de llorarlo.

No estaba segura de que la que en breve se convertiría para ella en una oyente, también muy especial, pudiera entender el inmenso dolor que sintió cuando James se mudó lejos y anduvo perdido un buen tiempo. Alejado, relativamente, de su angustiante persona (sabía que así opinaba sobre ella con otros), primero instalado confortablemente en la avenida Georges Mandel y más tarde en la rue de Lille. En esa época, ya se sentía más parisino que los mismos parisinos. Pasado un tiempo, volvieron a verse. No, no es fácil entender que se ame tanto a una persona y que por eso mismo se prefiera inasible, alejado, aunque la pena nos amarre los sentidos y el cuerpo de manera física y desgarradora.

En una ocasión, mientras conversaban, James se entristeció hasta el punto de que sus ojos se aguaron y casi rompió a llorar. Sucedió cuando Dora comentó sobre Lacan, incluso con admiración:

—Es el árbitro supremo de los casos perdidos. Yo soy uno de ellos.

Lo que la situaba a ella en uno de esos agobios irrecuperables, desesperadamente perdidos, aunque salvada al final, casi de milagro, in extremis.

—Dora, ¿puedo decirte algo?, quiero que sepas que nadie ha significado tanto para mí como tú.

Ella sonrió y pasó su mano por la cabeza de él con minuciosa y acuciante dulzura.

James la amó, sin duda; le hacía tantos regalos..., y ella le correspondía con tan pocos..., más bien con ninguno, hasta que se decidió a ofrecerle el diminuto grabado original que había servido para imprimir su rostro en la fosforera Dunhill, obra de Picasso.

Al volver a casa, iba tan contento que corrió a encontrarse con Bernard. Le confesó a su amigo que creía que lo más correcto era pedir a Dora en matrimonio.

—¿Estás loco? Recapacita. Dora no es sólo ella, también es Picasso, ¿Te casarías tú con Picasso?

¿Por qué James insistía en sincerarse con ella, como si fuera su madre? ¿Y por qué Bernard la menospreciaba de ese modo tan cruel? Sí, era cierto, él y ella nunca se librarían de Picasso. James y Bernard tenían razón. No, nunca irían a ningún lado sin la presencia fantasmal de *Cher et Beau*.

—¿Sabes una cosa, James? Ser Picasso no le bastaba, también quería que lo amasen por ser él mismo —susurró ella una vez.

Ahora era James quien le preguntaba si estaba loca cuando ella se negó a una tontería de la que no podía ni siquiera acordarse. Sólo visualizaba el momento en que ocurrió y oyó la pregunta, hiriente, en sus labios:

—¿Estás loca?

Con brusquedad, se volvió hacia él, apretó los dientes, la voz dejó de atiplarse como el canto del ruiseñor para desvirtuarse en un ronquido, en una especie de gruñido inesperado de loba herida. ¿Cómo se atrevía? Pero ¿cómo se atrevía?

—¡No se te ocurra, nunca más, volver a decirme que estoy loca, óyelo bien, nunca más!

No, ese fragmento in extremis, de delírium trémens, en el que se hundió su vida no vendría al caso, su interlocutora seguramente la invadiría con demasiados interrogantes, la mayoría de ellos incómodos, y entonces sí que estaría obligada a revolver el capítulo de su enfermedad, y ya vería cómo hacerlo y en qué orden: la demencia, el hospital psiquiátrico, los electrochoques, la insoportable retahíla de sucesos vividos hacia el irremediable fin.

No, mejor no atribular ni confundir a la joven, porque si lo hacía, sería capaz de huir, y su misión, por el contrario, era retenerla el mayor tiempo posible. El poco tiempo que le quedara.

La luz del amanecer doraba el contorno de los muebles y prestaba un brillo cobrizo a la talabartería gastada y a la madera pulida del viejo sofá. Atravesó el saloncito y entró en el baño, orinó largo y tuvo la impresión de que el orín olía como a antibióticos podridos, lo que no era normal para nada, de ningún modo. No podía darse el lujo de enfermar, y mucho menos de los riñones.

Por aquel entonces, Picasso ya había muerto, la mayoría de los protagonistas de su época habían desaparecido, de muerte natural o suicidándose. Ella, por el contrario, seguía ahí, resistiendo, envejeciendo, consumiéndose poco a poco. Igual que James, seguro que también él envejecería, y aunque lo hacían alejados el uno del otro, Dora siempre recibía por cada cumpleaños un ramo de orquídeas, rosas, lirios y gladiolos. Gentileza a la que ella ya no correspondía, ni siquiera con una postal garabateada a mano como muestra de agradecimiento; había perdido hasta el ánimo que se desgaja de los buenos modales.

Pensó intensamente en la mujer joven, a la que con toda certeza vería de nuevo esa mañana, y se sintió muy nerviosa, más que nunca, porque no había construido un discurso, ni siquiera se le había ocurrido ninguna frase interesante y sólida que la ayudara a abordarla. Claro, sería más fácil que la otra lo hiciera antes que ella, pero ¿y si no se decidía nunca?

Efectivamente, de ese modo sucedió. Después de vestirse, siempre de la cabeza a los pies de negro, salió a la calle, y allí estaba la joven, recostada en la pared de enfrente, fumando. Le gustó que fumara. Iba vestida con un pantalón corto de cuero, una chaqueta de terciopelo negro, medias rojas y unas *cuissardes* hasta la mitad del muslo, también de cuero negro. Dora avanzó lentamente y advirtió que, como de costumbre, la otra no le perdía ni pies ni pisadas. Entonces, de sopetón, se dio media vuelta y empezó a caminar en dirección a la muchacha, pero cuando se cruzaron, ninguna de las dos se atrevió a decir algo más que los buenos días, acompañando el saludo de una leve sonrisa.

Dora invirtió tiempo en dar toda la vuelta a la manzana y bordear el Sena, para entrar en Notre Dame de frente.

Mañana, sin falta, se dijo, sería ella quien sorprendería a la desconocida con una frase cualquiera, lo más potente posible. No esperaría más, no podía esperar más. Caviló nerviosa.

Asistió a la misa, se entretuvo merodeando por los muelles y volvió a la casa a comer algo y a pintar. Aunque estaba muy mayor y le dolía todo el cuerpo, expuesto y cercano ya al último de los cansancios, todavía podía sentarse frente a un trípode e imaginar y plasmar, a través de cortas y lentas pinceladas, aquellos paisajes que ya no lograba, como en tiempos remotos, extender en la desmesura de gigantescos lienzos. Se consolaba diciéndose que, al menos, todavía le acompañaban las fuerzas y los ánimos para pintar. Refugiarse en el color e intrincarse en el enigma del recorrido insólito del trazo hacia la nada eran los mejores ungüentos imaginarios para sus reumáticos huesos. Trabajó durante dos horas. Almorzó algo ligero, fregó la loza, limpió la mesa y se sentó a escribir en el cuaderno Clairfontaine rayado.

Para ella no existía nada comparable con el mar, lograba identificarse tan profundamente con la inmensidad azulosa que cuando nadaba por debajo del agua, sumergida en el vasto azul, lejos de la superficie y de la orilla, presentía que podía quedarse allí el resto de su existencia y morir lentamente, poco a poco, sin ponerle resistencia a la muerte. Su cuerpo ondulaba como el de un delfín, el de un manatí, el de una antigua deidad marina. El océano la reanimaba, la proyectaba en otra dimensión y le proporcionaba una seguridad sin igual, la que nunca había experimentado con los pies aferrados a la tierra. El oleaje marino la envolvía en una aureola sobrenatural que la hacía parecer, al surgir de las crestas espumosas, una mujer líquida, construida y montada pieza a pieza con gotas de agua. Tenía la sensación de que Picasso esperaría hechizado por aquella imagen de mujer delfín, de deidad salada con cuerpo de pájaro.

Picasso corría a buscar algo con que dibujarla, regresaba exultante, y de esa imagen suya, licuada e intensamente azul, ideó y realizó el dibujo de aquella hermosa mujer pájaro, de un añil radiante, una lechuza que muestra los senos erectos, el rostro alado, semejante a una esfinge, distinguida y vigilante en el promontorio de una roca. Sabía que cuando Picasso decía que ella podía serlo todo, «todo lo que te empeñabas que fuera», como le declaró a Lord, lo hacía en nombre de la creación, de la pintura, desdeñando el efecto de insensibilidad humana que pudiera tener para quien lo escuchara fuera de contexto, sin reparar en la obsesión pictórica que se apoderaba de él, ni en todo de lo que él se apropiaba con la genialidad de su mirada.

Sin embargo, para James, aquella visión de ella surgiendo del oleaje poseía otro sentido. La única vez que la vio emerger del océano quedó petrificado por el deseo sexual que su imagen le provocó. Un súbito e imperioso anhelo de poseerla carnalmente se apoderó de él, incluso ella pudo comprobarlo al identificar una ligera excitación física visible en su traje de baño, lo que duró, por desdicha, sólo un rato.

Hubo una época en que prefería inspirar deseo físico en los hombres, más que ardor o pasión estéticos y artísticos. Esa época se alargó inmoderadamente y la perturbó en exceso.

Hizo una pausa. Al rato, continuó escribiendo para la desconocida, con la mano recta encima del papel, pero tuvo que detenerse otra vez, porque, de repente, otra imagen extraña y muy precisa se interpuso entre sus recuerdos y la muchacha a la que estaba destinando aquel rosario de anécdotas escritas.

Sucedía en un futuro no muy lejano, veía a esa mujer acompañada de un hombre y de otra chica en apariencia más joven, era más bien baja de estatura y tenía los ojos de curiel más maléficos que ella había visto nunca. Sentados en un café, conversaron acerca de Anaïs Nin, luego se trasladaron hacia lo que parecía una plaza y, más tarde, sin esforzarse mucho, los distinguió moviéndose en el interior de un museo. Salieron de allí presurosos. En seguida entraron en un coche, la otra olvidó sus guantes con toda intención, haciéndose la despreocupada, en el asiento trasero; eran unos dantescos guantes de piel de cordero, negros, pespunteados en rojo.

«¡No los toques, no los toques!» Dora presintió el impulso de prevenir a la desconocida de que no tomara en sus manos los guantes abandonados de aquella mujercita malagradecida y maligna cuya compañía, con toda intuición, no le traería buena suerte.

Agotada por esta visión, decidió recostarse en la mecedora, en la mano sostenía una taza de té de rosas. ¿Qué secretos que ella guardara a estas alturas podrían interesarle a una mujer de la época actual? ¿Qué le importaría que ella le revelara? Se rompía la cabeza. «¡Ah, sí, ya sé! —se dijo—. ¡El viaje a Venecia!»

Los ocho días con James y con Bernard. Esos días fueron tal vez demasiado definitivos, todo lo definitivos como para que ella ansiara apartarse del «mundanal ruido». Pero el viaje a Venecia, además, había sido, sin duda alguna, fantástico.

Aunque después sólo hubo silencio, un muro callado. Esperó, esperó tanto que la llamaran... Ninguna atención especial y delicada por parte de ellos se produjo, y sin embargo siempre imaginó que James estaría *à portée de main* para cualquier necesidad que a ella se le presentara. Pese a esa especie de desdén por parte de sus amigos, el viaje a Venecia sería un buen tema de conversación y no la comprometería demasiado, puesto que la otra no se vería obligada a quedar pendiente, o de continuar una amistad rendida ante una relación intimidante y sumisa a la obra de Picasso, o a la de ella.

Esperar, exorbitante espera, ¿para qué? ¡Cuánto había esperado ya! Tanto Picasso como James la dejaron en la puerta de su casa un buen día, sin ninguna explicación, ni dedicación, ni maneras extraordinarias. Igual que sucedió después del viaje a Venecia con James, había ocurrido mucho antes con Picasso. También él la puso en la puerta de la rue de Savoie, como quien coloca un mueble viejo y vencido para que, más tarde, lo recojan los basureros, y la despidió cordialmente, tal vez demasiado cordialmente. En ese instante, ella intuyó que todo había acabado. Y hasta un tiempo más tarde, no se enteró del verdadero motivo: una mujer más joven. Debió esperar más de dos semanas para corroborarlo. El desencanto de la confirmación suplió a la extrañeza. Lo extrañó a mares, porque se veían casi a diario desde hacía diez años, y le costó habituarse a que todo terminara de un golpe, sin palabras, sin un solo gesto relevante, como no fuera que él le señalara que la dejaba ahí, que no la acompañaba hasta arriba, puesto que ya ella podía caminar sola.

Lo que nunca le perdonaría a Picasso fue que no tuvo el valor de comunicarle, como hubiera hecho un caballero de honor, que todo entre ellos había terminado. Y, peor aún, suponía que para evitar hablar del tema con ella, él había deseado que su silencio la hubiera empujado al suicidio, que hubiera muerto por él, sin una queja, que hubiera dejado de existir atormentada y callada, de manera que él lograra vivir de modo más confortable su ausencia suplida por otra mujer, ya en aquel entonces definitiva.

Su indiferencia fue extremadamente punzante, criminal. Y por eso enfermó. Tanto que un día que Paul Éluard fue a visitarla, llegó y se la encontró en la escalera de la casa, en camisón, llorando desesperada. El poeta la tomó en sus brazos y llamó a los médicos. Avisó de inmediato a Picasso. Aquella escena incoherente e insoportable se repetiría en su cabeza en letanía hasta el final de su vida.

A partir de aquel día, se juró a sí misma que no volvería a dar ningún otro espectáculo; pero ya era demasiado tarde, la enfermedad la había alcanzado sin solución. La locura contagiosa e irreversible de las mujeres que lloran en una retahíla de invocaciones siniestras, ocupando las mentes de los hombres que sólo esperan de las mujeres un llanto que los reafirme en la aciaga virilidad, había echado raíces en su maltrecho cuerpo.

Aun sin esperanzas, logró curarse a medias y, una vez superado todo, se volvió a jurar que no correría el riesgo de depender de nadie más, que dependería exclusivamente de sí misma. No, nunca más viviría con un hombre y agregó al juramento una promesa, la de barrer cualquier intención amorosa que sumiera su existencia en otro anestésico estado de desolación, por muy saludable y atrayente que luciera al inicio. Como diría Marlene Dietrich, sí, la vida es un circo. «Créame, todo no es más que un circo», y cada una de esas desventuras amorosas representan sus pésimas actuaciones.

Pero entonces reapareció James, con toda su excitada juventud, y se sentó en aquel banco, bajo la higuera, en Ménerbes, y, allí, a ella no le quedó más remedio que pintarlo. No le quedó otra opción que volver a ilusionarse. No pudo evitarlo, parecía eterno y desbordaba lozanía. Además, supo tratarla con cariño, la mimaba y no se cansaba de repetirle que lo único que él deseaba era estar siempre con ella, junto a ella. *Trop mignon, n'est-ce pas?*

Después de eso, se hicieron grandes amigos, casi amantes, lo único que faltó fue el sexo, porque aunque en la cama él le hizo serias y verdaderas declaraciones, jamás se tocaron, apenas unos roces, más tiernos que puritanos. Dora se había vuelto agriada, desconfiada y más indócil que antes de la enfermedad, una indocilidad que enarbolaba como única arma de resistencia a la desidia; pero así y todo, aceptó nuevamente la amable y concreta proximidad de un hombre.

«James Lord», pronunció reflexiva su nombre a media voz, ése sí que es un tema. Todo un tema interesante para cualquiera que intentara descifrar en un futuro buena parte de lo que ella denominaba su «anodina existencia».

Él también escribía todo lo que se le ocurría, lo que vivía junto a ella, en el interminable diario, en un cuaderno que dejaba a propósito en la mesa de noche, al alcance de la anfitriona, en Ménerbes, aunque Dora nunca se atrevió a leerlo, ni siquiera a abrirlo. Aquel diario, sin duda, esculpió al escritor en que se transformó, pero fue ella quien propició y amasó los ingredientes con los que se concibió la obra.

Sí, él ya era todo un escritor, se repetía Dora, en buena medida porque ella lo había convertido en un hombre maduro capaz de serlo.

«No se puede confiar en ellos —se repitió—, en los hombres, y mucho menos en los escritores.» Escenifican lo que saben, y ella no deseaba que escribieran sobre su pasado desde un único punto de vista, asunto que se le ocurría execrable.

Así, sin remedio, algunos hasta prematuramente, al igual que ella, habían ido envejeciendo todos sus amigos; pero ella, al contrario de los demás, no se mostraba, resistía aislada de la vista y el implacable juicio de los otros.

De ese mismo modo, apenas livianamente, Picasso rehízo su vida, enamorándose de Françoise Gilot, tuvo hijos con ella, ¡más hijos! Y luego llegaron Geneviève Laporte brevemente y Jacqueline Roque definitiva. Finalmente, con el tiempo, sobrevino la inevitable noticia: Pablo Picasso murió. ¡Murió Picasso! ¡El fin de todos los posibles finales!

Ella, que como los demás jugaba con la idea de que Pablo Picasso iba a ser eterno, se derrumbó al constatar la fatalidad del suceso, para, más tarde, sin que pasara demasiado tiempo, poder aceptarlo más rápido de lo que hubiera creído. Esa aceptación aconteció de una manera, en apariencia, tan poco hiriente por el mero hecho de que Picasso siempre estaba allí, junto a ella, en la sala de su casa, en la penumbra, la acompañaba a través de sus pinturas, sus esculturas y hasta el más mínimo objeto, o estorbo, que ella había guardado de él.

Fue la única vez que lo llamó por su nombre de pila: «Pablo.» Pero él ya no la oiría pronunciar por primera y última vez la única palabra que en sus labios quizá lo habría enternecido: «Pablo.»

A veces, hasta conseguía reírse a carcajadas frente a su sombra, frente al fantasma de Picasso, cuando divertido le repetía, en esa letanía empecinada de los difuntos: «Soy lesbiana, Dora, soy lesbiana.»

James hacía tiempo que no aparecía, las llamadas se hicieron cada vez más distantes. La última vez que lo había visto fue en 1980. Tras la desaparición de Picasso, se encontraron en 1974, pero fue exactamente en 1980 cuando lo vio por última vez.

Seguía siendo para ella muy apuesto, más apuesto que cuando lo conoció aunque se había curtido en extremo para su gusto y se había convertido en una persona ceremoniosa y torpemente condescendiente. Ella ya era la ancianita beata y encorvada en la que la habían transformado el resentimiento y Dios. Advirtió en las pupilas de James una descomunal amargura, quebrantado precisamente ante la vejez de la que otrora él había considerado la mujer más bella y juvenil del mundo, una eterna niña y una diosa surrealista.

En aquella última ocasión, Dora le preguntó, por supuesto, por su amigo Bernard, ya que se había enterado de que iba camino de convertirse en un exitoso dramaturgo y guionista de cine. Además de preguntar por Bernard, se interesó por los pocos antiguos amigos que quedaban vivos. Los vivos seguían bien, los muertos estarían mejor, se dijo después de un rato, cuando James Lord ya había desaparecido por el portón del inmueble, y el montoncito de hojarasca seca que la conserje había barrido se deshacía levantado por una ventolera.

Repasó todo lo que había escrito y quedó complacida. Al día siguiente, invitaría a la desconocida a tomar el té en Ladurée de Saint-Germain-des-Prés y le entregaría esos fragmentos, caligrafiados de forma dispersa, aunque exactos y fieles a la memoria de toda una época que se resistía, al igual que ella, a desaparecer.

Leyó un rato más un viejo libro y se acostó temprano. Entonces, por primera vez en mucho tiempo, soñó con un paisaje sencillo y placentero: con el mar de fondo, espumoso, igual que aparecía en sus lienzos, y con Picasso allí delante del oleaje, torso desnudo, piernas peludas, sentado en las rocas, tapándose el rostro con un cráneo de minotauro. Mientras, ella lo enfocaba, apretaba el obturador y lo retrataba.

La anciana salió al patio portando con dificultad el viejo y gastado canasto medio vacío, en el interior llevaba el cuaderno, un paraguas y un monedero. No se sobresaltó cuando la conserje del inmueble le salió al paso, con una rudeza mal disimulada:

—Señora, ¿va otra vez a misa? —inquirió la mujer, que tenía la mala costumbre de parapetársele siempre en cada una de sus salidas entre su figura y la puerta y de preguntarle cada mañana lo mismo, pero a quien apreciaba debido a la cantidad de años que se habían acompañado mutuamente, más con cariño que con excesivo respeto.

—Sí, voy otra vez a misa, como cada mañana desde que me conoce usted. Y, de regreso, pasaré por el mercado, pero no me demoraré, no se inquiete usted. *Au revoir!* ¡Adiós!

En la acera, observó con detenimiento, buscando hacia ambos lados, y sintió cierta aprehensión fatal al no hallar a la extranjera. Se dijo que tal vez la otra no había podido llegar puntual debido al temporal acaecido durante la madrugada. Decidió, entonces, apresurarse para no perderse el principio de la misa. Luego regresaría por el mercado, y a esa hora, seguramente, su futura amiga ya estaría allí, como de costumbre, esperándola.

Mientras caminaba hacia Notre Dame, sintió un ligero vértigo, después un segundo vahído, seguido de una especie de latido extraño a la altura de la ingle y otro más intenso en el cráneo, se detuvo brevemente, y al rato recuperó el paso.

Iba muy alegre, por primera vez en mucho tiempo sonrió a los paseantes y saludó a los *bouquinistes,* y hasta estuvo a punto de comprarse una vieja edición de *El cementerio marino,* de Paul Valéry, y un sombrerito de lana que le ofreció una vendedora ambulante. Pero pensó que entretenerse la retrasaría, y necesitaba volver temprano.

Marchaba más de prisa de lo habitual, y la mañana, aunque fría, resplandecía ahora soleada; el viento había amainado. Rogó a Dios que le concediera un poco más de tiempo; de unos años a esta parte, siempre pedía lo mismo, como si se tratara de su último rezo, la última frase en severa letanía: «Dios, concédame un poco más de tiempo, un poco más.»

—Jade, ¡Jade! —Una madre reclamó a su chiquilina,

que jugueteaba con el dálmata que un señor muy elegante tironeaba de una correa en la explanada de Notre Dame.

«Jade», la última palabra que ella oyó.

A mí se me había hecho bastante tarde y, pese a que corrí a la boca del metro y atravesé precipitadamente el Pont Neuf, no llegué a la hora exacta para encontrarme con Dora Maar y, por fin, con pocas y quizá balbuceantes palabras, poder declararle mi admiración. A lo mejor hasta habría podido escuchar su voz en una inextinguible e instructiva conversación que perduraría, como su amistad, en la que me diría: «El arte, al fin y al cabo, sólo embellece la verdad. No es la verdad en sí misma.»

Después, nos despediríamos, la observaría alejarse, y ella entraría en su casa prometiéndome que nos volveríamos a ver.

De ese mismo inmueble, surgiría al poco rato una hermosa y misteriosa mujer enfundada en un abrigo de piel oscuro. Su imagen se empequeñecería lentamente, a medida que se iba alejando por la rue de Savoie, hasta emborronarse por completo al doblar la esquina en la rue Grands Augustins.

Marcharía, entonces, erguida, su paso firme taconearía acompasado en el pavimento, descuidadamente perdería un guante bordado con diminutas florecillas. Yo lo recogería con la intención de devolvérselo allí mismo, o al día siguiente. El guante gotearía, húmedo de sangre.

Quizá no me daría tiempo a alcanzar a la elegante e imaginada dama, alargada su silueta en el letargo de una sombra, como el retrato de Assia desnuda. Me quedaría esperándola en vano. Porque de aquella última cita, ella ya no regresaría nunca.

Sin embargo, todavía hoy la espero, al borde tembloroso e impreciso de una página.

EPÍLOGO

—

Un mediodía muy frío del mes de febrero de 2006, me puse de acuerdo con la fotógrafa Marcela Rossiter para ir a ver la exposición «Picasso-Dora Maar (1935-1945)» que el Museo Picasso dedicaba a Dora Maar y al pintor. Durante el final del invierno, toda la primavera y hasta casi el inicio del verano, cientos de miles de personas venidas de todo el mundo abarrotaron las salas del museo en el Marais, en París. Regresé una y otra vez a esas salas.

Nunca antes había tenido a Dora y a Picasso tan cerca de mí, amándose a través del tiempo, con su amor inmortalizado a través del arte. He vuelto a reconciliarme con Picasso, no fue fácil. ¿Cómo entender que «cuando los oficiales alemanes llamaban a su puerta, Picasso no podía negarles la entrada», tal como se puede leer en el libro de Alan Riding *Y siguió la fiesta. La vida cultural en el París ocupado por los nazis*?

Otra vez allí, frente a su obra, caí rendida ante la enormidad del Gran Genio. Luego, tras un lento proceso, he vuelto a admirar su maestría, a amarla.

Tuve la sensación de que también en aquel momento, y por primera vez, Dora Maar era reconocida y valorada en su justa majestuosidad de artista y amante.

París, agosto de 2011

373

Pour Zoe,
avec ma pensée

Picasso et Dora

cordiale, en attendant
de voir moi-même vu
par vous !
James Lord.
Paris, le 5 janvier 2007.

NOTA DE LA AUTORA Y FUENTES BIBLIOGRÁFICAS

—

Parte de lo que se cuenta en esta novela ha sido debidamente verificado en los libros que citaré a continuación, además de en otros a los que no considero necesario dar relevancia por la brevedad de las consultas realizadas. También me he inspirado en varios testimonios de personas con las que me entrevisté al inicio de este trabajo, entre ellas James Lord y Bernard Minoret. El resto es pura imaginación propia de la ficción, sutilezas e invenciones correspondientes al género novelístico.

AVRIL, Nicole, *Moi, Dora Maar. La passion selon Picasso*, Plon, París.

BALDASSARI, Anne, *Picasso/Dora Maar. Il faisait tellement noir*, Flammarion, París.

CAWS, Mary Ann, *Dora Maar con y sin Picasso: una artista a la sombra de un gigante*, presentación de Josep Palau i Fabre, prólogo de Victoria Combalía, Destino, Barcelona.

Les Vies de Dora Maar. Bataille Picasso et les surréalistes, Thames & Hudson, París.

CENTRE POMPIDOU, *Man Ray Portraits. Paris-Hollywood-Paris*, Schirmer Mosel, Múnich.

DUJOVNE ORTIZ, Alicia, *Dora Maar. Prisonnière du regard*, Grasset, París.

LACHGAR, Lina, *Arrestation et mort de Max Jacob*, Éditions de la Différence, París.

LAKE, Carlton, y Françoise GILOT, *Mi vida con Picasso*, Editorial Bruguera, Barcelona, 1965.

LORD, James, *Picasso y Dora: una memoria personal*, Alba Editorial, Barcelona.

O'BRIAN, Patrick, *Pablo Ruiz Picasso*, Folio, Éditions Gallimard, 1979.

RICHARDSON, John, *Picasso, una biografía*, Alianza Editorial, Madrid.

RIDING, Alan, *Y siguió la fiesta. La vida cultural en el París ocupado por los nazis*, Galaxia Gutenberg, Barcelona.

Impreso en
CAYFOSA
Santa Perpètua de Mogoda
(Barcelona)